FLORESTAN FERNANDES

O Brasil de
Florestan

PENSADORES DO BRASIL — Do tempo da ditadura ao tempo da democracia

FLORESTAN FERNANDES

O Brasil de Florestan

autêntica

ORGANIZADOR Antônio David

Copyright © 2018 Herdeiro de Florestan Fernandes
Copyright © 2018 Autêntica Editora
Copyright © 2018 Editora Fundação Perseu Abramo

Todos os esforços foram feitos no sentido de encontrar os detentores dos direitos autorais das obras que constam deste livro. Pedimos desculpas por eventuais omissões involuntárias e nos comprometemos a inserir os devidos créditos e corrigir possíveis falhas em edições subsequentes.

Todos os direitos reservados pela Autêntica Editora e pela Editora Fundação Perseu Abramo. Nenhuma parte desta publicação poderá ser reproduzida, seja por meios mecânicos, eletrônicos, seja via cópia xerográfica, sem a autorização prévia das Editoras.

COORDENADOR DA COLEÇÃO
André Rocha

EDITORA RESPONSÁVEL
Rejane Dias

EDITORA ASSISTENTE
Cecília Martins

REVISÃO
Aline Sobreira

CAPA
Alberto Bittencourt (sobre fotografia de arquivo pessoal do autor)

DIAGRAMAÇÃO
Larissa Carvalho Mazzoni

Dados Internacionais de Catalogação na Publicação (CIP)
(Câmara Brasileira do Livro, SP, Brasil)

Fernandes, Florestan, 1920-1995
    O Brasil de Florestan / Belo Horizonte : Autêntica Editora ; São Paulo : Editora Fundação Perseu Abramo, 2018. -- 1. ed. -- (Pensadores do Brasil : Do Tempo da Ditadura ao Tempo da Democracia / organizador Antônio David)

    Bibliografia
    ISBN 978-85-8217-990-1 (Autêntica Editora)
    ISBN 978-85-5708-081-2 (Editora Fundação Perseu Abramo)

    1. Brasil - Condições econômicas 2. Brasil - Condições sociais 3. Brasil - História 4. Brasil - Política e governo 5. Fernandes, Florestan, 1920-1995 6. Sociologia - Brasil 7. Brasil - Antropologia I. Título II. Série.

18-12783   CDD-361.610981

Índices para catálogo sistemático:
1. Brasil : Política social 361.610981

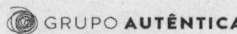

Belo Horizonte
Rua Carlos Turner, 420
Silveira . 31140-520
Belo Horizonte . MG
Tel.: (55 31) 3465 4500

Rio de Janeiro
Rua Debret, 23, sala 401
Centro . 20030-080
Rio de Janeiro . RJ
Tel.: (55 21) 3179 1975

São Paulo
Av. Paulista, 2.073,
Conjunto Nacional, Horsa I
23º andar . Conj. 2310-2312 .
Cerqueira César . 01311-940
São Paulo . SP
Tel.: (55 11) 3034 4468

www.grupoautentica.com.br

Sumário

7. Apresentação
Antônio David

11. Elementos étnicos na formação brasileira
19. Gente sem raça
21. A revolução liberal de 1842
23. Contos populares paulistas
25. A aculturação dos alemães no Brasil
45. Raízes do Brasil
49. A família patriarcal e suas funções econômicas
59. Brazilian culture: an introduction to the study of culture in Brazil
61. Caminhos e fronteiras
65. Le Brèsil, structure sociale et instituitions politiques
69. Perspectivas da economia brasileira
73. Antecedentes indígenas: organização social das tribos tupis
93. Favelas
97. A concentração demográfica no Brasil
99. Formação e desenvolvimento da sociedade brasileira
117. Introduções do livro *Comunidade e sociedade no Brasil*
167. Relações de raça no Brasil: realidade e mito

- **195.** A revolução burguesa no Brasil em questão
- **205.** Revolução ou contrarrevolução?
- **223.** O centenário da antiabolição
- **231.** Os enigmas do círculo vicioso
- **237.** Nem federação nem democracia
- **245.** Obra de Caio Prado nasce da rebeldia moral

Apresentação

Antônio David

Florestan Fernandes é reconhecido como um dos pioneiros da sociologia científica e acadêmica no Brasil. Suas obras exerceram marcante influência sobre toda uma geração de pesquisadores. No exterior, seu nome figurou entre os mais destacados sociólogos latino-americanos. E o interesse por sua obra entre jovens estudantes e pesquisadores mantém-se vivo ainda hoje, duas décadas após seu falecimento.

Na obra de Florestan figuram livros, artigos e ensaios sobre uma vastíssima gama de assuntos: povos ameríndios, folclore, relações raciais, organização da ciência e do trabalho acadêmico, teoria sociológica e metodologia das ciências sociais, classes sociais e subdesenvolvimento na América Latina, a revolução burguesa no Brasil... Eis alguns dos temas que foram objeto de uma reflexão a um só tempo plena de rigor acadêmico e carregada de engajamento político.

Parte significativa das principais obras de Florestan foram reeditadas nos últimos anos, de modo que o público já tem a oportunidade de reler os mais importantes escritos do sociólogo em novas edições. No entanto, no interior de uma vastíssima obra, restam inúmeros textos isolados que foram divulgados uma única vez em publicações de difícil acesso, ao lado de resenhas ou prefácios a obras de terceiros, motivo pelo qual não raro passam despercebidos aos interessados na obra de Florestan e em temas do chamado pensamento social brasileiro. Somem-se a esses trabalhos manuscritos e anotações até hoje inéditos.

É esse tipo de material que o presente volume incorpora. *O Brasil de Florestan* reúne trabalhos produzidos entre 1943 e 1991. São artigos e resenhas de difícil acesso, dois manuscritos inéditos ("Elementos étnicos na formação brasileira" e "Formação e desenvolvimento da sociedade brasileira"), um prefácio, além das introduções da coletânea *Comunidade e sociedade no Brasil*.

A seleção ora publicada tem como fio condutor exprimir a preocupação de Florestan em tomar parte no esforço de oferecer um quadro interpretativo do Brasil. São textos menos conhecidos, mas que merecem ser lidos ao lado das obras mais consagradas do autor. Quem o fizer terá talvez – assim desejamos – um subsídio a mais para melhor compreender o pensamento de Florestan, cuja obra não cessa de ser lida e interpretada. Anotações, resenhas, prefácios a terceiros e introduções, materiais aparentemente de menor importância, podem iluminar grandes obras.

Nossa expectativa é que o leitor tome os textos aqui publicados não como algo datado e superado, mas como *parte de uma obra*. Interpretações e teorias passam, levadas pelo tempo voraz que tudo devora; os clássicos ficam. Florestan teve a rara capacidade de, ao ler o Brasil, ultrapassar o episódico e o conjuntural para, neles, observar com extrema agudeza os ecos de uma rígida estrutura social. Ele não foi apenas um grande intelectual; foi um intelectual cujo pensamento permanece vivo e atual.

***

A consecução deste volume só foi possível graças à colaboração de pessoas e instituições a quem devemos agradecer. Em primeiro lugar, devo a André Rocha e Rogério Chaves o generoso convite para trabalhar sobre o presente volume. A ambos devo meu sincero agradecimento, o qual estendo às editoras da Fundação Perseu Abramo e Autêntica e a todos os envolvidos na edição deste livro.

Sou especialmente grato a Sylvia Gemignani Garcia, pelo diálogo iniciado há mais de uma década em torno da obra de Florestan e, particularmente, pelo diálogo em torno do presente volume. Obviamente, eventuais críticas e reparos à concepção do livro, bem como à seleção e à ordem dos textos devem ser dirigidos exclusivamente a mim.

Não poderia deixar de registrar minha gratidão para com Florestan Fernandes Júnior e Heloísa Fernandes, filhos de Florestan, pela recepção e pelo irrestrito apoio à iniciativa da qual este livro é fruto. A Heloísa agradeço também pela inestimável ajuda na revisão do manuscrito intitulado "Formação e desenvolvimento da sociedade brasileira". Como socióloga, Heloísa costumava ler os manuscritos do pai. Pela mesma razão, agradeço à historiadora Luma Ribeiro Prado, pelo paciente e atencioso apoio no trabalho de revisão da transcrição do manuscrito em sua íntegra. Como organizador e revisor, convém dizer que eventuais falhas de transcrição são de minha inteira responsabilidade.

Agradeço ainda ao Fundo Florestan Fernandes, vinculado à Universidade Federal de São Carlos (UFSCar), onde pude consultar os manuscritos de Florestan e obter os dois trabalhos inéditos aqui publicados, bem como à Faculdade de Filosofia, Letras e Ciências Humanas da Universidade de São Paulo (USP), que gentilmente cedeu parte das imagens aqui publicadas.

***

A fim de evitar uma ordem demasiado arbitrária dos textos, cujos temas são variados, optamos por sequenciá-los cronologicamente, pelo ano em que foram escritos. Os textos passaram por revisão linguística, com vistas à adaptação à nova ortografia e padronização editorial, não afetando seu conteúdo.

Elementos étnicos na formação brasileira[1]

Introdução

Os elementos em contato e os resultantes: tendência à fusão

O Brasil, do ponto de vista étnico, é um caleidoscópio, tal a heterogeneidade dos tipos humanos em contato. Sobre uma população indígena pouco numerosa superpôs-se o branco, em contingente cada vez maior e absorvedor, e depois o negro cativo. Esses são os três elementos básicos na formação étnica brasileira, que, por um processo demorado de miscigenação, forneceram os tipos mestiços que vieram complicar o mosaico humano brasileiro. O branco e o índio produziram o caboclo; o branco e o preto, o mulato; o preto e o índio, o cafuzo, "numericamente insignificante" (Roquette Pinto). É claro que todos os processos posteriores de caldeamento se desenvolveram no seio das camadas populacionais constituídas por esses tipos mestiços e pelos brancos, negros e indígenas. São os tipos básicos que estruturaram durante muito tempo a população brasileira e que constituíram o elemento nativo que deveria entrar em contato com os elementos trazidos pelas correntes imigratórias iniciadas no início do século XIX.

De um modo geral, as variações individuais gravitam em torno do tipo branco, que tende a absorver os demais tipos (o negro e o

---

[1] Conferência realizada na Faculdade de Direito da Universidade de Assunção, em 20 de julho de 1943. Texto obtido junto ao Fundo Florestan Fernandes, da Universidade Federal de São Carlos (UFSCar/Biblioteca Comunitária/DeCORE Fundo Florestan Fernandes). Nunca publicado.

indígena), que pouco a pouco desaparecem como unidades raciais. Esse processo de absorção dos outros elementos pelo branco tem sido a característica por excelência da formação étnica brasileira. Em seus recentes estudos sobre os contatos raciais no Brasil, Donald Pierson assinalou esse fato nos seguintes termos: "a tendência geral em toda a história brasileira parece ter sido para absorver o stock europeu predominante, gradativa mas inevitavelmente todas as minorias étnicas" [...][2]

da população, definida em torno dos três tipos étnicos fundamentais, ou não, com a situação anormal da guerra verificou-se que certos elementos migratórios, como os japoneses e os alemães, constituem encravamentos raciais ou minorias étnicas, dentro da população brasileira.

Na verdade, o italiano, o espanhol e outros elementos, como os alemães, os austríacos, os sírios, etc., fundiram-se de tal modo à população local que seus descentes se distinguem dos demais habitantes pelo nome, e às vezes por traços físicos específicos, como a cor da pele, dos olhos e do cabelo. Em certas zonas rurais, para onde afluíram há tempo elementos nórdicos, distinguem-se certos habitantes do caboclo justamente por esses traços – têm cabelos loiros e olhos azuis. No resto, até os costumes, confundem-se com os outros – são caboclos. Isso sem falarmos no elemento português, que é gente de casa.

Relativamente ao japonês, todavia, há quem sustente que ele apresenta um mínimo de miscibilidade, mantendo padrões endogâmicos de casamento. O próprio sistema migratório japonês facilita essa situação – pois o japonês imigra em família e procura se localizar em lugares onde haja elementos da mesma nacionalidade. Nesses lugares (Bastos, na Alta Paulista, Pereira Barreto, Ribeira de Iguape, Araçatuba, Cotia, etc.), o japonês trabalha dois anos sob contrato, procurando, depois desse tempo, arrendar ou comprar propriedades coletivamente, reunindo-se cinco ou seis famílias. Com a melhoria de sua situação econômica, o japonês tende a arrendar ou comprar individualmente as terras para o cultivo, mantendo, entretanto, o sentido cooperativista que caracteriza suas colônias. Isso facilita os

---

[2] A página 2 não consta do documento. (N.E.)

casamentos dentro do próprio grupo japonês, e, dada a diferença entre os padrões de vida dos japoneses e dos outros elementos da população, não se poderia esperar um índice elevado de miscibilidade. O professor Alfredo Ellis calculou as seguintes percentagens de intercasamento, para os japoneses, no ano 1927 (sobre dados do Anuário Demográfico): casamento entre japoneses 63,3%; casamento com brasileiros 27,4%; casamento com outras nacionalidades 5,3%.

Assim mesmo, 27,4% parece-nos uma percentagem elevada, que talvez se explique pelo fato de se considerar a nacionalidade e não a ascendência do habitante nos recenseamentos. É possível que parte desses brasileiros sejam japoneses nacionalizados ou seus descendentes brasileiros.

O próprio professor Ellis considera que os japoneses "não são favoráveis a uma rápida assimilação" (p. 182). E isso tem se evidenciado ultimamente por causa da atenção que a situação internacional atraiu sobre esses elementos. Vários conflitos culturais têm demonstrado que o japonês, devido à sua localização em áreas contíguas, sua organização cooperativista e a manutenção dos mesmos traços culturais originários (língua, costumes, etc.), não está sendo assimilado aos padrões sociais brasileiros. Um dos conflitos interessantes surgidos ultimamente refere-se a um casal japonês que queimou a sola dos pés de uma filha fujona.

Apesar disso, parece-nos prematuro concluir pela hipótese de encravamento, embora também em outras esferas culturais (competições de *baseball*, por exemplo, que "reúnem as equipes de todas as zonas de colonização japonesa";[3] língua, religião, festas, etc.) haja incongruências com a cultura do grupo dominante.

Sobre o imigrante alemão também se levantaram hipóteses de encravamentos ou de que constituíam minorias étnicas, mormente no sul do país, assegurando-se que o alemão não tem se assimilado aos padrões do grupo social brasileiro. Estudos realizados por Emílio Willems demonstram justamente que a falta de contato dos imigrantes alemães com o grupo social brasileiro estava em função do isolamento quase completo em que se mostraram esses núcleos, quer com as

---

[3] WILLEMS. Recreação e assimilação, p. 303.

zonas urbanas, quer com as rurais. Havia falta de vias de comunicação, e a distância com os grandes centros dificultava ainda mais o contato. Isso levou os imigrantes desses núcleos (em Santa Catarina, Rio Grande do Sul e Paraná) a constituírem verdadeiras ilhotas com uma vida cultural relativamente autônoma. Entretanto, nada se pode concluir de positivo sobre a miscibilidade desses imigrantes, porque o isolamento deixa poucas possibilidades ao intercasamento. Por isso, conclui o professor de Antropologia da Universidade de São Paulo, "todos os argumentos pró ou contra a capacidade de assimilação do imigrante alemão são inteiramente falhas enquanto não considerarem o fator isolamento".[4]

Há preconceito racial no Brasil?

O problema racial no Brasil, como muito bem observa Donald Pierson, só aparece quando um grupo tenta resistir à miscigenação e procura segregar-se no meio social brasileiro. Por isso criou-se um ambiente de oposição aos japoneses. Compreende-se que numa sociedade assim caracterizada não pode deitar raízes fundas o preconceito racial. O português defrontou-se com o problema de falta de mulher e falta de mão de obra, e resolveu os dois pelo mestiçamento. A regularização da situação desses elementos mestiços consolidou o seu status social e abriu novas facilidades ao intercasamento com brancos. Por isso, pesquisadores como Donald Pierson acham que a aceitação de elementos racialmente caracterizados – como o negro – está mais em função de seu status econômico e social que de sua cor. Isso é verdade para o norte do Brasil até o Rio de Janeiro, e talvez em partes para o sul. Observamos em Sorocaba, em uma pesquisa que realizamos, a existência do preconceito contra o negro (não podem entrar em certas barbearias de luxo na cidade; não podem participar de certos clubes da sociedade "alta"; não podem nadar em certas piscinas, etc.). Isso é mais ou menos característico das populações sulinas.

Entretanto, o negro continua a se fundir à população branca e mestiça, o que, até certo ponto, inutiliza os argumentos favoráveis à sua segregação.

---

[4] WILLEMS. *Assimilação e populações marginais no Brasil*, p. 7.

A *color line*, como existe nos Estados Unidos, entretanto, é estranha à sociedade brasileira. Contra outros elementos o preconceito parece não existir.

Há um tipo brasiliano?

Parece-nos que já falamos muito sobre a nossa situação étnica. Agora, uma pergunta, a título de conclusão, seria possível há um tipo étnico brasileiro? Parece que não há nem tipos, quanto mais um tipo, caracterizado antropologicamente. Para isso contribuiu muito a nossa própria formação – os elementos básicos da nossa miscigenação não se definiam antropologicamente em torno de um tipo, como já vimos com o índio, com o português e com o negro. Depois, várias migrações internas tornaram ainda mais instáveis, por novas fusões, os produtos dos primeiros mestiçamentos. Essas migrações são intensas, desde o período colonial (no ciclo da cana-de-açúcar, para o norte, no ciclo da mineração, para as [Minas Gerais], e no ciclo do café, para o sul – São Paulo, principalmente), até hoje.

Na verdade, é possível que haja uma tendência para a formação de tipos antropológicos brasileiros, mas só se [definirão] em futuro ainda remoto. Depois, assim nos parece, a formação de *um tipo brasiliano* é pouco provável, porque as características do processo de caldeamento mudaram muito nas regiões sulinas, como muito bem o reconhece Oliveira Viana. Sob esse aspecto mesmo, pode-se distinguir duas faces no *melting-pot* brasileiro: a primeira, em que entram os três elementos básicos de nossa formação, e que dura, para todo o Brasil, até meados do século XIX; e a segunda, no sul, em que as correntes migratórias europeias aumentam o contingente branco ao mesmo tempo que se caldeiam entre si nos vários núcleos coloniais, sem conhecer os elementos fundamentais da formação brasileira, ou os conhecendo através de mestiços, mulatos e caboclos – recessivos para o branco. Por isso, nessas zonas do sul, geralmente, as fusões se fazem entre os representantes das etnias europeias. Como o índio atualmente apenas oferece poucos elementos puros à fusão (em certos estados, como Rio Grande do Norte, Pará, Mato Grosso, Goiás, mesmo São Paulo), e como os negros já não constituem, praticamente, uma unidade racial, pois estão desaparecendo no contingente branco – pela miscigenação –, naturalmente, por um processo de seleção letal pronunciado (em São Paulo, Suzana Pompeu Eliezer calculou, para o período compreendido entre 1932 e 1939, a diferença negativa 4,75 – 2,81 nascimentos e 7,56 óbitos), é possível que os caldeamentos se realizem no sul definitivamente sem o concurso desses dois elementos, ou apenas através dos seus mestiços. Alguns autores, como Oliveira Viana, acham que o *melting-pot* no sul se realiza só entre elementos étnicos europeus.

Por isso, é melhor aceitar, com esse autor, que o branco no Brasil é um grupo, e não um tipo.

Em todo caso, podemos resumir a nossa conferência frisando que os elementos fundamentais que entraram na formação brasileira foram o índio, o branco e o negro, e que, desde os fins do século XIX, há novos aspectos na miscigenação brasileira, graças às colônias do sul. Mas, como os elementos que integram esses núcleos não são muito numerosos – uns cinco milhões, não contando os descendentes –, é possível que eles sejam totalmente assimilados à corrente branca que vem dos portugueses, da era colonial.

Referências

ANUÁRIO Estatístico do Brasil.

BARBOSA, Maria de Lima. *Le françois dans l'historie do Brésil.*

BASTIDE, Roger. Le probleme du contact des races (sobre os estudos afro-brasileiros). *Revue Internationale de Sociologie*, févr. 1939, p. 77.

CALMON, Pedro. *Espírito da sociedade colonial.*

CUNHA, Euclides da. *Os sertões.*

DORNAS FILHO, João. *A escravidão no Brasil.*

ELIEZER, Maria Suzana Pompeu. Tendências de processos de seleção [ilegível] e reprodutiva de população de S. Paulo. Inédito.

ELLIS JUNIOR, Alfredo. *Pedras lascadas.*

ELLIS JUNIOR, Alfredo. *Populações paulistas.*

FERNANDES, Florestan. O negro na tradição oral. (Três artigos do jornal *O Estado de S. Paulo*, julho).

FREYRE, Gilberto. *Casa grande e senzala.*

HOLANDA, Sérgio Buarque de. *Raízes do Brasil.*

LOBO, Arthur. *Antropologia do exército brasileiro.*

LOBO, Haddock; ALOISI, Irene. *O negro na vida social brasileira.*

MACEDO, Sergio D.T. de. *Apontamentos para o tráfico negreiro.*

MALHEIROS, Perdigão. *A escravidão no Brasil.*

MAURETTE, Fernando. *Quelques aspects sociaux du développement présent et futur de l'économie brésilienne.*

MORAES, Evaristo de. *A escravidão africana no Brasil.*

NOGUEIRA, Oracy. *Atitude desfavorável de alguns* anunciantes [de São Paulo em relação aos empregados] de cor. *Sociologia*, v. IV, n. IV.

PIERSON, Donald. O negro na Bahia. *Sociologia*, v. III, n. IV.

PIERSON, Donald. Negros no Brasil: a situação racial no Brasil. *Planalto*, n. 18, 1942.

PINTO, Edgar Roquette. *Ensaios da antropologia brasiliana.*

PINTO, Edgar Roquette. *Rondônia.*

PINTO, Estevão. *Os indígenas do Nordeste.* 2 v.

RAMOS, Arthur. *As culturas negras do Novo Mundo.*

RIBEIRO, Joaquim (coautor). *Os holandeses no Brasil.*

ROCHA, Joaquim da Silva. *História da colonização do Brasil.*

RONDON, Capitão Frederico A. *Pelo Brasil central.*

SIMONSEN, Roberto. *História econômica do Brasil.* v. 1.

STRATEN-PONTHOZ, *Auguste van der. Le budget du Brésil.* v. 3.

VIANNA, Oliveira. *Evolução do povo brasileiro.*

VIANNA, Oliveira. *Populações meridionais do Brasil.*

VIANNA, Oliveira. *Raça e assimilação.*

WILLEMS, Emílio. *Assimilação e populações marginais no Brasil.*

WILLEMS, Emílio. Recreação e assimilação. *Sociologia*, v. III, n. IV.

Gente sem raça[1]

Neste livro, Ataliba Viana estuda o muito debatido problema da "raça brasileira", defendendo a tese de que, no Brasil, não existe "raça", no sentido biológico ou antropológico do termo, mas sim "povo", pois o brasileiro é, essencialmente, "gente sem raça". Há, evidentemente, alguma confusão por parte do autor. Confusão terminológica, sobretudo, advinda do conhecimento insuficiente da matéria, pois a tese, de modo geral, é correta: não se deve falar em "raça brasileira", e da mesma forma em "dia da raça", "festa da raça", etc., pelo fato de não existir uma "raça brasileira". Mas nada justifica, num trabalho que pretende passar por obra de estudo científico, o emprego da terminologia confusa e tipicamente acientífica, mistificando, por assim dizer, os dados e os conceitos fornecidos pela própria ciência.

O problema, todavia, se pôs de modo diferente para o autor: ele se pôs afetivamente, e a parte que poderíamos chamar de científica constitui um apelo desordenado aos dados fornecidos pela Biologia, Psicologia, Antropologia, Sociologia, etc. (muitas vezes de fontes medíocres e duvidosas), visando o autor resolvê-lo satisfatoriamente. Partindo da conhecida *teoria* da inferioridade social e racial do povo brasileiro – pois, diz A. Viana, no prefácio, "pupilo de madrasta relapsa e cruel, crescido ao abandono, na companhia perniciosa de negros boçais, de índios sanguinários e indolentes, de degradados e mulheres de má vida, teria forçosamente que carregar por toda a existência, as taras congênitas e os maus hábitos de criação" –, o autor se defrontou com o seguinte dilema: "capitular ao reconhecimento de nossas inferioridades irremediáveis e curvar-se ao inevitável; ou enfrentar as increpações com a decisão intrépida de dar-lhes explicação

---

[1] Resenha de: VIANA, Ataliba. *Gente sem raça*. São Paulo: Companhia Editora Nacional, 1944. Originalmente publicada em: *Sociologia*, São Paulo, v. VI, n. III, p. 264-266, 1944.

compatível com nossa dignidade de povo". Aceitou a segunda posição, é óbvio, e por isso seu trabalho é mais um apelo à ciência, utilizando alguns de seus dados para comprovar a tal tese "compatível com nossa dignidade", do que um trabalho de pesquisa ou de análise – aliás, é incrivelmente pobre o material coligido e apresentado pelo autor, e tudo é discutido em tom de polêmica, nos 16 capítulos que constituem o livro (tais como: "A gênese de um complexo", "Nosso patriotismo como emoção", "O problema das classificações raciais", "O racismo alemão e seus doutrinadores", "Nosso lugar no mundo", etc.).

Começando num preconceito, é claro que A. Viana deveria terminar num outro. Assim, da nossa "inferioridade", através de páginas *sui generis*, chega o autor à patriótica decisão (p. 266) de que "estamos entre os povos menos misturados, pois aqui é ainda possível contar pelos dedos os contingentes que contribuíram para nossa formação".

A revolução liberal de 1842[1]

Esse é um trabalho de pesquisa histórica. Seu autor, sob o pseudônimo de Aluísio de Almeida, tornou-se autoridade conhecida nessa ordem de estudos, principalmente na história de Sorocaba e dos seus grandes vultos, a que se dedica há muitos anos, tendo publicado vários trabalhos de valor a respeito. O autor apresenta sempre alguma contribuição original, resultado de documentação recolhida em arquivos, atas das câmaras, etc., e por isso dá uma exemplar lição a muitos de nossos historiadores, que se preocupam pouco com essas questões básicas e preliminares de contato direto com o objeto analisado. É pena que tenha adotado a mesma atitude que eles diante do fato histórico, atitude que maliciosamente – *grosso modo* – alguém entre nós chamou de "explicação cronológica e genealógica da história". Não fosse isso, a contribuição do senhor Aluísio de Almeida seria considerável – apesar de não ser pequena, assim mesmo, ainda que sem o aproveitamento amplo da fecunda contribuição das ciências sociais à explicação histórica.

Nesse trabalho, o autor saiu do campo restrito dos estudos regionais, que têm predominado em suas atividades de historiador, enfrentando o que se convencionou chamar de "revolução liberal de 1842", nos dois grandes centros em que se manifestou – São Paulo e Minas Gerais –, embora algo assistematicamente. No fundo, não se trata de revolução propriamente dita, mas de uma luta armada entre partidos políticos – O Liberal e o Conservador –, fenômeno comum nas sociedades novas latino-americanas: luta entre senhores, por assim dizer, variando sua intensidade em cada país americano de acordo com o poder e o prestígio desses senhores, e do número de membros

---

[1] Resenha de: ALMEIDA, Aluísio de. *A revolução liberal de 1842*. Rio de Janeiro: Livraria José Olympio, 1944. Originalmente publicada em: *Sociologia*, São Paulo, v. VI, n. IV, p. 354, 1944.

das camadas inferiores da população sob dependência imediata ou mediata, com o objetivo de assegurar o domínio político ao grupo de senhores vitoriosos. Aí está a grande contribuição do trabalho do senhor Aluísio de Almeida. Ele nos permite constatar a inutilidade dessa espécie de "revolução" e seu verdadeiro significado fundamental. Sem o querer, talvez, deu-nos, com o estudo das condições da revolução liberal de 1842, dos programas e objetivos dos dois partidos em conflito, do papel neles desempenhado pelos líderes políticos e econômicos do Segundo Império e das formas de combate recíproco (a "derrubada", a formação de ideologias de justificação do levante armado ou da repressão, o papel das forças regulares, etc.), o estudo de um verdadeiro fenômeno típico.

Contos populares paulistas[1]

Existem poucos trabalhos sobre os contos populares brasileiros, principalmente quanto às variantes e versões paulistas. Publicando um pequeno volume sobre os contos paulistas, Aluísio de Almeida trouxe uma excelente contribuição ao conhecimento do folclore brasileiro. Como indica o título do trabalho, trata-se de uma coletânea de contos, colhidos da tradição oral, e ordenados pelo autor. De acordo com as indicações fornecidas por Aluísio de Almeida, os contos referem-se à região do centro e do sudoeste paulista, revelando em grande parte, graças aos cuidados de notação, o caráter típico de linguagem e exposição. O autor, que é um exemplo de dedicação e de devoção às pesquisas folclóricas, editou por sua própria conta e risco o presente volume.

Entre outros, o leitor encontrará neste agradável trabalho os seguintes contos: "O rato do mato e o da cidade", "O pássaro que traz o dia", "História da baratinha", histórias de João Soldado, história de João Bobo, "O homem rico e o cocheiro", "A assombração de Santos", "A mocinha passeadeira", "Bicho pacuera", "O saci e o caristo", "O negrinho do pastoreio", "O lobisomem", "História de João Sem Medo", histórias de Pedro Malasarte, "O macaco e a onça", "A onça e o bode", "A onça e o cágado", "O lagarto de ouro", etc. Aluísio de Almeida ajuntou aos contos populares compendiados pequenas notas explicativas, nas quais apresenta as indicações necessárias à localização das peças e ao esclarecimento do leitor sobre a procedência e o grau de difusão delas. Procuro, apenas, chamar a atenção para um problema importante, que merece do folclorista um interesse especial. Se não conseguirmos remover essa atitude, ou controlá-la criticamente,

---

[1] Resenha de: ALMEIDA, Aluísio de. *50 contos populares de São Paulo*. São Paulo: Revista dos Tribunais, 1947. Originalmente publicada em: *Revista do Arquivo Municipal*, São Paulo, ano XIV, v. CXVI, p. 110-111, out./nov./dez. 1947.

contribuiremos mais do que ninguém e mesmo mais do que os fatores de mudança social para o desconhecimento do folclore brasileiro.

Quem conhece a pobreza da literatura folclórica brasileira, em particular no que diz respeito aos contos populares, sabe apreciar muito bem esta contribuição, de grande valor documentário e de indiscutível interesse científico.

Em uma coisa, entretanto, discordo do autor. É de sua apreciação do trabalho teórico. "Mas o estudo de gabinete sobre o material colhido em campo, não é o mais urgente. Colher as tradições antes que se percam é agora a primeira coisa a fazer" (p. 5). Na pena de Aluísio de Almeida, que também se dedica, na medida do possível, a estudos sobre a filiação temática, a difusão dos traços considerados, etc., essa afirmação deve ser tomada em um sentido relativo. Contudo, a atitude que ela revela diante dos problemas de mudança na sociedade brasileira tem se generalizado de tal modo que está se tornando prejudicial ao desenvolvimento das pesquisas folclóricas no Brasil. Essa mentalidade, reconhecível inclusive em alguns colegas de formação universitária, é responsável por uma visão catastrófica do nosso folclore. Por sua causa, o folclorista transforma-se em frenético colecionador de elementos da tradição oral, subestimando completamente a investigação de outros fatores relativos ao contexto social e cultural, que poderiam explicar tanto a conservação de alguns deles como a transformação ou a substituição de outros. Todos esses fenômenos são de grande interesse científico, não se justificando, de forma nenhuma, as delimitações de caráter sociográfico que se impõem à maioria dos folcloristas brasileiros.

Com isto, é claro, não pretendo criticar Aluísio de Almeida, que graças aos seus próprios trabalhos se põe a salvo dessas restrições.

A aculturação dos alemães no Brasil[1]

O estudo de Emílio Willems constitui a mais importante publicação antropológica aparecida no Brasil em 1946, e tornou-se, reconhecidamente, o mais modelar trabalho de campo realizado entre nós em ciências sociais. Embora, conforme vem indicado no "Prefácio", o autor tenha se valido de uma parte da documentação apresentada anteriormente em *Assimilação e população marginais do Brasil* (São Paulo, 1940), o caráter original da obra é garantido pela focalização de novos problemas e pelo emprego de um tipo de *approach* diferente. Em virtude da antiguidade da colonização alemã no Brasil, o autor precisou utilizar em larga escala o método de reconstrução histórica. O emprego desse método envolve dificuldades especiais. Pois, como indica Ralph Linton, ainda é desejável um refinamento das técnicas à disposição dos antropólogos nas abordagens dessa espécie. Doutro lado, a consistência dos dados será sempre uma limitação de alcance problemático, independendo completamente dos esforços do pesquisador. O autor refere-se de passagem a essa questão no "Prefácio", particularizando da seguinte forma a situação de suas pesquisas:

> [...] a imigração alemã é antiga e a reconstrução dos fatos atinentes à aculturação dos imigrantes germânicos abrange mais de um século. Parece-me que a situação presente somente poderá ser compreendida adequadamente à luz de certos fatos históricos. Não pretendo ter esgotado as possibilidades de pesquisa histórica. Tal pretensão seria ridícula ante as deficiências e escassez das fontes de informação disponíveis, mas parece-me que consegui esclarecer, pelo menos em parte, alguns dos aspectos mais controvertidos do

[1] Resenha de: WILLEMS, Emílio. *A aculturação dos alemães no Brasil: estudo antropológico dos imigrantes alemães e seus descendentes no Brasil*. São Paulo: Companhia Editora Nacional, 1946. Originalmente publicada em: *Revista do Arquivo Municipal*, São Paulo, ano XV, n. CXXII, p. 205-218, fev. 1949.

problema de aculturação dos alemães e seus descendentes. Sobre os últimos dez anos pouquíssimas observações tenho a apresentar. Dificuldades materiais continuaram embaraçando, seriamente, qualquer projeto de pesquisa de certa envergadura, e, além disso, o clima político dos últimos anos não foi nada propício à realização de pesquisas desta natureza (p. 10).

O trabalho está dividido em duas partes. Uma parte geral, em que o autor discute certos conceitos fundamentais, como aculturação, assimilação, socialização, etc. Nessa parte também estuda os processos sociais básicos envolvidos pela imigração alemã e pela colonização alemã no Brasil e os principais aspectos da integração da cultura teuto-brasileira no Brasil meridional. E uma parte especial, em que analisa, de modo particularizado e intensivo, os fenômenos aculturativos resultantes da situação de contato dos alemães com outras etnias. As vantagens do *approach* histórico tornam-se então evidentes, pois Emílio Willems mostra como as modificações nas situações de contato ligam-se à emergência de novos valores e atitudes, índices e consequências de novos processos aculturativos. Ao todo, as duas partes compreendem 18 capítulos, completados por um estudo sobre "a assimilação dos alemães em outras partes do mundo", publicado como apêndice. Estas indicações dão uma ideia nítida da envergadura da obra e das dificuldades que ela apresenta à condensação.

Na teoria elaborada pelo autor, é fundamental a distinção entre assimilação e aculturação. Embora se trate de processos sociais equivalentes e concomitantes, é possível introduzir uma distinção de caráter metodológico.

> Uma vez que *toda* transmissão de dados culturais através de contatos sociais diretos e contínuos afeta as *atitudes das personalidades* atingidas, está claro que aculturação e assimilação são conceitos coordenativos, correlativos e completivos. Ambas são aspectos do mesmo processo: a assimilação é seu aspecto "subjetivo", porque envolve a personalidade; a aculturação lhe representa o aspecto "objetivo", porque afeta os valores culturais. Ambas são comparáveis ao anverso e reverso da mesma medalha (p. 37).

Contudo, "concebendo uma cultura como sistema de padrões de comportamento, ideias e conhecimentos que adquiriram significados específicos para um grupo humano, as mudanças que esse sistema sofrer poderão ser observadas e descritas sem que se recorra, necessariamente, à análise dos processos sociopsíquicos chamados assimilação" (p. 36). "À vista disso", escreve o autor, "parece necessário restringir o conceito de aculturação às *mudanças nas configurações culturais de dois ou mais grupos que estabelecerem contatos diretos e contínuos*" (p. 37).

> O povoamento sistemático do Brasil meridional com imigrantes germânicos iniciou-se em 1824. Desde então decorreram cento e vinte anos, lapso de tempo esse que abrange talvez as mudanças sociais mais incisivas da história do ocidente.
> As aldeias prussianas da primeira metade do século XIX compartilham das feições semiprimitivas de inúmeras *folk-cultures*: são comunidades muito coesas, relativamente autossuficientes e dificilmente permeáveis a influências estranhas. A organização social é familial e estritamente local, a mentalidade é tradicionalista e mágica... A família é unidade produtora e consumidora a um tempo. As relações entre cônjuges e entre pais e filhos são patriarcais. A escolha da esposa é usualmente determinada por motivos econômicos. A comunidade local funciona à base de uma reciprocidade muito acentuada (p. 47).

"A natureza das relações que ligam o camponês à gleba, é mais do que mera sedentariedade [...] virtualmente a terra lhe é inalienável, mesmo onde não há leis que imponham a inalienabilidade. Gerações sucedem-se na mesma gleba; seu abandono ou fragmentação estão, absolutamente, fora de toda cogitação" (p. 48). "Assim, o horizonte cultural do alemão rústico permaneceu acanhadíssimo, contando apenas com as poucas experiências que se lhe deparavam no seu meio limitado" (p. 51). Os camponeses germânicos que imigraram para o Brasil eram, pois, portadores de uma cultura tipicamente rural. De acordo com diversidade da proveniência, entretanto, o conteúdo dessa cultura era muito variável. Além disso, a imigração processou-se em uma época em que a estrutura e a cultura das sociedades rurais europeias sofriam profundas mudanças. As cidades, em fase de industrialização e de grande necessidade de mão de obra, agiam como uma bomba de sucção, atraindo amplas camadas da população rural. O capitalismo, por sua vez, penetrava nas produções agrícolas, provocando a urbanização do campo e a secularização de várias esferas da cultura rural. Essa situação favoreceu o desenvolvimento de atitudes novas, contrárias às condições emergentes de existência social. Nem todos suportaram do mesmo modo as mudanças operadas nas formas tradicionais de vida rural. Aos olhos de tais indivíduos, as compensações fornecidas pela sociedade estavam aquém das expectativas e do antigo ideal estável de vida, por isso, como escreve Emílio Willems, os imigrantes alemães procedentes das zonas rurais abandonaram "uma cultura em plena mudança e, em grande parte, *por causa* dessa mudança" (p. 52).

A perspectiva modifica-se acentuadamente quando se consideram os emigrantes das zunas urbanas. O homem citadino era portador de experiências desconhecidas pelo camponês alemão. Vinha de uma sociedade integrada por classes sociais, conhecia a proletarização e o trabalho nas fábricas. Além disso, o acelerado ritmo das mudanças operadas nas sociedades urbanas alemãs no decurso do século XIX privou o homem urbano da *dignidade* dos portadores das *culturas de folk*, a que se refere Margaret Mead. Do mesmo modo que o alemão do campo, o citadino imigra em uma fase de mudanças sociais e em consequência do estado de disnomia social criado por elas.

> Todavia, o imigrante citadino representa classes sociais bem diversas. Não são apenas proletários, mas também pequenos e médios burgueses que fogem à proletarização iminente, representantes da burguesia intelectualizada e liberal que se envolveram em lutas políticas; enfim, quase todas as classes sociais, ainda que em proporções desiguais, forneceram seus contingentes de emigrantes, contribuindo assim para a heterogeneidade cultural daqueles que tencionam radicar-se no Brasil. Não raro, esses emigrantes representam mentalidades tão diversas que o seu choque no país adotivo vem a ser um fator decisivo no sentido de apressar ou retardar a assimilação (p. 54).

Muito importante é a contribuição do autor à análise do peneiramento dos imigrantes alemães. De fato, como mostram os dados discutidos, os aspectos seletivos da imigração não justificam qualificações "melhores" ou "piores". A migração não constitui simplesmente um meio de autodefesa da sociedade, como mecanismo de eliminação dos indesejáveis, tampouco representa uma evidência de superioridade dos mais aptos e corajosos. Além disso,

> de acordo com a cultura o êxodo de indivíduos ou grupos adquire um significado muito diverso. Em algumas pode significar apenas

"deserção", em outras "ostracismo" ou "exílio", em outras ainda "emigração". Em sociedades modernas, do tipo ocidental, podem existir todos esses significados ao mesmo tempo, mas distribuídos sobre camadas sociais diferentes (p. 81).

Enquanto um jovem aristocrata procurava a América visando subtrair-se a responsabilidades que poderiam prejudicar seu futuro, uma pessoa da camada proletária ou semiburguesa podia emigrar tendo em vista a necessidade de conservar ou de melhorar um status tradicional. Nessas classes sociais, a emigração constituía um padrão de comportamento socialmente aprovado.

Os resultados dessa discussão são realmente significativos, pois permitem considerar os desajustamentos nos países de imigração independentemente dos desajustamentos nos países de origem. Segundo o autor, não existe nenhuma relação necessária entre os dois tipos de desajustamento. Ao contrário, as condições de existência social na sociedade adotiva implicam a substituição do sistema originário de valores sociais por outro. Nesse caso, os imigrantes submetem-se a novos processos de peneiramento. É preciso frisar que, "em caso algum, o sistema anterior de valores pode ser transplantado, *mesmo na hipótese de não ocorrerem contatos com a sociedade nativa*" (p. 83). Contudo, é algo impressionante o relato, feito pelo autor, dos desajustamentos e dos insucessos observados nas primeiras tentativas de fixação à terra e de integração à nova sociedade realizadas pelos imigrantes alemães. Desse ponto de vista, a colonização alemã no sul do Brasil, como a de outras etnias, é uma longa história de sofrimentos, de privações e de heroísmo humano.

As tentativas de adaptação ao meio natural circundante implicaram intensa competição dos imigrantes alemães com os luso-brasileiros, com os indígenas e com imigrantes de outras etnias por uma posição na biosfera. Quanto à competição com os luso-brasileiros, o autor analisa o fenômeno encarando a organização ecológica resultante em termos da estrutura social. No Rio Grande do Sul, "na chamada campanha se havia estabelecido uma sociedade pastoril, formada por antigos povoadores e descendentes de açorianos imigrados no século XVIII. Na zona da mata havia poucos habitantes, e estes eram, na sua maioria, proprietários de vastas extensões de terra virgem" (p. 107). Nessa zona o loteamento das terras e a compra destas por teuto-brasileiros deu origem a um interessante fenômeno de sucessão ecológica:

lentamente, os teuto-brasileiros desalojaram dali os antigos moradores luso-brasileiros. O valor relativamente baixo daquelas terras e a falta de recursos técnicos para a sua exploração levavam os luso-brasileiros a encarar a venda dos lotes a preços baixos como um bom negócio. Os colonos alemães dispunham, na cultura originária, de conhecimentos relativos à exploração agrícola das matas. Por isso, foi fácil a inversão do trabalho cooperativo da família no aproveitamento de extensas faixas de terra. Na Campanha, latifundiária e escravocrata, as condições modificaram-se profundamente: nesta, a inferioridade das terras exigia o investimento de capitais inacessíveis inicialmente aos teuto--brasileiros. Assim, procedeu-se a uma distribuição espacial típica das duas etnias. Enquanto os brasileiros dedicavam-se na Campanha às atividades pastoris, os teuto-brasileiros aplicavam-se à pequena lavoura, mostrando-se pouco permeáveis à influência ou ao contato com os representantes da civilização urbana. À medida que a colonização alemã, porém, desenvolvia núcleos urbanos, processava-se de modo notável a penetração de luso-brasileiros. Inversamente, na Campanha, artífices alemães encontraram decidida preferência trabalhando em misteres caracteristicamente urbanos. A participação dos teutos no comércio da Campanha era, no entanto, pouco apreciável. Os aspectos demográficos da competição ecológica também indicam saldos positivos no crescimento vegetativo das populações teuto-brasileiras e ítalo-brasileiras. O autor liga esse aspecto da adaptação ao meio natural circundante à forma de apropriação dos recursos naturais e ao regime de trabalho doméstico: "quanto mais numerosa a prole, tanto maiores as possibilidades de alcançar relativa prosperidade econômica" (p. 115). Os filhos tinham futuro garantido, graças à abundância de terras adquiríveis a baixos preços. É óbvio que na Campanha tais possibilidades não existiam. A situação dos colonos alemães em Santa Catarina difere em alguns aspectos, em virtude do contato com os caboclos; mas conserva-se idêntica quanto à diferenciação da cultura pastoril do planalto e da cultura agrícola da zona da mata.

A competição com remanescentes de grupos tribais indígenas chegou a assumir feições violentas. Os índios encontravam nas matas hidrófilas das serras uma área de "refúgio derradeiro". Por isso, os imigrantes alemães tinham constantemente de disputar com eles a posse de zonas férteis e ambicionadas. E, muitas vezes, tanto no Rio

Grande do Sul como em Santa Catarina, "os ataques de índios levaram os colonos a não poucos estacionamentos e recuos" (p. 123). Reações xenófobas na sociedade nativa levavam os luso-brasileiros a considerarem os índios como *patrícios e vítimas de intrusos estrangeiros* (p. 125).

Algumas camadas das populações teutas avaliavam a colonização mista negativamente, temendo a perda de valores básicos da cultura originária. Doutro lado, as empresas de colonização logo verificaram as vantagens da nucleação homogênea. Entretanto, o desenvolvimento das colônias mistas apresenta problemas peculiares. O autor conclui de suas observações que "a competição ecológica em área de colonização mista, apresenta dois aspectos principais: 1) o desalojamento definitivo de certo número de elementos; 2) a redistribuição dos remanescentes em subáreas étnica e religiosamente homogêneas" (p. 127). O autor especifica que na competição com os poloneses e italianos os alemães são constantemente desalojados. Em outros lugares, como em Petrópolis, os portugueses desalojaram, juntamente com os italianos, famílias alemãs. Entretanto, os colonos teuto-brasileiros conseguiam, às vezes, desalojar os imigrantes de outras etnias. Em certos casos, migrações *internas* aproximaram colonos de segunda ou terceira geração, pertencentes a etnias diferentes. Tal fato é possível graças ao desenvolvimento de hábitos comuns e de um "campo neutro", inclusive uma esfera variável de tolerância recíproca, que garantem entendimentos mútuos em grau suficientemente alto para permitir a adaptação ao meio natural circundante e o ajustamento às condições de vida social. Como mostra o autor, divergências culturais significativas separam os imigrantes alemães dos colonos teuto-brasileiros; "*mutatis mutandis*, o imigrante alemão médio está para o colono teuto-brasileiro como, por exemplo, o imigrante polonês médio para um lavrador caipira" (p. 130). Tendências de segregação apareciam como consequência natural da consciência dessas diferenças; do mesmo modo, diferenças de religião atuavam no mesmo sentido, provocando a segregação espacial de alemães, segundo o credo católico ou protestante.

No estudo dos processos de seleção, Emílio Willems considera como *equipamento adaptativo* de uma sociedade todo o conjunto de tipos de adaptação e de controle sociais assegurados pela cultura. Assim, o equipamento adaptativo abrange tanto a esfera ergológica da cultura como os padrões de comportamento ligados às necessidades de sobrevivência e aos ideais de existência social. A conclusão mais relevante nesse sentido é indicada pelo autor nos seguintes termos: "o equipamento adaptativo trazido pelos imigrantes alemães provou frequentemente ser inadequado às necessidades de adaptação" (p. 137). Os padrões sanitários trazidos pelos imigrantes alemães revelaram-se inadequados às condições climáticas do Brasil. O novo regime alimentar, imposto pelas necessidades de adaptação ao próprio meio, também atuava em sentido negativo, afetando o estado de saúde dos imigrantes. Outro fato patogênico foi o uso abusivo da aguardente. "Apesar de tantos aspectos negativos da seleção, esta não assumiu feições *letais,* a não ser talvez em casos isolados" (p. 143). As populações teuto-brasileiras apresentavam, mesmo, índices mais elevados de reprodução que as populações brasileiras. O autor explica esse fenômeno através do rigoroso peneiramento a que foram submetidos os colonos alemães. O coeficiente de 26% de fixação indica que um grande número de imigrantes alemães repatriou-se, migrou para outros lugares ou foi biologicamente selecionado. Em consequência, "os que *ficaram e sobreviveram* representavam, por isso, grupos altamente peneirados e selecionados" (p. 144).

Como foi indicado acima, na colonização dos estados sulinos, os imigrantes alemães fixaram-se na faixa serrana, compreendida entre o litoral e o planalto. O número de habitantes nativos era bastante reduzido; alguns cederam as suas terras para os colonos, em vista da aparência vantajosa das transações. Por isso, "os contatos que a grande maioria dos imigrantes estabelecia com os nativos eram fugazes, intermitentes e, por isso mesmo, *secundários*" (p. 155). Doutro lado, a sociedade nativa era pastoril, enquanto a dos imigrantes era agrícola. Desenvolveram-se relações simbióticas entre as duas sociedades, graças às oportunidades de troca abertas por essa situação econômica. Mas é claro, tais relações tinham um caráter intermitente, produzindo efeitos limitados do ponto de vista da interpenetração cultural. Muitas vezes, circunscreviam-se a zonas *marginais,* favorecidas como centros naturais de tráfico e de intercâmbio comercial. Nessas zonas emergiu um novo tipo de sociedade, que não se confunde mais com a sociedade litorânea nem com a sociedade do planalto. "É uma sociedade nova, que nasce reunindo elementos culturais das outras três" (p. 156).

A situação inicial de isolamento geográfico traduzia também relativa segregação demográfica e insulamento cultural. Embora essas condições variassem com o tempo e com as áreas de colonização, é preciso acentuar que elas limitavam seriamente as possibilidades de integração de valores culturais brasileiros ao sistema sociocultural da nova sociedade. O referido isolamento, porém, não se manifestava somente em relação aos núcleos de populações nativas e ao sistema político-administrativo brasileiro. Os sítios e os focos de colonização constituíam verdadeiras ilhotas culturais, voltadas sobre si mesmas; permaneciam, pois, "também isoladas umas em relação às outras" (p. 157).

Por isso, é realmente importante distinguir as mudanças culturais: algumas inovações foram impostas em função das necessidades de adaptação ao meio natural circundante, enquanto outras se originaram dos contatos com as populações nativas. Em certos casos, as duas causas agiram concomitantemente. Assim, os veículos de tração animal da cultura originária dificilmente poderiam ser conservados no Brasil, devido à falta de rodovias. Os alemães aceitaram, então, o carro de boi da cultura nativa.

Vários fatores atuaram no sentido de quebrar o insulamento dos núcleos de colonização germânica. Em primeiro lugar, deve-se considerar que existem numerosos exemplos de fixação de imigrantes alemães em zonas povoadas por luso-brasileiros (Torres, São Pedro de Alcântara, Santo Amaro, etc.). O autor mostra que nas "áreas germânicas" a quebra de isolamento dependia da atuação de processos sociais distintos (diferenciação social dos imigrantes alemães e teuto-brasileiros a industrialização das "áreas germânicas", a ascensão econômica acompanhada de elevação de status).

Os choques culturais que acompanhavam os contatos com a população nativa provocaram processos de desorganização social e cultural. Os imigrantes, selecionados entre indivíduos desajustados de sociedades em plena mudança social, tiveram o moral profundamente abalado nas condições de vida a bordo (promiscuidade, falta de higiene, de conforto, demora nos portos de desembarque, etc.). Os padrões ideais desenvolvidos no país de emigração foram cruelmente desmentidos pela realidade. A falta de experiências anteriores, por usa vez, agravou as condições de existência social dos imigrantes alemães, expondo-os a situações críticas e a penosos conflitos com os luso-brasileiros. Canseira, desalento, conflitos mentais, fome, alcoolismo, criminalidade, prostituição, marginalidade, eis algumas das consequências de tais choques culturais (cf. os impressionantes relatos, minuciosamente apreciados pelo autor, p. 163-194).

O desenvolvimento da aculturação dos imigrantes alemães no sul do Brasil ligou-se intimamente às "*divergências culturais internas no meio nativo*". Os contatos com os caboclos do litoral foram pouco propícios à transmissão cultural; neles, "os imigrantes desprezavam a 'indolência', a 'falta de previsão', o 'atraso mental', a 'superstição', enfim todos aqueles elementos que surgiram em função do ajustamento a um meio que dificilmente permitiria formas culturais mais desenvolvidas" (p. 199). A palavra "caboclo" tornou-se para eles símbolo de "inferioridade cultural" – o *Schlammburger*. Na sociedade da Campanha o imigrante alemão encontrou os valores mais sobrestimados da cultura nativa. Apoiado na tradição europeia, associava ao cavalo um significado especial, e o gaúcho ou lageano, e até um simples tropeiro, tinha aos seus olhos uma importância extraordinária. Assim, aceitou deles os diversos traços que integraram o complexo do cavalo e as técnicas do pastoreio (p. 200 e seguintes). Embora a aceitação do cavalo estivesse ligada às necessidades impostas pelo meio, é evidente que a rapidez com que ela se efetuou explica-se pela crença do imigrante alemão de que, por meio dela, subia de status na sociedade adotiva. Juntamente com o cavalo, recebeu outros elementos culturais, como a corrida, o complexo do jogo, etc.

A mudança da composição das levas migratórias, a partir de 1850, mais ou menos, teve consequências bem definidas. A fixação da Legião Alemã, principalmente, no sul do país, forneceu aos colonos alemães uma elite intelectual e militante. Dentro de pouco tempo, conseguiram resultados inesperados em vários setores, como: maior participação dos alemães e descendentes na vida pública; a criação de uma imprensa alemã no Rio Grande do Sul; o desenvolvimento de associações recreativas e o estabelecimento de intercâmbio cultural com a Alemanha (p. 209). O status dos imigrantes elevou-se, assim, consideravelmente; aliás, graças às suas atividades econômicas, os alemães e seus descendentes preencheram os claros existentes entre a camada dominante e a camada mais baixa da população na sociedade escravocrata. Constituíram as classes médias e passaram a desempenhar papel ativo na vida político-administrativa do país, pelo menos em âmbito local ou regional. "Conquistando um status social definitivo e relativamente elevado, a aculturação mudou de ritmo tornando-se muito mais lenta" (p. 209). As atitudes diante da cultura luso-brasileira modificaram-se bastante, envolvendo apreciações críticas e reservadas.

As falhas no equipamento adaptativo dos imigrantes alemães, aludidas acima, intensificaram também a aceitação de elementos da cultura luso-brasileira. As substituições originadas em tais falhas "deram-se principalmente no campo tecnológico, afetando sobretudo os padrões da alimentação, habitação, indumentária, lavoura, criação e transportes" (p. 228).

É dos mais importantes o capítulo dedicado à análise dos "caracteres gerais da sociedade e cultura teuto-brasileira". À constatação de que a luta pelo meio de subsistência e pela sobrevivência tendia a nivelar os imigrantes, solapando as distinções sociais trazidas de país de origem, o autor ajuntou elucidativas observações sobre o novo tipo de estrutura social que emergia na sociedade nativa. Os mesmos fatores que provocaram o nivelamento dos imigrantes alemães e seus descendentes promoviam a sua diferenciação social segundo critérios diferentes. Os indivíduos que apresentavam em maior grau as qualidades exigidas no novo hábitat tinham asseguradas as condições de ascensão social mais rápida. Em meios semiurbanos, como Joinville, remanescentes da tradição do país materno ainda se revelavam ativos. Pessoas de qualificação intelectual exerciam, por exemplo, em 1873, a direção da colônia (p. 250). A estratificação do teuto-brasileiros acentuou-se, porém, depois da primeira grande guerra mundial (p. 251). Desenvolveram-se então sérios antagonismos entre os lavradores e os comerciantes de produtos agrícolas, entre os patrões e os operários; a família e o grupo de vizinhança passaram a desempenhar, de modo mais acentuado que no país de origem, as funções de estruturas sociais dominantes. A articulação com a Igreja e com o Estado, entretanto, era muito tênue.

Essas mudanças da organização social, é óbvio, refletiam-se no sistema de padrões de comportamento. Novas normas sociais foram elaboradas, visando à regulamentação das ações e da atividade dos imigrantes e seus descendentes. "No Brasil a elaboração de um esquema de padrões de comportamento estava a cargo dos próprios colonos, originando assim um grau de iniciativa e independência condicionado às necessidades da própria situação cultural" (p. 255). O novo sistema sociocultural assumiu um caráter predominantemente híbrido, integrando valores da cultura originária, modificados ou não, elementos da cultura do país adotivo e ainda outros, provenientes das culturas das diferentes etnias com que os alemães entraram em contato. O autor caracteriza essa cultura híbrida, desenvolvida nas sociedades teuto-brasileiras, como uma cultura marginal. Contudo, evidencia a inexistência de uniformidade na distribuição geográfica dos elementos culturais que a integram e na própria forma de integração.

> Há diferenças acentuadas entre áreas urbanas rurais, áreas etnicamente mistas e etnicamente homogêneas – para só mencionar os contrastes mais notáveis. Em qualquer hipótese, os grupos humanos que habitam essas áreas participam de combinações várias de elementos oriundos de culturas diferentes. Trata-se, portanto, de uma cultura marginal que cobre certo número de áreas e subáreas (p. 264).

Essa cultura desenvolveu padrões suficientemente integrados, estando apta para promover a adaptação dos teuto-brasileiros ao meio natural circundante e para ajustar uns aos outros no meio social.

A condensação apresentada acima é relativa aos nove capítulos da "parte geral". Na "parte especial", Emílio Willems examina como se processaram, em esferas como a língua, a economia, a educação, a família, a religião, etc., as modificações da situação de contato, sumariamente descrita nas páginas precedentes. Quanto à língua, o autor observa que o único recurso de comunicação verbal ao alcance dos alemães e seus descendentes consistia na conservação do equipamento linguístico trazido do país de origem (p. 276). Como nos outros níveis da cultura, a conservação foi, porém, parcial: muitos termos foram criados, com os recursos dialetais dos próprios imigrantes, ou foram modificados, ou, então, foram aceitos do país adotivo. A elevação de status e o exercício correlato de certas profissões intensificaram a aprendizagem do português. Doutro lado, as gerações novas revelam decidida preferência por essa linguagem. A permeabilidade linguística dependia ainda das crenças religiosas: os protestantes resistiam mais do que os católicos ao abandono da língua alemã.

No nível econômico, as principais mudanças relacionavam-se à necessidade de adotar técnicas agrícolas rudimentares. Os imigrantes alemães precisavam ajustar-se à agricultura extensiva e, em muitas zonas, à troca em espécie. Tais imposições implicaram graves desajustamentos e repercutiram no patrimônio cultural originário (desnivelamento cultural). As levas de imigrantes alemães tinham uma composição heterogênea; por isso, alguns artífices eram portadores de técnicas e de conhecimentos desconhecidos na sociedade brasileira. Tais indivíduos, é óbvio, agiram como introdutores de novos elementos culturais. Doutro lado, a lenta acumulação de riquezas produziu resultados esperados: nas comunidades teuto-brasileiras surgiram os primeiros "capitalistas", que logo se tornaram capitães de indústria e chefes bancários. O autor acentua que os recursos financeiros necessários a tais empreendimentos nunca provieram da Alemanha. Pois, escreve, "*o capitalismo alemão nunca se empenhou em transformar o Brasil meridional em espaço colonial*" (p. 363, grifo do autor).

A *escola* de alfabetização conhecida pelos imigrantes alemães não existia no Brasil. Por isso, os próprios colonos organizaram uma escola de tipo comunal, em que precisavam inclusive aproveitar mestres alemães, alguns improvisados. Essa escola pública contribuiu fortemente para a perpetuação de elementos culturais do país de origem, como a língua, a lealdade para com certos valores tradicionais, etc. Entretanto, esse tipo de escola comunal variava de acordo com as diferenças regionais dos núcleos de colonização. O autor frisa, entre outras coisas, que "a designação corriqueira de 'escola alemã' cobria, na realidade, uma multiplicidade de escolas diversas pela forma e pela função. Comum a elas era o ensino de alemão" (p. 400). Quando o governo brasileiro pôde tomar iniciativas mais amplas no campo educacional, a escola pública entrou na competição com a escola comunal teuto-brasileira. Os colonos revelaram certa preferência pelas escolas públicas oficiais porque, pelo menos aparentemente, nela a aprendizagem da língua portuguesa era assegurada com maior eficácia e porque era gratuita.

O tipo de família alemã correspondia à "família-tronco: em regra, três gerações convivem sob o mesmo teto: os velhos pais e um dos filhos casados com sua prole" (p. 421). Os demais filhos abandonavam a herdade paterna sem levar consigo recursos econômicos suficientes para a compra de novas terras. Tais indivíduos tornavam-se arrendatários, passavam a trabalhar, como assalariados, para o irmão, ou procuravam trabalho nas zonas urbanas. Doutro lado, nas sociedades alemãs a ordenação das relações sexuais dependia diretamente do controle familiar. O tipo de família proveniente das zonas urbanas da Alemanha tinha uma estrutura conjugal. "Em outras palavras: todos os indivíduos pertencem a uma família desse tipo: à família de que provem e àquela que fundaram" (p. 472). As condições de existência social no Brasil favoreciam a transplantação da família-tronco. A abundância de terras e a aquisição acessível destas facilitavam a compra de propriedades agrícolas para os filhos. Além disso, graças ao sistema de crédito, quando os recursos eram limitados, os próprios filhos podiam adquirir propriedades agrícolas a prazo. Em geral, o filho mais novo ficava com mulher e filhos em companhia dos pais. Os demais deslocavam-se para outras zonas, onde fosse mais vantajosa a aquisição de terras. A idade de casamento reduziu-se bastante, simplificando o sistema antigo de organização e controle das relações pré-nupciais. O ideal de um grande número de filhos também se implantou na cultura teuto-brasileira. Para o colono isso é importante, pois lhe assegura até o casamento deles, colaboração efetiva e permanente sem remuneração. Os padrões às relações pré-nupciais foram em grande parte conservados, embora urbanização e a industrialização tendam a substituí-los por padrões da sociedade nativa. Tratando da miscigenação dos teuto-brasileiros com os luso-brasileiros, o autor critica a errônea tendência de avaliar o grau de "assimilidade" de um grupo étnico pelos índices de intercasamento. Entretanto, explica, "é improvável que assimilação se possa iniciar justamente por esta esfera a qual todas as sociedades aplicam um sistema de controle destinado, a um tempo, a evitar desajustamentos internos e penetração externa" (p. 451). O prolongamento dos contatos é uma condição básica para a miscigenação, embora nem sempre produza tais resultados. No Brasil, o intercasamento foi bastante frequente, pelo menos no proletariado e na burguesia.

Quanto à religião, é deveras significativa a dicotomia religiosa dos imigrantes em católicos e protestantes. É preciso notar que

> [...] o alemão protestante não somente entrou em contato com uma cultura católica, mas, vindo de uma sociedade em que Estado e Igreja Evangélica estavam intimamente associados, ele passou a viver em um meio onde o catolicismo era a religião oficial. Se essa inversão em si já era dolorosa para a suscetibilidade dos crentes habituados à união de trono e altar, muito mais o era pelas suas consequências que se relacionavam diretamente à conquista de um *status* na sociedade adotiva (p. 464).

Enquanto o católico podia se ajustar com relativa facilidade à nova situação, para o protestante a aceitação de valores da cultura nativa podia assumir um significado religioso. Por isso, a aculturação progrediu com maior rapidez entre os primeiros que entre os segundos.

Nos níveis da organização jurídica e política, é fundamental a seguinte constatação do autor:

> [...] apesar de faltar à Alemanha do século XIX uma organização democrática, a instituição da autonomia local se radicou profundamente sobretudo nos modos de pensar das populações das províncias e estados ocidentais. Assim explica-se o que parece ser contraditório à primeira vista: os imigrantes alemães não estavam equipados para compartilhar de atividades políticas que ultrapassassem os limites estritamente locais, mas geralmente traziam padrões adequados para criar uma organização puramente local (p. 505).

Por isso, foram capazes de desenvolver uma organização comunal relativamente eficiente; embora encontrassem dificuldades em compreender o entrosamento da política local com a política provincial, a atitude política passiva inicial foi sendo lentamente substituída pela participação ativa da vida política brasileira, primeiro no âmbito local, depois no regional, estadual e nacional. Os imigrantes chegados depois de meados do século XIX foram em parte responsáveis por essa tendência necessariamente ligada à aculturação gradativa e aos interesses econômicos dos imigrantes alemães e seus descendentes.

O autor também dedicou sua atenção à análise da literatura e da imprensa alemã e à transplantação de atividades recreativas. A esse respeito conclui que a *literatura* criada pelos teuto-brasileiros afastava-se dos padrões estéticos da literatura alemã. As primeiras gerações de imigrantes tiveram de se defrontar com uma série de problemas relativos às necessidades vitais. A transmissão dos hábitos adquiridos no país de origem foi seriamente prejudicada. Quanto ao conteúdo, é incisivo um texto do poeta Niemeyer, citado pelo autor:

> Nós temos uma vida nova, nós, teutos na Pátria nova. É por isso que devemos possuir uma poesia própria. Estamos desligados do passado dos nossos ancestrais. Sua terra de origem está longe, noutro hemisfério do mundo. É alheia aos nossos sentimentos. Os seus poetas cantam para um povo diferente, eles não nos conhecem, a nós e à nossa terra. Outras plantas, outras montanhas nos rodeiam, um outro sol ilumina os nossos dias, outras estrelas cintilam na nossa noite, eles têm um céu diferente do nosso. Eles

não nos compreendem e nós escutamos o seu canto como uma palavra de língua estranha. Não nos satisfazem os seus sentimentos, pois não é nossa vida que palpita... alemães. Temos o direito a uma poesia própria e nós a criaremos (p. 545).

Quanto à imprensa, a questão oferece certas dificuldades; a função da imprensa variava, no país de origem, no tempo e no espaço. Por isso, a tentativa de analisar o desenvolvimento da imprensa nas zonas de colonização germânica em termos de experiência anteriores é problemática. "Todavia, a extrema instabilidade da grande maioria dos jornais teuto-brasileiros, a sua tiragem insignificante e o baixo grau de periodicidade parecem constituir uma prova de que somente em casos excepcionais a imprensa chegou a desempenhar um papel vital na cultura teuto-brasileira" (p. 550). Essa imprensa, doutro lado, era acentuadamente heterogênea. "Clericais e anticlericais, liberais, conservadores, socialistas e nazistas, teuto-brasileiros e imigrantes, mas sobretudo católicos e protestantes divulgavam suas ideias através da imprensa periódica que inúmeras vezes se tornou cenário de conflitos" (p. 554). Na esfera recreativa, porém, os imigrantes alemães conseguiram transplantar em larga escala formas culturais do país de origem, tanto nas zonas urbanas quanto nas zonas rurais. Clubes e associações recreativas foram criados na "zona da mata" e nas cidades. O canto orfeônico, o boliche, a equitação e a pontaria, a ginástica e o futebol tornaram-se motivos e centros de atividades comuns organizadas. Novas formas de recreação foram aceitas e integradas na cultura híbrida dos teuto-brasileiros. O futebol, em particular, tornou-se muito importante na vida recreativa dos teuto-brasileiros. Mas outros traços, como os banquetes de recepção, o de despedida, as corridas de cavalo, os jogos de azar, o *bocce* e diversas formas tradicionais de recreação foram integradas nessa cultura (p. 568 e seguintes).

Obras de envergadura de *A aculturação dos alemães no Brasil* são altamente estimuladoras. A função delas é dupla: incutir novas orientações às pesquisas de campo e incentivar a discussão dos problemas teóricos. Nesse sentido, parece-me que a contribuição de Emílio Willems exercerá uma influência muito útil e necessária. Em primeiro lugar, o autor atrai a atenção para questões capitais em nossa sociedade. O estudo dos processos de aculturação e de assimilação dos imigrantes constitui uma das principais tarefas das ciências sociais no Brasil. Se o Brasil, como outros países americanos, é "um cadinho de raças e de culturas", como se costuma dizer, o conhecimento do que ocorreu ou está ocorrendo nesse cadinho é fundamental. Penso que a questão é ainda mais complexa do que parece ser. Tais pesquisas não visam apenas estabelecer os pontos de referência e as condições objetivas da "política de colonização" a ser adotada no Brasil. Embora essa finalidade não seja de se subestimar – como tem feito sistematicamente o governo brasileiro –, estudos dessa natureza desempenham também uma função mais ampla. Em uma sociedade como a nossa, etnicamente ultradiferenciada, representam um mecanismo formal de conhecimento recíproco e de ajustamento mútuo. Por isso, transcendem ao plano da situação imediata de contato racial e cultural investigada e fornecem à sociedade como um todo um tipo de autoconsciência altamente significativo. Em segundo lugar, o autor propõe todo um aparato conceptual e metodológico para a investigação dos referidos problemas. Nesse particular, a investigação científica das situações de contato racial e cultural tem a vantagem de alcançar uma esfera de conhecimento não valorativo que, embora sujeito a restrições – como já observou Myrdal na contribuição de sociólogos e antropólogos americanos no estudo do preconceito de cor nos Estados Unidos –, é dificilmente acessível à simples experiência empírica. Talvez seja essa a principal razão, em nossa cultura, do valor atribuído a essa técnica de conhecimento formal das situações de contato, capazes de fornecer indicações práticas à conduta humana. O mais importante neste caso é que Emílio Willems propõe um tipo de abordagem histórica que me parece aconselhável. As pesquisas de campo, quando concentradas sobre problemas de colonização, precisam salientar o fato de que a situação estudada apresenta uma configuração emergente, como resultado da manifestação de um complexo conjunto de fatores psicológicos, culturais e sociais. É possível afirmar que, tratando-se de fenômenos de interação humana, as três ordens de fatores são axiomaticamente constantes. Entretanto, a atuação deles é extremamente variável, dependendo das forças e dos componentes histórico-sociais, e da forma de consideração destes, ambos determinados pelo contexto da situação investigada e em contínuo processo de mudança. A abordagem empregada pelo autor tem o mérito, portanto, de extrair do passado a clarificação de fenômenos e processos contemporâneos e o mérito em nada menor de compreender as situações do presente como uma realidade dinâmica, que evolui em direção ao futuro.

Sinto-me incapaz de discutir as distinções metodológicas propostas por Emílio Willems, no confronto dos conceitos de aculturação, acomodação e assimilação. Acompanhei-o, como seu aluno, durante vários anos e sofri largamente sua influência. Embora esteja trabalhando no mesmo campo em São Paulo — estudando a aculturação religiosa dos sírio-libaneses —, ainda não precisei introduzir modificações de monta no aparato conceptual que propõe. Ao contrário, tenho dele me servido, pelo menos até o presente, com alentadora eficiência. Não obstante, lamento discordar do meu antigo mestre quanto ao emprego do conceito "atitude-valor". A ligação dos dois vocábulos, segundo me parece, é inexpressiva. A atitude que conduz à aceitação de um elemento cultural como um valor novo não é a mesma que resulta da incorporação do valor na estrutura da personalidade. O problema, no fundo, consiste na explicação da emergência dos valores e sua integração na cultura. O imigrante alemão, por exemplo, pode pensar que a aceitação de certos padrões de comportamento da sociedade adotiva, como os relativos ao complexo do cavalo, atua no sentido de diminuir a distância social existente entre ele e o gaúcho ou lageano. Expectativas de comportamento e experiências anteriores no país de origem polarizavam acentuado grau de desirabilidade em relação ao cavalo e à equitação; as condições de contato na sociedade brasileira estimularam ainda mais atitudes dessa natureza. Contudo, a incorporação do complexo à cultura teuto-brasileira criou automaticamente uma situação nova. Indivíduos que na Europa apenas "viam" os cavalos serem montados por nobres, burgueses e senhores rurais encontraram-se, por forças das circunstâncias, transformados em cavaleiros. A montaria e a equitação tornaram-se assim uma parte importante de sua vida. Entretanto, as atitudes desenvolvidas inicialmente em relação ao cavalo não se confundem com as atitudes definidas em função de experiências ulteriores, subordinadas aos valores sociais referentes ao complexo do cavalo. Do ponto de vista descritivo, pois, seria mais lógico considerar a situação segundo um esquema energético mais complexo: *atitudes-valores-atitudes*. Quando se utilizam os dois conceitos, porém, estabelecem-se implicitamente tais relações. O emprego conjunto dos dois vocábulos para designar os fenômenos que se desenrolam com a aceitação de novos padrões culturais é desnecessário. Penso que, para isso, basta empregar os dois conceitos separadamente, de acordo com sua conotação usual na sociologia e na antropologia.

Outra coisa que surpreende nesse trabalho, em virtude do interesse dispensado pelo autor ao estudo da formação e do desenvolvimento da personalidade, e da dinâmica da mudança cultural, é a falta de aproveitamento das contribuições de Dollard, Kardiner e Malinowski. É inegável o alto nível de informação teórica dos trabalhos de Emílio Willems, principalmente o dessa obra. Mas não tenho dúvida de que as teorias dos dois primeiros autores facilitariam e enriqueceriam enormemente as penetrantes análises dos mecanismos de aculturação apresentadas nessa obra. Em particular, ajudariam a colocar em bases mais amplas a discussão dos móveis psicossociais da aceitação de valores culturais da sociedade adotiva. Quanto a Malinowski, acredito ser indispensável o aproveitamento das sugestões que fornece ao estudo da dinâmica dos contatos raciais e culturais. O fato de Malinowski ter aceitado e difundido um termo inadequado como *transculturação* – criado por Fernando Ortiz – repercutiu de modo negativo em sua reputação de estudioso dos fenômenos de aculturação. Contudo, a respeitável experiência de campo do grande antropólogo empresta à sua contribuição, nesse setor, um fecundo cunho de renovação metodológica.

Gostaria, também, de sugerir ao autor a ampliação da parte propriamente documentária. Para trabalhos da envergadura dessa obra, é de fato uma lacuna grave a pobreza de documentação cartográfica. Quando as dificuldades materiais prejudicam esse *desideratum*, como de certo aconteceu com o autor, torna-se desejável pelo menos a confecção de mapas mais simples, de caráter meramente descritivo. Tais mapas seriam de grande utilidade principalmente na representação dos fenômenos ecológicos estudados.

Retornando ao princípio deste comentário, lembro que *A aculturação dos alemães no Brasil* constitui um dos livros básicos de antropologia publicados no Brasil. Como investigação de campo, qualifica seu autor como um dos mais competentes antropólogos contemporâneos e consagra o alto nível alcançado pelos estudos antropológicos na Universidade de São Paulo. Tal resultado é alentador para nós, como índice do progresso da mentalidade científica na apreciação dos problemas sociais no Brasil e como expressão das tendências de desenvolvimento dos estudos sociológicos e antropológicos em nossos meios universitários.

Raízes do Brasil[1]

É um acontecimento significativo a reedição de *Raízes do Brasil*. Poucos livros desempenharam, nos últimos anos, uma função tão proeminente em nosso pensamento como esse de Sérgio Buarque de Holanda. Seja situando as agudas crises de nossa formação histórica como povo, seja colocando os problemas por elas levantados às tentativas de compreensão do *cosmos* brasileiro como um processo histórico-social, o ensaio agitou os círculos intelectuais do país e impressionou vivamente uma geração muito moça, na época constituída de simples, embora inquietas, vocações intelectuais. Entre a clareira e a floresta, o livro dava-nos uma sóbria e vigorosa imagem do Brasil, na qual era fácil enxergar a árvore sem destruir o bosque. A leitura compensava os nossos ardores de jovens, apesar dos tons sombrios de algumas fugas, demasiado analíticas para o conjunto.

Cabe-me aqui, entretanto, apenas tratar da segunda edição da obra. Segundo o autor, "o livro sai consideravelmente modificado na presente versão". As ponderações do prefácio deixam bastante claros os motivos e o sentido das modificações introduzidas: nem tão profundas, a ponto de alterarem a estrutura original da obra; nem tão superficiais, a ponto de faltarem ao pensamento atual do autor. Após uma comparação meticulosa dos dois textos, acho-me em condições de afirmar que de fato a fisionomia do livro conserva-se a mesma. As transformações nada têm de radicais. Boa parte do aumento do volume pode ser atribuída à preocupação do autor pelo estilo e à nova composição tipográfica. Em comparação com a anterior, a presente edição ganha em beleza e vigor de expressão. O autor poliu, por assim dizer, a sua obra, aumentando os efeitos artísticos: seja segmentando

---

[1] Resenha de: HOLANDA, Sérgio Buarque de. *Raízes do Brasil*. 2. ed. rev. ampl. Rio de Janeiro: Livraria José Olympio, 1948. Originalmente publicada em: *Revista do Arquivo Municipal*, São Paulo, ano XV, n. CXXII, p. 222-224, 1949.

os longos parágrafos, concedendo maiores sensações aos leitores de fôlego curto; seja introduzindo pequenas alterações formais. Quanto à composição tipográfica, a presente edição apresenta caracteres próprios, que a distanciam sensivelmente da anterior (tipos maiores, separação mais nítida das subdivisões no interior dos capítulos, etc.).

O leitor notará, todavia, modificações de outra natureza. Em particular, as que foram ditadas pela intenção de ampliar a base empírica ou a compreensão de determinadas explanações. Assim, verificará que o autor aproveita o depoimento de Gil Vicente sobre a estratificação social em países europeus e aprofunda a análise do desenvolvimento da mentalidade capitalista em Portugal (capítulo I). Alarga o estudo do sistema econômico nascido das atividades dos portugueses no Brasil, em uma complexa situação de contato racial e em um meio físico diferente, desenvolve mais a análise dos processos de miscigenação em Portugal e no Brasil, bem como das capacidades colonizadoras reveladas pelos portugueses e holandeses, competindo em um mesmo hábitat (capítulo II). Amplia o exame do sistema de exploração e da política coloniais da Coroa espanhola, em comparação com a orientação seguida pela administração portuguesa (capítulo IV). Os resultados dessa comparação são sumamente importantes para o estudo dos processos de povoamento e de penetração territorial do Brasil. Estende a interpretação dos efeitos sociopsíquicos do sistema educacional brasileiro na sociedade do império e reelabora a discussão do "homem cordial" e das atitudes abertas dos brasileiros diante de valores culturais estranhos (capítulo V). Os dois capítulos seguintes receberam modificações semelhantes, pois o autor reuniu mais material para a investigação dos fatores e das tendências das mudanças sociais, operadas em consequência da secularização da cultura e da urbanização, submeteu o sistema econômico das fazendas de café a uma interpretação mais acurada e deu novo tratamento ao problema da organização política do Brasil e dos países latino-americanos. Além disso, alguns trechos da primeira edição foram suprimidos (como os das páginas 99, 105, 109-110, 130, etc.). Em conjunto, pode-se dizer que as modificações introduzidas enriquecem a obra, tanto do ponto de vista literário quanto do ponto de vista da documentação coligida e de sua elaboração.

Mas isso significa também que as principais virtudes do ensaio foram mantidas juntamente com alguns dos seus defeitos. O ensaísta revelou-se de uma maestria e de uma penetração inigualáveis na sugestão de problemas. Poucos especialistas poderão atravessar as páginas do ensaio sem encontrar alguma indicação de pistas para pesquisa ou investigação, sejam historiadores, psicólogos sociais, antropólogos, sociólogos ou economistas. Na reconstrução de um processo histórico-social tão complexo, como é o desenvolvimento do Brasil, contudo, nem sempre consegue superar, com a mesma felicidade e equilíbrio, as limitações impostas pelos insuficientes conhecimentos de que ainda hoje dispomos sobre nosso passado. Toda tentativa de síntese é empolgante e fecunda; mas os riscos são tanto maiores quanto mais inconsistente se revela a base empírica e analítica sobre a qual se constrói. Doutro lado, o especialista em ciências sociais poderia fazer certos reparos, embora de pequena importância, tomando-se em consideração a natureza e a finalidade do ensaio. Assim, a caracterização tipológica esboçada pelo autor (o "aventureiro", o "trabalhador", o "homem cordial") cabe mais dentro da orientação metodológica de compreensão intuitiva (Frobenius) do que na orientação metodológica de construção positiva dos tipos ideais ou dos tipos categoriais. Entretanto, seria difícil conciliar a primeira orientação metodológica com o tipo de interpretação histórica tentada pelo autor. Observa-se, igualmente, uma ênfase excessiva nos aspectos da cultura. Isso traduz, provavelmente, a influência da abundante literatura etnológica conhecida pelo autor. Mas tem vários inconvenientes, já que leva a subestimar os efeitos e as determinações da organização social. Muitos dos problemas encarados apenas da perspectiva da cultura, como os que dizem respeito à situação do contato com o Brasil colonial (século XVI, especialmente) ou os resultados da secularização da cultura e da urbanização, poderiam ser discutidos de um ponto de vista sociológico, único capaz de pôr em evidência a atuação dos processos sociais subjacentes aos ajustamentos e às mudanças culturais. A própria natureza e amplitude da obra compensam e neutralizam, no entanto, as pequenas insuficiências dessa ordem, e a tornam tão indispensável ao sociólogo quanto ao historiador cultural.

A família patriarcal e suas funções econômicas[1]

Introdução

A discussão sociológica do tema proposto envolve naturalmente algumas dificuldades de ordem teórica. De fato, apesar de seu emprego corrente na sociologia, os conceitos de "função econômica" e de "família patriarcal" não são conceitos logicamente "claros". Com frequência, o recurso ao conceito de "função econômica", no contexto de pensamento implícito na formulação do ponto sorteado ("a família patriarcal e suas funções econômicas"), associa-se à ideia de que a família patriarcal representa uma espécie de estrutura social básica do sistema econômico ou ainda à pretensão de comprovar que o exercício de atividades econômicas fundamentais está subordinado à atuação de pressões e controles sociais concentrados nas mãos de um senhor e nas dos seus apaniguados e subordinados, graças ao funcionamento de "um sistema patriarcal" de atribuições do status e de papéis sociais. Doutro lado, a própria noção de "família patriarcal" não é preciosa quanto às conotações propriamente sociológicas. O símile mais geral para sua definição é o que se oferece através da antiga forma social assumida pela organização do poder senhorial nas tribos hebraicas. Nesse caso, um patriarca exerce seu poder de mando (em vários sentidos: econômico, militar, religioso e político) em nome da tradição e de sua condição de descendente e sucessor de um ancestral

---

[1] Originalmente publicado em: *Revista USP*, São Paulo, n. 29, p. 74-81, mar.-maio 1996. "Prova escrita sobre o tema sorteado para o concurso de livre-docência da cadeira de Sociologia I da Faculdade de Filosofia, Ciências e Letras da Universidade de São Paulo, realizada no dia 19 de outubro de 1953" (nota de José de Souza Martins à *Revista USP*).

mítico comum. A tribo poderia não possuir uma posição ecológica definida e persistente, mas possuía uma organização interna estável, graças à qual se garantia a unidade permanente de diversos grupos, através da ordem de sucessão e da comunhão religiosa, que servia de fundamento à comunidade de interesses políticos, econômicos e militares, e que assegurava a continuidade das parentelas no espaço e no tempo. Contudo, esse símile, que serviu para a cunhagem sociológica do conceito, não foi observado posteriormente. Onde se apresentaram modalidades de exercício da dominação senhorial começaram a ver os sociólogos manifestações típicas da família patriarcal. Graças a isso o conceito de "família patriarcal" foi aplicado ao estudo de povos primitivos (por Thurnwald, por exemplo); ao estudo do sistema feudal na China antiga (por Granet, por exemplo); ao estudo do sistema feudal nas sociedades ocidentais (por Pirenne e por Brentano, por exemplo); e no estudo da organização da família, que resultou da expansão da Europa ocidental, através da colonização europeia do continente americano.

Em nosso entender, porém, não se deve confundir a "família patriarcal" com as atividades econômicas que se desenvolviam dentro de seus quadros humanos e sociais. Se tomássemos como ponto de referência a discussão do problema tendo em vista a situação descrita por Pirenne e por Brentano, seríamos levados a considerar a "família patriarcal" como uma *unidade econômica*. Pois, de fato, fora dela não existiam outros limites e meios ao desenvolvimento da vida econômica em uma economia sem mercados, dotada de meios restritos de troca. Contudo, essa maneira de encarar o problema seria insatisfatória, pressupondo uma confusão lamentável entre as condições materiais e rurais da produção econômica com os efeitos por ela produzidos. Daí pensarmos que seria mais conveniente definir de uma maneira estrita as *funções econômicas* da família patriarcal. Para fins interpretativos, entendemos por "funções econômicas" da família patriarcal as atividades sociais dos componentes da família patriarcal, independentemente da situação econômica relativa delas dentro do sistema social por ela constituído, que contribuíssem para manter direta ou indiretamente a constituição e o funcionamento do sistema correspondente de vida econômica.

Quanto ao conceito de "família patriarcal", evidencia-se atualmente a tendência para ressaltar certos traços típicos, pondo-se de lado os aspectos peculiares e as manifestações culturais do fenômeno, por mais relevantes que estes sejam quanto à definição, descrição e interpretação da família patriarcal entre os hebreus, entre os romanos, entre certos povos primitivos contemporâneos, etc. Aliás, é esse procedimento que oferece consistência lógica ao emprego indiscriminado do conceito na sociologia. Nesse caso, os traços essenciais da família patriarcal são: a crença na existência de laços consanguíneos, definidos através de um antepassado comum, mítico ou real; a vigência de critérios de transmissão hereditária da posição de "chefe" ou de "senhor" em linha masculina, com preferência ao primogênito da esposa legal ou de uma das esposas legais; ao exercício do poder senhorial através de normas estabelecidas pela tradição, independentemente de sua origem ou fundamento religioso; o princípio de unidade econômica e política dos componentes da unidade familial, sob a liderança do "senhor"; a comunhão religiosa; e o princípio de solidariedade no grupo de parentes, em todas as ações ou situações em que estes ou seus apaniguados ou subordinados se envolvessem como e enquanto membros ou representantes de uma unidade familial. Como se vê, trata-se de uma caracterização que alcança um "mínimo de definição", como se diz atualmente na sociologia. E esse mínimo lógico de definição é obtido por meio da deslocação da ênfase científica dos aspectos estruturais variáveis para aqueles que são, por assim dizer, aspectos estruturais constantes. Embora se admita que existe uma relação entre a "família patriarcal" e a estrutura do meio social em que ela se insere, para alcançar alguma coerência em sua definição foi preciso abandonar a pretensão de defini-la em termos de fatores estruturais característicos de algumas de suas manifestações histórico-culturais.

A orientação sociológica na investigação das funções econômicas da família patriarcal

Visto isso, poderíamos passar a outro aspecto sugerido pela formulação do tema. A aplicação do ponto de vista sociológico à investigação das funções econômicas da família patriarcal, ainda que se defina o que se entende sociologicamente pelos dois conceitos, pode estar sujeita a interesses científicos particulares. No programa atual da cadeira de Sociologia I, ele se inscreve claramente como um tema de história econômica. E de fato não foram os sociólogos, mas os economistas da escola histórica que puseram pela primeira vez em evidência a significação sociológica de uma análise da vida econômica sob os quadros sociais da família patriarcal. Doutro lado, foram os historiadores que se dedicam à investigação da Europa medieval que descobriram as ligações mais profundas de um certo tipo de organização da vida doméstica com a organização da vida econômica. Se aceitássemos essa orientação, seríamos levados a discutir o tema concretamente tomando como ponto de referência a situação histórico-social que abrange um período bem determinado da história europeia, que abrange aproximadamente o lapso de tempo entre os séculos XI e XV (ou, como fazem outros: a organização da família patriarcal romana). Além desse, porém, a sociologia moderna elaborou dois pontos de vista diferentes: um consiste em tomar cada uma das manifestações histórico-culturais da família patriarcal, analisá-las detidamente com o propósito de pôr em evidência seus aspectos peculiares e de elaborar uma análise comparativa; outro consiste em escolher uma das manifestações histórico-sociais do fenômeno e analisá-la segundo as implicações e os critérios da própria investigação sociológica. O fundamento lógico desse procedimento monográfico deriva da necessidade de lidar, para fins interpretativos que almejam à comparação, com investigações particulares realizadas pelos próprios sociólogos (e não por historiadores, por economistas, por especialistas em ciência política e em direito comparado). Com isso, a comparação não é negada, propriamente falando; mas transferida para uma época mais propícia, em que a sociologia tenha acumulado por meios próprios e segundo as exigências do espírito de investigação positiva os seus materiais de trabalho.

Ora, acontece que o primeiro tipo de consideração do fenômeno tem merecido uma atenção cuidadosa por parte dos especialistas. E uma obra como a de Max Weber (*Economia e sociedade*) chega a conter os resultados mais frutíferos e fecundos que se pretendesse alcançar por meio da investigação comparativa, tal como ela pode ser desenvolvida no presente pelos sociólogos. Como não pretendemos fazer aqui um resumo dos resultados a que chegou aquele sociólogo, inclinamo-nos a considerar o tema proposto em termos da segunda orientação assinalada.

Ela apresenta o risco de se confundir com os antigos ensaios de história econômica; mas, por seu próprio espírito, distingue-se destes pelo fato de pretender apresentar uma explicação dos fatos que atenta em conexões funcionais e causais, em vez de insistir somente na caracterização de sequências e fases da vida econômica que assumem um padrão definido quando encaradas de uma perspectiva temporal.

Coloca-se, porém, uma dificuldade. Essa orientação, por sua própria natureza, pressupõe uma escolha rigorosa do tema a ser examinado. Sabe-se que a família patriarcal se manifesta em diversos níveis de civilização e em variados tipos de organização estrutural da sociedade. Além disso, o valor original de uma dissertação diminui a olhos vistos quanto mais ela se concentra em fenômenos demasiado conhecidos no próprio campo de investigações. Por isso, preferimos limitar o alcance do tema proposto, no que concerne à sua discussão empírico-indutiva, propondo-nos a considerar a seguir, nos limites de proporcionalidade facultados pela condição em que nos encontramos, as [...][2]

Funções econômicas da família patriarcal em São Paulo

É sabido que um dos fenômenos mais bem estudados da vida social brasileira é exatamente o da "família patriarcal". Pondo de lado investigações que encontraram menor ressonância, por causa da delimitação do tema ou do caráter geral da própria orientação, alguns trabalhos lograram alcançar grande notoriedade e mereceram, pela própria contribuição que traziam, grande interesse entre os especialistas. Entre eles, cumpre-nos pôr em evidência os que possuem maior relevância para a interpretação sociológica[3]:

1º) Os estudos de Oliveira Viana. Esse autor deve ser considerado como o inegável precursor sociológico na investigação desse tema. Sua obra se confina historicamente, mas incide de preferência nas manifestações da família patriarcal que poderiam nos interessar mais de perto e que dizem respeito ao sul do país.

---

[2] O restante desse trecho não consta do original. (N.E.)
[3] Deixamos de mencionar a obra recente de Luís Martins (*O patriarca e o bacharel*), porque ainda não tivemos oportunidade de lê-la na sua edição recente.

2º) A obra de Gilberto Freyre, cujo alcance sociológico repousa na contribuição que nos legou para o estudo da família patriarcal no Brasil (inclusive sobre os seus aspectos econômicos).

3º) As obras em que são, por assim dizer, analisadas as funções econômicas propriamente ditas da família patriarcal no Brasil: são as obras de Caio Prado Júnior (*Formação do Brasil contemporâneo*) e de Fernando de Azevedo (*Canaviais e engenhos na vida política do Brasil*), que trataram igualmente das relações existentes entre a constituição interna da família patriarcal em suas conexões com as condições da vida econômica no Brasil e da influência exercida, com base na situação econômica, pelos senhores rurais brasileiros e por suas famílias.

4º) A análise comparativa desenvolvida por Emílio Willems (*Assimilação e populações marginais no Brasil meridional* e *A aculturação dos alemães no Brasil*), através do confronto da organização da família patriarcal com a dos migrantes alemães, que colonizaram ou se fixaram em Santa Catarina e no Rio Grande do Sul.

5º) A única tentativa de síntese que conhecemos e que procura compreender a organização da família patriarcal tendo em vista as condições de sua organização, de sua desintegração e da formação da família conjugal moderna, que coincide com a integração de novos tipos de organização da família em nosso meio – o ensaio de Antonio Candido, "The Brazilian Family" (publicado parcialmente como capítulo da obra editada por T. Lynn Smith, *Brazil: Portrait of a Half Continent*).

No estado atual da investigação sociológica no Brasil poderíamos analisar o tema proposto aproveitando os resultados das investigações dos autores citados. Mas teríamos de repetir, inevitavelmente – e sem nenhum mérito pessoal –, o que escreveram esses autores, em particular Gilberto Freyre. Por isso, preferimos explorar o pouco que conhecemos sobre esse assunto, e que obtivemos através de nossa própria iniciativa, em investigações cujos resultados já são parcialmente conhecidos do público. Lamentamos não nos ser possível aprofundar a análise dos problemas sugeridos. Não nos daremos por satisfeitos se ela sugerir de forma adequada como enfrentaríamos a tarefa de pôr em evidência, sociologicamente, as funções econômicas da família patriarcal em São Paulo.

Na análise que empreendemos sobre as relações entre economia e sociedade na evolução de São Paulo (sinteticamente exposta, ainda que de forma superficial, no primeiro capítulo do trabalho escrito em colaboração com Roger Bastide, capítulo que se intitula "Do escravo ao cidadão"[4]) fica evidente que há fases estruturalmente distintas na história econômica do nosso estado. Contudo, todo um longo período que vai do século XVI aos fins do século XIX apresenta uma relativa homogeneidade social que não é afetada pelas alterações que se produzem na organização da vida econômica. Os núcleos de atividades econômicas fundamentais se alteram (passa-se sucessivamente do apresamento para a mineração e desta para a lavoura de subsistência e depois para a exploração propriamente colonial do café), com eles se transformam substancialmente os padrões de instituição e de organização do sistema de trabalho (passa-se da exploração dominante do trabalho escravo indígena para a do trabalho escravo africano e depois à exploração combinada do trabalho escravo negro e do trabalho livre), sem que a estrutura social sofresse nenhum abalo realmente profundo. É que essas transformações se operam sem pôr em jogo os próprios princípios da organização social: a posse de escravos e a exploração de grandes extensões territoriais. A sociedade transformara-se nos aspectos exteriores de sua economia, mas permanecera relativamente invariável em sua substância – a propriedade territorial e a exploração do trabalho servil.

Esse *background* sugere, naturalmente, que na análise das funções econômicas (específicas) da família patriarcal é preciso separar os aspectos que revelam certa estabilidade dentro da instabilidade geral da evolução do sistema de relações sociais de São Paulo dos que se transformam continuamente, através dos diferentes períodos ou ciclos da história econômica de São Paulo. E indica, em segundo lugar, a conveniência de assinalar concretamente as imputações feitas funcionalmente quanto às relações da economia paulista com a organização

---

[4] Florestan Fernandes se refere ao que viria a ser o primeiro capítulo do livro de Roger Bastide e Florestan Fernandes: *Brancos e negros em São Paulo (ensaio sociológico sobre aspectos da formação, manifestações atuais e efeitos do preconceito de cor na sociedade paulistana)*, 2. ed., São Paulo, 1959. p. 1-76. Esse capítulo foi escrito por Florestan Fernandes e publicado originalmente na revista *Anhembi*, São Paulo, v. X, n. 30, 1953. O conjunto do livro teve uma primeira edição como parte de obra maior: BASTIDE, Roger; FERNANDES, Florestan (Org.). *Relações raciais entre negros e brancos em São Paulo*. São Paulo: Editora Anhembi, 1955. (N. de J.S.M.)

da família patriarcal. A isso limitaremos a nossa dissertação, por julgarmos que aí está o essencial em uma análise como a presente.

Quanto às funções econômicas, que poderíamos considerar "constantes", é preciso considerar três aspectos distintos – o que a família patriarcal significou em nosso meio do ponto de vista adaptativo e do ajustamento recíproco dos homens como condição da vida econômica; o que ela significava como meio de classificação social e de ajustamento dos indivíduos a um sistema senhorial e escravocrata de relações de produção; e a sua função propriamente ativa na dinamização da vida econômica. Quanto ao primeiro ponto, é óbvio que a família patriarcal não se explica em São Paulo (encarada sociologicamente) senão pelas condições econômicas que favoreceram e tornaram possível a transferência e revitalização de um padrão de organização da vida doméstica que se encontrava em desagregação na Europa. A produção baseada na mão de obra escrava, o gênero de atividade econômica (apresamento, lavoura extensiva de produtos de subsistência ou depois dos produtos coloniais e a grande propriedade territorial) e a facilidade (relativa) de obter mão de obra escrava parecem ter agido como fatores de perpetuação e de integração da família patriarcal ao novo meio geográfico, econômico e humano. Sob esse aspecto, somos levados a definir como funções econômicas específicas da família patriarcal um conjunto de atividades que repousavam em sua estrutura e em seu funcionamento. Tais atividades são as que contribuíam para a adaptação dos brancos à vida nos trópicos, à mentalidade de exploração mercantil do trabalho humano sob a forma de escravização de entes humanos e à ideia de que o ajustamento inter-humano podia se ajustar a outros padrões, que não existiam mais em plena vigência nas sociedades europeias. A família patriarcal forneceu assim o próprio arcabouço do novo regime social, em que a divisão estamental foi completada por uma divisão em castas: em sua estrutura ela continha o próprio modelo da sociedade inclusiva, que ela representava como um pequeno mundo autônomo e completo. Os seus três núcleos fundamentais (o núcleo legal, o núcleo de dependentes e o núcleo de escravos) continham todas as situações sociais possíveis na sociedade escravocrata brasileira e ofereciam todos os estímulos que alimentavam os ideais de vida da camada senhorial, suas pretensões de direito absoluto, suas aspirações de nobreza e sua ética social, que abrangia uma vasta gama de diferenciação dos homens e do seu destino social. Nesse plano de relações adaptativas e de ajustamentos dos homens uns aos outros, a família patriarcal desempenhou sempre a mesma função, que é estritamente econômica no que concerne às condições de existência material que repousavam em semelhante estrutura social.

Quanto ao segundo ponto, ele é evidente e se inclui parcialmente nos processos já mencionados. De fato, desde o século XVI a classificação social dos indivíduos e sua distribuição no sistema de ocupações sociais depende diretamente da própria posição dos sujeitos na estrutura da família patriarcal. Esta provê o sistema econômico mediante a combinação de preceitos tradicionais com argumentos pecuniários – o que o membro do núcleo legal da família patriarcal não pode fazer faz por ele o seu dependente e, principalmente, o seu escravo. Essa combinação (que se repete em outros casos análogos) oferece barreiras mais ou menos conhecidas à expansão econômica, no que concerne tanto à divisão do trabalho e à especialização quanto ao desenvolvimento da produção e da troca. Era porém uma decorrência dessa função da família patriarcal (que, aliás, variou nos períodos da história econômica de São Paulo) restringir a operação dos mecanismos da vida econômica, que só podia expandir-se, assim, dentro dos limites próprios a uma economia sem mercado e posteriormente a uma economia baseada na exploração de produtos tropicais sob regime escravocrata.

Quanto ao terceiro ponto, é claro que a família patriarcal só operava dentro de certos limites como fator restritivo da vida econômica. Vista à luz da época histórico-social que nos interessa, é óbvio que ela operava como um agente de dinamização da vida econômica. A experiência histórica demonstra como os imperativos surgidos ou impostos pela concepção patriarcal do mundo puderam ser atendidos sob atividades econômicas distintas (apresamento, lavoura de subsistência e exploração de produtos tropicais). Desse modo, a defesa de uma situação econômica e socialmente privilegiada atuou contra as normas legadas pela tradição e contra os preconceitos dos paulistas por várias atividades econômicas senhoriais (é o que atestam, principalmente, os depoimentos legados ou coordenados pelo Desemb. Machado de Oliveira).

Falta-nos tempo para examinar os elementos variáveis. Mas podemos apontá-los sucintamente:

1º) a função de equipar a camada senhorial com os meios legais e propriamente econômicos das atividades econômicas básicas;

2º) restringir o acesso de indivíduos da mesma "raça" ou indivíduos mestiços mas de outros estamentos à situação econômica da camada senhorial;

3º) restringir a competição e os conflitos no próprio nível senhorial, restringir o exercício de atividades não nobilitantes a membros da mesma "raça" de outros estamentos e a representantes de outra "raça" e abrir critérios plásticos de classificação a todos os indivíduos pertencentes ao núcleo legal da família. Isso permitia uma renovação periódica de seus quadros humanos sem pôr em risco o exercício da dominação senhorial, confinada assim a uma só camada social.

Brazilian culture: an introduction to the study of culture in Brazil[1]

Traduzido por William Rex Crawford, professor de Sociologia da Universidade da Pensilvânia, e com uma apresentação gráfica excelente, acaba de ser dada a lume a edição em língua inglesa de *A cultura brasileira*, obra escrita por Fernando de Azevedo para servir de introdução à série de publicações do Recenseamento Geral do Brasil (1940). A versão inglesa dessa obra desempenhará, sem dúvida, um papel importante na *revelação* de nossa vida intelectual e de nossas instituições artísticas, literárias e científicas nos Estados Unidos, pois nela o [autor] estuda a *cultura brasileira*, entendida no sentido clássico como conjunto de valores intelectuais, estéticos e morais, em seus três aspectos básicos (os fatores, a integração e a transmissão da cultura). Como se sabe, *A cultura brasileira* figura, agora, ao lado de *Os sertões*, de Euclides da Cunha, e de *Casa grande e senzala*, de Gilberto Freyre, constituindo uma das três grandes obras de nossa bibliografia sociológica que conseguiram atrair o interesse de especialistas e, em consequência, o das empresas editoras norte-americanas.

---

[1] Resenha de: AZEVEDO, Fernando de. *Brazilian Culture: an Introduction to the Study of Culture in Brazil*. Traduzido do português por William Rex Crawford. New York: The Macmillan Company, 1950. Originalmente publicada em: *Revista do Museu Paulista*, n. s., v. IV, São Paulo, p. 470, 1950.

Caminhos e fronteiras[1]

Sérgio Buarque de Holanda possui duas facetas, como historiador. Uma delas revela-se na capacidade de síntese de que *Raízes do Brasil* constitui o exemplo de sua melhor realização; a outra transparece em *Monções* ou nos ensaios reunidos neste volume nos quais a interpretação histórica assenta em laborioso esforço de análise, pacientemente comunicado ao leitor. O estilo e o ponto de vista fundamental do historiador são os mesmos. O primeiro, sempre brilhante e preciso, a um tempo sóbrio, rico e plástico, situando o autor entre os que nobilitam e enriquecem literalmente o nosso português escrito. O segundo dá uma unidade básica às suas diferentes produções historiográficas e introduz em nossa historiografia uma orientação altamente fecunda, por associar a pesquisa acurada das fontes primárias à indagação dos fatores psicossociais e socioculturais dos eventos ou processos históricos. Há, naturalmente, diferenças na maneira de lidar com os problemas da história: a fundamentação empírica das interpretações, por exemplo, só pode ser feita, de forma rigorosa, nas explanações de caráter analítico. Por isso, pensamos que suas melhores contribuições – ainda que não as mais sugestivas e estimulantes – encontram-se em trabalhos como *Monções* ou "Índios e mamelucos na expansão paulista". Semelhante opinião não nos impede, naturalmente, de reconhecer a importância da outra orientação, que nos levou a uma das tentativas mais coerentes de representação unívoca do desenvolvimento histórico-cultural do povo brasileiro.

Nesta obra figuram trabalhos publicados em revistas ou jornais que puderam ser refundidos e agrupados sob três tópicos gerais: "Índios e mamelucos", "Técnicas rurais" e "O fio e a teia". Dada a divulgação

---

[1] Resenha de: HOLANDA, Sérgio Buarque de. *Caminhos e fronteiras*. Edição Ilustrada. Rio de Janeiro: Livraria José Olympio, 1957. Originalmente publicada em: *Anhembi*, São Paulo, ano VIII, n. 96, v. XXXII, p. 556-567, nov. 1958.

que tais trabalhos já alcançaram, seria fora de propósito condensá-los aqui. O interesse de editá-los na forma atual poderia merecer atenção explícita. O próprio autor adianta-nos, entretanto, os motivos que o levaram a essa decisão. Não só revela que os temas dos três ensaios estão ligados a projetos mais amplos de sua carreira como historiador, mas, ainda, aponta os traços ou resultados que fazem deles partes de uma obra maior, em plena elaboração. Também acentua com mestria o que eles significam para o estudo histórico da formação e da evolução da sociedade brasileira. Cumpre-nos, pois, limitar-nos a ressaltar coisas mais ou menos conhecidas: que o autor está entre os poucos investigadores de sua geração que souberam compreender a influência construtiva do "índio" na construção de nosso sistema civilizatório e que perceberam, com perspicácia, como as condições ambientes da vida social afetaram, tanto qualitativa quanto quantitativamente, a longa história cultural dos grupos étnicos ou raciais distintos que entraram em contato no Brasil de modo permanente.

A nossa especialidade leva-nos a encarar muitas questões de prisma bem diverso do que é sustentado pelo autor. Acreditamos que existam riscos desnecessários nos procedimentos interpretativos, em que se alicerçam suas conclusões, e em sua técnica de manipulação simultânea de fontes díspares e heterogêneas com o objetivo de formular problemas básicos da indagação histórica. Além disso, parece-nos que certas questões são esclarecidas em termos meramente conjecturais, embora o autor as trate como se as evidências empíricas fossem conclusivas e irretorquíveis. Contudo, dispensamo-nos de debater tais pontos no momento, seja pelo respeito intelectual que o autor nos merece, seja porque julgamos ter chegado a ocasião de atentarmos, de preferência, para o *sentido* de sua contribuição historiográfica.

Cabe-lhe, sem dúvida possível, o mérito de ter promovido a renovação das pesquisas históricas em nosso país em moldes que permitiram preservar a continuidade "teórica" dos temas e dos problemas que vêm preocupando os nossos investigadores desde Varnhagen até Capistrano de Abreu ou Otávio Tarquínio de Souza. Sem negligenciar as vantagens inerentes à chamada "história tradicional", cuja solidez depende da informação e da capacidade criadora do *erudito*, soube beneficiar-se, com prudência, dos recursos da "história positiva", evitando confundir os alvos da *síntese histórica* com os da explicação generalizadora nas ciências naturais. Sob esse aspecto, portanto, Sérgio Buarque de Holanda pode ser considerado como um dos principais instauradores da mentalidade que deu nova direção aos estudos históricos no Brasil, ainda antes de sua renovação pelo ensino universitário. Suas investigações conferiram à história cultural a dignidade de disciplina acadêmica, que ela não conseguira lograr nas tentativas pioneiras de autores como Tavares Bastos, Aníbal Falcão, Paulo Prado e tantos outros. Doutro lado, como também ocorre com as contribuições de Gilberto Freyre à história social e de Caio Prado Júnior à história econômica, às suas investigações prende-se uma inteligência inteiramente nova dos papéis do historiador e da natureza da explicação na história, que pôs a historiografia brasileira em intercâmbio com as tendências mais modernas de investigação histórica. Por essas razões, apreciamos em seu justo valor a reedição conjunta dos ensaios reunidos em *Caminhos e fronteiras* e louvamos a feliz iniciativa, que põe ao alcance dos interessados alguns dos trabalhos mais característicos de um historiador tão eminente.

Le Brèsil, structure sociale et institutions politiques[1]

Este pequeno livro constitui uma das melhores sínteses sociológicas já escritas sobre a formação e o desenvolvimento da sociedade brasileira. Seu autor teve a oportunidade de lecionar Sociologia durante vários anos na Universidade do Brasil, podendo, assim, coligir vasta documentação e experiência sobre os fenômenos sociais e políticos de nossa terra.

O livro divide-se em seis capítulos, que tratam dos seguintes temas: "A posição do Brasil na América do Sul"; "A população brasileira: crescimento natural e imigração"; "A estrutura racial e a estrutura social"; "As bases da economia brasileira"; "As instituições e a vida política"; "A política exterior e as relações culturais com a França". Em regra, as análises são sucintas, porém objetivas e penetrantes. Com exceção do último capítulo, o autor limitou-se a expor as conclusões a que chegou por via empírica – seja por meio de leituras, seja pela observação pessoal. O cuidado com que procedeu a essas análises pode ser apreciado pelo que escreve, por exemplo, sobre o preconceito racial no Brasil, tema tão mal compreendido pela maioria dos intérpretes estrangeiros da sociedade brasileira:

> A população brasileira compõe-se da mistura de três raças: entre essas raças processou-se o mestiçamento; não existe nenhuma barreira jurídica que separe as diversas raças umas das outras, nenhuma barreira de fato que estabeleça entre elas verdadeiras segregações. A conclusão mais geral dos observadores é a de que o Brasil ignora todo o problema de contato de raças. Trata-se de

---

[1] Resenha de: LAMBERT, Jacques. *Le Brèsil, structure sociale et institutions politiques*. Paris: Libraire Armand Colin, 1953. Originalmente publicada em: *Revista Brasileira de Estudos Políticos*, Belo Horizonte, n. 7, número extraordinário, p. 143-145, nov. 1959.

uma conclusão difícil de admitir totalmente: ela não é verdadeira senão por oposição ao que se produziu nos Estados Unidos. O julgamento feito sobre o contato de raças no Brasil é, com efeito, geralmente viciado, pois, com frequência, em vez de estudar os caracteres próprios das relações de raça como elas se deram no Brasil, tende-se a pesquisar em que elas se diferenciam das que se deram entre negros e brancos nos Estados Unidos (p. 56-57).

Há a lamentar, apenas, certas deformações, inevitáveis em interpretações demasiado sintéticas. Elas apanham o que é típico no essencial, o que lhes dá uma aparência de caricatura da realidade brasileira. Não pretendemos, com essa afirmação, subestimar a contribuição positiva do autor; visamos, tão somente, situar os riscos ou as limitações em que ela incorre. Tomemos um exemplo. Lambert caracteriza, precisamente, os dois tipos gerais de estrutura social coexistentes na sociedade brasileira atual – a "arcaica", que lembra ou preserva a herança do antigo mundo rural, e a "moderna", que está se formando nas grandes cidades brasileiras em urbanização e em industrialização. Em face desse processo mais amplo, localiza a influência construtiva de Getúlio Vargas com real perspicácia, indicando o que ela significou para a desagregação da estrutura tradicional e das formas de dominação a ela associadas.

> Elevado ao poder por uma revolução que aspirava transformar a sociedade e não somente o governo, mas que se revelou impotente para fazê-lo, Getúlio Vargas tomou a si os fins sociais dessa revolução. Atacando alternadamente o comunismo e o integralismo, sem entretanto jamais romper completamente nem com um nem com outro, esforçou-se por atrair uma clientela popular para uma política de reformas sociais, às vezes mais simbólicas que reais e sobretudo de exaltação do sentimento nacional (p. 146).
> A ditadura getulista foi a mais prudente e menos brutal das ditaduras, sem violência, sem princípios, sem apelo a movimentos de massas, sem despertar verdadeiro entusiasmo, ela pode parecer nada haver feito de fato; ela não deixou, porém, o Brasil como o encontrou. Sua longa prática de intervenção nos estados e o controle do Exército assegurou a incontestável primazia do governo federal e o Brasil tornou-se uma nação: a autoridade dos poderosos, que não tinham mais papel político a desempenhar, enquanto se multiplicavam os funcionários, foi abalada; numerosos

serviços sociais, que não possuem senão uma ação ainda fraca, foram criados, mas uma parte da população brasileira adquiriu o hábito de dirigir-se a eles e eles terão de desenvolver-se. A sociedade nova ainda não está construída, mas a velha sociedade, que era, entretanto, bem sólida, foi fortemente abalada, e esse é o resultado do getulismo (p. 148).

Essas afirmações possuem algum conteúdo de verdade. Contudo, elas imputam a uma personagem histórica efeitos que não decorreram, aparentemente, da ação pessoal, parecendo antes o produto de um conjunto de circunstâncias e processos histórico-sociais, em que tal personagem se viu extensa e profundamente envolvida. Causa estranheza que um sociólogo dê preeminência ao "papel histórico do indivíduo", sem considerar, devidamente, os quadros e as impulsões sociais que interferiram e orientaram sua atuação na cena histórica. Encarando-se a situação desse ângulo, evidencia-se, com clareza, que Getúlio Vargas tolheu, onde e quando isso lhe foi possível, as tendências inovadoras da revolução que o instalou no poder. Atendeu-as, certamente, na medida em que elas podiam contribuir para consolidar sua posição ou favorecer seus desígnios políticos. Mas fazia-o sem inspirações ou convicções nitidamente revolucionárias, como meios de contemporização com as forças vivas de uma revolução que pretendia instaurar a democracia no país. Por isso, Getúlio Vargas serviu-se das tendências renovadoras em presença, em vez de organizá-las para conduzi-las a seus termos radicais, *traindo-as*, afinal, ao se converter em tirano e ao concertar a constituição de um regime ditatorial.

Aí se revelam os traços que fizeram de Getúlio Vargas uma das principais figuras da história política do Brasil, pela sagacidade, pelo oportunismo audacioso e pela ductilidade de suas ações políticas. Esses traços configuram uma concepção amórfica da política: adequada à ânsia pessoal de poder mais que às diretrizes reformistas ou revolucionárias bem definidas. Portanto, na medida em que Getúlio Vargas teve alguma importância ativa na alteração do panorama social e político do Brasil, suas influências possuem teor claramente imediato e indireto. Ele próprio utilizou a renovação e a reforma como expedientes políticos, como se não pretendesse tolher o curso cego da evolução da sociedade brasileira, satisfazendo-se com os ganhos pessoais na roleta do poder público.

Perspectivas da economia brasileira[1]

É incontestável, após a publicação de *A economia brasileira*, que Celso Furtado figura entre os mais competentes especialistas que trataram dos mecanismos da vida econômica no Brasil. Combinando invulgar capacidade de observação e de interpretação dos fenômenos econômicos, conseguiu reduzir os processos da economia brasileira a certos modelos simples, mas básicos, que permitiram uma representação altamente abstrata da formação e do desenvolvimento de nosso sistema econômico. Além disso, possui certa capacidade e competência no tratamento de problemas práticos, de política econômica, o que confere às suas conclusões definido caráter pragmático. Como acontece com outros economistas de preparação científica, mantém-se numa posição de estrita "objetividade" na formulação e na discussão de tais problemas. Eles são propostos e examinados em termos da situação da economia brasileira e de suas tendências de transformação em um sistema capitalista de escala nacional. Aí está, possivelmente, a única fonte considerável de limitação de suas elaborações teóricas, confinadas à pressuposição de que a dinâmica ideal do sistema econômico brasileiro é definida pelo conjunto de condições que tendem a assegurar sua integração como economia capitalista.

Por isso, a presente obra possui interesse particular. Ela condensa os principais resultados a que chegou um dos mais competentes economistas brasileiros no balanço da situação de nossa economia e de suas perspectivas de desenvolvimento. Como salienta, "o objetivo destas conferências é equacionar o problema do desenvolvimento da economia brasileira em sua etapa atual, analisar suas tendências fundamentais e, pela projeção dessas tendências, tentar a determinação dos

---

[1] Resenha de: FURTADO, Celso. *Perspectivas da economia brasileira*. Rio de Janeiro: Instituto Superior de Estudos Brasileiros, 1958. Originalmente publicada em: *Revista Brasileira de Estudos Políticos*, Belo Horizonte, v. III, n. 6, p. 223-225, jul. 1959.

principais fatores que poderão reduzir o ritmo desse desenvolvimento nos próximos anos" (p. 9).

Esse objetivo é alcançado em duas etapas. Uma, que chamaríamos de "diagnóstico da situação econômica brasileira", na qual o autor descreve, sumariamente, o crescimento da economia brasileira, seus caracteres estruturais e os elementos econômicos que exercem influência limitativa em sua expansão ou integração como economia capitalista. Outra que representa um avanço da teoria econômica na direção das atividades práticas, controláveis racionalmente nas condições atuais de nossa vida econômica. O diagnóstico ainda preenche, aqui, uma função essencial na descrição dos processos, mas ele é animado pela intenção de evidenciar como o crescimento espontâneo poderia ser alterado mediante uma "política sistemática de desenvolvimento econômico". Os aspectos desse processo de mudança econômica provocada são apontados de maneira esquemática, com ênfase no papel dos técnicos na elaboração de planos econômicos, na política monetária, nos problemas fiscais e administrativos.

Ao lermos o presente ensaio, deveras estimulante e construtivo, tivemos a oportunidade de refletir sobre o mal que nos causa a especialização científica. Está claro que o economista só pode explicar os processos econômicos em termos de conceitos e teorias que transcrevem, abstratamente, a operação das condições e dos fatores que determinam a estrutura, o funcionamento e a evolução do sistema econômico considerado. Não obstante, ao passar o autor da explicação teórica dos processos econômicos para os alvos ideais a serem atingidos com a substituição do *crescimento espontâneo* pelo *crescimento provocado*, seria de se esperar maior interesse pela operação real dos mecanismos econômicos na sociedade brasileira.

Seria injusto presumir que Celso Furtado ignore que a vida econômica não se desenrola no vácuo. Todavia, suas hipóteses e sugestões raramente abrigam lugar para os elementos geográficos e os mecanismos psicossociais e socioculturais que interferem nos processos econômicos, convertendo-os em expressão das potencialidades de crescimento asseguradas pelo fator propriamente humano. Essa é uma restrição fundamental, que se torna grave com referência a explanações que poderiam amparar-se nos resultados alcançados por investigadores que trabalham no campo da geografia, da etnologia ou da sociologia. A presunção de que o Brasil constitua "um imenso contínuo territorial, dotado de unidade política e cultural, mas descontínuo e heterogêneo do ponto de vista econômico" (p. 10), por exemplo, encontra contrapartida em conclusões análogas de especialistas que estudaram o Brasil do ponto de vista geográfico, etnológico ou sociológico. A descontinuidade apontada repete-se na composição da população, na fisionomia da paisagem ou na organização das relações sociais.

Desse ângulo, é fácil comprovar-se que existe outra perspectiva para análise, que orientaria a atenção dos investigadores para as condições e os fatores ocultos do desenvolvimento, inexplicavelmente negligenciados mesmo pelos economistas dos países subdesenvolvidos. Se pretendermos atingir algum progresso no domínio dos elementos controláveis racionalmente da vida econômica, está claro que precisaremos modificar nossa atitude em face dessas condições e fatores. Isso significa, substancialmente, que os economistas brasileiros estão diante de grave responsabilidade profissional, que consiste em dar maior amplitude à colaboração interdisciplinar nos programas de estudo ou de intervenção na economia brasileira. Se afirmarmos tal coisa no momento, fazemo-lo porque pensamos que o autor deste ensaio poderá contribuir fecundamente para alterar um estilo de trabalho anômalo e improdutivo, em particular quando se tem em mente a natureza dos interesses que orientam o fomento das ciências sociais no Brasil.

Antecedentes indígenas: organização social das tribos tupis[1]

Vários grupos tribais etnicamente distintos habitavam o Brasil no período da conquista. No entanto, apenas tribos pertencentes ao estoque linguístico tupi foram descritas de forma relativamente extensa e precisa. A razão desse fato é simples. Os tupis entraram em contato com os portugueses em quase todas as regiões que estes tentaram ocupar e explorar colonialmente. Foram, ao mesmo tempo, a principal fonte de resistência organizada aos desígnios dos colonizadores e o melhor ponto de apoio com que eles contaram, entre as populações nativas.

Ainda hoje se mantém o "mito" de que os aborígines, nesta parte da América, limitaram-se a assistir à ocupação da terra pelos portugueses e a sofrer, passivamente, os efeitos da colonização. A ideia de que estavam em um nível civilizatório muito baixo é responsável por essa presunção. Todavia, nada está mais longe da verdade, a julgar pelos relatos da época. Nos limites de suas possibilidades, foram inimigos duros e terríveis, que lutaram ardorosamente pelas terras, pela segurança e pela liberdade, que lhes eram arrebatadas conjuntamente.

O desfecho do processo foi-lhes adverso. Mas nem por isso deve-se ignorar que esse processo possui duas faces. Nós temos vivido da face que engrandece os feitos dos portugueses, alguns quase incríveis, vistos de uma perspectiva moderna. Se houve, porém, heroísmo e coragem entre os *brancos*, a coisa não foi diferente do lado dos aborígines. Apenas o seu heroísmo e a sua coragem não movimentaram a

---

[1] Originalmente publicado em: HOLANDA, Sérgio Buarque de (Org.). *História geral da civilização brasileira*. São Paulo: Difusão Europeia do Livro, 1960. v. 1, t. 1, livro II, cap. II, p. 72-86.

história, perdendo-se irremediavelmente com a destruição do mundo em que viviam.

Neste capítulo, cabe-nos descrever os aspectos mais importantes da organização das sociedades tupis e procurar nela os fatores que permitem explicar, sociologicamente, o padrão desenvolvido de reação à conquista. É duvidoso que os dados de que dispomos revelem essas sociedades tais quais elas eram no *ponto zero* da história do Brasil. Contudo, podemos supor que, por seu intermédio, chega-se a conhecer algo que estava bem próximo dele, o que atende às exigências empíricas da análise a ser feita.

O sistema tribal de relações sociais

Os tupis, que são mais bem descritos pelas fontes quinhentistas e seiscentistas, habitavam o litoral nas regiões correspondentes aos atuais estados do Rio de Janeiro, da Bahia, do Maranhão e do Pará. Praticavam a horticultura, a coleta, a caça e a pesca, possuindo o equipamento material que permitia a realização dessas atividades econômicas. Sua mobilidade no espaço era relativamente grande. Essas atividades eram desenvolvidas sem nenhuma tentativa de preservação ou restabelecimento do equilíbrio da natureza. Por isso, a exaustão relativa das áreas ocupadas exigia tanto o deslocamento periódico dentro de uma mesma região quanto o abandono dela e a invasão de outras áreas, consideradas mais férteis e ricas de recursos naturais. O que quer dizer que a migração era utilizada como uma técnica de controle indireto da natureza pelo homem. Quando se rompia o equilíbrio entre as necessidades alimentares e os recursos proporcionados pelo meio natural circundante, as populações se deslocavam de um modo ou de outro. Em suma, a terra constituía o seu maior bem. O grau de domesticação do meio natural circundante, assegurado pelos artefatos e pelas técnicas culturais de que dispunham, fazia com que a sua sobrevivência dependesse de modo intenso e direto do domínio ocasional ou permanente do espaço que ocupassem.

A "tribo" e os grupos locais

Esse domínio era exercido em termos do poder de uma entidade complexa que chamaremos de "tribo". Pouco se sabe a respeito da composição e do funcionamento dessa unidade inclusiva. A única coisa evidente é que ela abrangia certo número de unidades menores, as "aldeias" ou grupos locais, distanciados no espaço, mas unidos entre si por laços de parentesco e pelos interesses comuns que eles pressupunham, nas relações com a natureza, na preservação da integração tribal e na comunicação com o sagrado. Na vida cotidiana os indivíduos podiam agir, largamente, como membros da ordem existencial criada pelo grupo local. Mas, em assuntos relacionados com o deslocamento da tribo de uma região para outra, a circulação das mulheres entre as parentelas, a realização de uma expedição guerreira, o sacrifício de inimigos, etc., as ações eram reguladas pela referida teia de interesses comuns.

Os grupos locais compunham-se, em média, de quatro a sete malocas ou habitações coletivas. Estas eram dispostas no solo de modo a deixar uma área quadrangular livre, o *terreiro*, bastante amplo para a realização de cerimônias como as reuniões do conselho de chefes, o massacre e a ingestão das vítimas, as atividades religiosas lideradas pelos pajés, as festas tribais, etc., as quais muitas vezes também envolviam a participação dos membros dos grupos locais vizinhos. Em zonas sujeitas ao ataque de grupos tribais hostis, as malocas eram circundadas por uma estacada ou *caiçara*, feita com troncos de palmeira rachados, ou por um duplo sistema de paliçadas, entre os quais colocavam estrepes agudos e cortantes. Esse sistema de defesa pode ser apreciado em uma das xilogravuras de Staden.

As malocas

As malocas teriam uma largura constante, variando seu comprimento de acordo com o número de moradores. Nela viviam, segundo as estimativas mais baixas, de 50 a 200 indivíduos, agrupados nas subdivisões internas, reservadas aos lares polígìnos, de 20 a 40 em cada maloca, conforme também as estimativas mais baixas. O acesso e a saída dos indivíduos eram feitos por três aberturas localizadas nas extremidades e, outra, no centro da maloca. Enquanto duravam os materiais de que eram construídas, proporcionavam boa renovação do ar e abrigo confortável contra a inclemência do sol ou os excessos da chuva. A vida desenrolava-se em seu interior no sentido mais pleno possível. As mulheres cozinhavam na maloca; as refeições eram tomadas nos *lanços* pertencentes a cada lar polígino; o mesmo ocorria com outras atividades, relacionadas com as conversações dos parentes, com o intercurso sexual, com a recepção dos hóspedes, etc. Nada podia ser segredo para ninguém e todos compartilhavam das experiências cotidianas de cada um.

  Em virtude da importância da natureza na economia tribal, a localização do grupo local na porção de território, dominado pela tribo que lhe era destinada, constituía um problema de ordem vital. Dela dependia o provimento fácil e contínuo de água potável, de lenha para a cozinha ou para fornecer calor à noite, de mantimentos que precisavam ser obtidos em condições de segurança (por exemplo, pela proximidade de rios piscosos e da costa marítima, de terrenos férteis para plantação, de bosques ricos de caça, etc.). Além disso, outras condições precisavam ser tomadas em conta, relativas à defesa do grupo local, ao arejamento e à disponibilidade de materiais para a construção das malocas. Por isso, esse assunto caía na órbita de decisão do conselho de chefes e dava origem a soluções em que prevaleciam os interesses da coletividade como um todo.

  De acordo com informação de Gandavo, confirmada por outras fontes, "em cada casa desta vivem todos muito conformes, sem haver nunca entre eles nenhumas diferenças: antes são tão amigos uns dos outros, que o que é de um é de todos, e sempre de qualquer coisa que um coma, por pequena que seja, todos os circunstantes hão de participar dela". O mesmo padrão básico de cooperação vicinal aplicava-se às relações dos membros das malocas que faziam parte de um grupo local. Os produtos da caça, da pesca, da coleta e das atividades agrícolas pertenciam à parentela que os conseguisse. Não obstante, se houvesse escassez de mantimentos ou se fosse imperativo retribuir presentes anteriores, eles eram divididos com os membros de outras parentelas ou distribuídos entre os componentes de todo o grupo local. Como escreve Léry, em congruência com outros autores da época, "mostram os selvagens sua caridade natural presenteando-se diariamente uns aos outros com veações, peixes, frutas e outros bens do país; e prezam de tal forma essa virtude que morreriam de vergonha se vissem o vizinho sofrer falta do que possuem".

O crescimento demográfico dos grupos locais, além dos limites da eficiência do sistema adaptativo tribal, criava condições para conflitos. Estes não se formavam, abertamente, na área do provimento e distribuição dos recursos naturais. Antes, explodiam nas lutas entre parentelas, por exemplo, motivadas por ações reprováveis e que quebravam a solidariedade tribal, se não fossem reparadas, como o rapto de mulheres. Nesse caso, as parentelas antagônicas separavam-se e todo o sistema de solidariedade intergrupal precisava ser recomposto. Todavia, o meio normal para a solução dessas tensões consistia na formação contínua de novas malocas, que promovia uma espécie de redistribuição da população produtiva. Essa é a alternativa que se apresenta nos casos em que algum principal, contando com número suficiente de mulheres em seu lar polígino (filhas, sobrinhas ou agregadas), cedia-as em casamento a jovens que se dispunham a aceitar sua autoridade. Com o tempo, surgia assim uma nova maloca, frequentemente integrada no mesmo grupo local.

A divisão do trabalho

A divisão do trabalho, nos grupos locais, obedecia a prescrições baseadas no sexo e na idade. As mulheres ocupavam-se com os trabalhos agrícolas (desde o plantio e a semeadura até a conservação e a colheita) e com as atividades de coleta (de frutas silvestres, de mariscos, etc.), colaboravam nas pescarias, indo buscar os peixes frechados pelos homens, transportavam produtos das caçadas, aprisionavam as formigas voadoras, fabricavam as farinhas, preparavam as raízes e o milho para a produção do cauim, incumbindo-se da salivação do milho, fabricavam o azeite de coco, fiavam o algodão e teciam as redes, trançavam os cestos e cuidavam da cerâmica (tanto da fatura de panelas, alguidares, potes para cauim, etc., quanto de sua ornamentação e cocção), cuidavam dos animais domésticos, realizavam todos os serviços domésticos, relacionados com a manutenção da casa ou com a alimentação, e dedicavam-se a outras tarefas, como a depilação e tatuagem dos homens pertencentes a seu lar, o catamento do piolho deles ou das mulheres do grupo doméstico, a preparação do corpo das vítimas humanas para a cerimônia de execução e para o repasto coletivo, etc. Os homens ocupavam-se com a derrubada e preparação da terra para a horticultura, entregando-as prontas para o plantio às mulheres (encarregavam-se, pois, da queimada e da primeira limpa), praticavam a caça e a pesca, fabricavam as canoas, os arcos, as flechas, os tacapes e os adornos, obtinham o fogo por processo rudimentar, construíam as malocas, cortavam lenha, fabricavam redes lavradas e, como manifestação de carinho, podiam tatuar a mulher, auxiliá-la no parto, etc. É claro que a proteção das mulheres, crianças e velhos era atividade masculina, bem como a realização de expedições guerreiras e o sacrifício de inimigos ou de animais, como a onça, que rendiam um novo "nome" ao sacrificante. As atividades xamanísticas também constituíam prerrogativas masculinas, embora existam referências esporádicas à participação das mulheres nessas atividades, bem como nas guerreiras (na qualidade de combatentes, nos casos de mulheres tríbades). A mulher suportava uma carga extremamente pesada no sistema de ocupação. Mas prevalecia a interdependência de trabalhos e serviços, de modo que eles se completavam e amparavam mutuamente.

Os tupis ignoravam a exploração econômica do trabalho escravo. Seus cativos eram tratados como membros do "nosso grupo" até a data do sacrifício. Doutro lado, a pobreza do sistema tecnológico compelia-os a tirar o maior proveito do organismo humano e de suas energias, em todo gênero de atividade, bem como a combinar a capacidade de trabalho individual em diferentes fins. Como salienta Cardim, tratando do mutirão:

> assim quando hão de fazer algumas coisas, fazem vinhos e avisando os vizinhos, e apelidando toda a povoação lhes rogam que queiram ajudar em suas roças, o que fazem de boa vontade, e trabalhando até as dez horas tornam para as suas casas a beber os vinhos, e se aquele dia se não acabam as roçarias, fazem outros vinhos e vão outro dia até dez horas acabar seu serviço.

Naturalmente, os serviços assim prestados deviam ser retribuídos, o que engendrava um complexo sistema de compensações recíprocas e adiadas. Encarando as relações dos indígenas desse ângulo, alguns cronistas sentiram-se tentados a supor que eles vivessem num regime de *commutatione rerum*. No entanto, como percebeu muito bem d'Abbeville, nesse sistema comunitário havia lugar para diversas gradações: "Embora possuam alguns objetos e roças particulares, não têm o espírito de propriedade particular e qualquer um pode aproveitar-se de seus haveres livremente".

Os laços de parentesco

Graças às relações de interdependência descritas, indivíduos e parentelas uniam-se nos grupos locais através de laços extremamente fortes, que imprimiam à ordem comunitária uma realidade vicinal. Mas, acima desses lados, e atravessando-os como base morfológica geral, estava uma teia ainda mais vigorosa de associação e de interdependência: o parentesco. Ele ligava no plano mais amplo da unidade tribal, articulando entre si grupos locais separados no espaço e isolados uns dos outros, por causa das dificuldades de contato. As atividades que davam conteúdo ou eficácia à ordem tribal dele derivavam ou nele encontravam seu fundamento. Assim, as expedições guerreiras, através das quais se estabelecia e mantinha o domínio tribal sobre os territórios ocupados, prendiam-se diretamente à necessidade de sacrificar vítimas humanas aos espíritos dos ancestrais míticos e dos parentes mortos. A própria distinção entre o *nosso grupo* (nossa gente) e o *grupo dos outros* (os inimigos) emanava do parentesco, "tanto que cada aldeia contém somente seis ou sete casas, nas quais, se não se interpusessem o parentesco ou aliança, não poderiam viver juntos, e uns e outros se devorariam".

Pelo que vimos, as relações dos sexos eram de molde a fazer com que a adaptação do homem às condições tribais de existência dependesse extremamente de atividades realizadas pela mulher. Anchieta assevera que "se acertam de não terem mãe ou irmãs, que tenham cuidado deles, são coitados". Assegurar aos membros masculinos do grupo doméstico oportunidades de casamento constituía, portanto, algo essencial. Como acontecia com os serviços e com os cativos, as mulheres circulavam entre as parentelas como se fossem bens. O "tio" ou o "primo" (primo cruzado) que herdassem uma "sobrinha" ou uma "prima" (prima cruzada) tinham de compensar seus parentes, mais tarde, retribuindo de forma idêntica o benefício recebido. Essas duas modalidades de casamento preferencial permitiam resolver o problema da obtenção de esposas para os componentes casadoiros do grupo doméstico e, ainda, favoreciam o aumento do prestígio da parentela, nos casos em que o "tio" apenas utilizasse seus direitos sobre as "sobrinhas" para atrair jovens para a sua maloca (com o intuito de formar ou de aumentar sua unidade de caça ou de pesca, seu bando guerreiro e, às vezes, de constituir uma maloca independente).

Em resumo, pois, os tupis praticavam o casamento preferencial na forma avuncular (matrimônio do tio materno com a sobrinha) e na de matrimônio entre primos cruzados. Dessa maneira, alianças estabelecidas entre parentelas distintas passavam a se renovar indefinidamente, o que preservava a solidariedade baseada nos laços de parentesco. Mas, também, era possível obter esposa fora do circuito estabelecido de compensações: um pretendente podia conseguir uma noiva noutra parentela e casar-se com ela. Nessa circunstância, obrigava-se a prestar serviços aos pais, tios e irmãos da noiva, antes e depois do casamento. Passava a viver como uma espécie de dependente no grupo doméstico do sogro. Era tal o volume das obrigações assim contraídas que Thevet afirma que passavam "sua vida na maior servidão que o homem pode imaginar". É claro que, com o tempo, esses liames de dependência podiam ser removidos – ao nascer uma filha do casal ou pela herança de uma "sobrinha" ou "irmã", a família da esposa podia ser compensada pela perda sofrida, e o marido, se o desejasse, retornava com ela à maloca dos seus.

Daí se conclui que, pelo casamento, o homem tanto podia continuar no próprio grupo doméstico (patrilocalidade como alternativa inerente ao matrimônio avuncular e a certas formas de casamento entre primos cruzados) quanto passar a fazer parte da família da noiva (alternativa inerente à escolha da noiva fora do próprio grupo doméstico e a algumas formas de casamento entre primos cruzados). Além das consequências desses arranjos na obtenção das esposas, é preciso considerar que as parentelas também procuravam facilitar o primeiro casamento de seus membros masculinos. Para poder casar, o jovem precisava "trocar de nome", mediante o sacrifício de uma vítima humana. Não era fácil conseguir isso por meios pessoais, pois a guerra envolvia situações complicadas e perigosas para os inexperientes. As parentelas fortes e influentes simplificavam as obrigações, através de presenteamento da primeira vítima. Mais tarde, o jovem beneficiado teria de recompensar o "irmão" ou o "tio", oferecendo-lhe um prisioneiro próprio. Mas, então, já estaria casado e competindo com homens da mesma idade por outras vítimas e outras esposas, com vantagens apreciáveis. Doutro lado, como os velhos podiam reter as mulheres mais jovens como esposas, tal vantagem também favorecia a escolha de uma esposa da mesma geração ou mais jovem. Como indicam várias fontes, em outras circunstâncias o jovem precisava conformar-se, muitas vezes, com esposas velhas e até infecundas.

O aumento do número de esposas dependia de diversas condições. A importância e a extensão da parentela; o significado assumido por "alianças" com os membros dela, pela teia de obrigações criada pela troca de mulheres: o valor do indivíduo como xamã, guerreiro, chefe de família, caçador ou pescador. O fato é que a competição por prestígio e influência, entre as parentelas, realizava-se amplamente em torno do aumento do número de mulheres e que os homens bem-sucedidos conseguiam logo mais duas ou três mulheres. A família polígina abrangia, em média, três ou quatro esposas. Alguns cabeças de parentela, como o célebre Cunhambebe, contavam com um número maior de esposas (segundo Thevet, ele possuiria 13 mulheres: oito no lar e cinco pelos grupos locais vizinhos, e isso significa que dispunha de cinco "sobrinhas", que podiam ser tratadas como esposas potenciais). Pelas indicações dos cronistas, é presumível que surgissem desentendimentos entre elas, provocados pelos ciúmes resultantes das preferências do marido. Uma das esposas podia ser eleita a predileta (*temericô ête*), passando a substituir as demais nos papéis de parceira sexual. No entanto, prevalecia em seu tratamento mútuo certa harmonia, reforçada pelo respeito devido às mulheres mais velhas e à autoridade do marido. A seguinte opinião parece definir bem a situação: "e de ordinário [as primeiras mulheres] têm paz com suas comborças, porque tanto as têm por mulheres de seus maridos como a si mesmas".

Relações sociais

A mesma urbanidade foi notada pelos cronistas nas relações das esposas com o marido e no tratamento dos filhos dele. Com referência a este assunto, parece conveniente ressaltar que todos os filhos eram considerados como igualmente legítimos, recebendo o mesmo tratamento por parte do pai. As noções tupis de concepção apontavam-no como o agente da reprodução, "porque não atribuíam nada da geração à mãe, antes consideravam que somente o pai é o autor, e que essa substância sendo sua, ele a deve alimentar, sem respeitar uns mais do que os outros". Isso explica por que, quando do nascimento do filho, cabia-lhe guardar o resguardo (*couvade*) e realizar diversas cerimônias, relacionadas com o bem-estar ou com a integração da criança na comunidade. Os castigos eram prescritos na educação dos filhos, encarando-se a polidez e o respeito mútuo como o meio ideal para dirigir sua vontade e incitá-los a imitar os exemplos dos mais velhos. Esses traços revelam-se também noutras esferas do tratamento recíproco, como na chamada *saudação lacrimosa*, durante a qual recebiam os parentes (ao retornarem de viagens longas) ou membros de outros grupos locais e os "estranhos", aceitos como aliados. Mas eram particularmente fortes no intercâmbio afetivo dos pais com os filhos ou dos irmãos entre si. Aqueles "estimam mais fazerem bem aos filhos que a si próprios", enquanto estes "são obedientíssimos a seus pais e mães, e todos muito amáveis e aprazíveis". Os irmãos, por sua vez, tinham "muito particular amor [pelas irmãs], como elas também toda a sujeição e amor aos irmãos com toda a honestidade".

O funcionamento do sistema tribal de ações e de relações sociais, nos dois planos em que o consideramos (no da organização do grupo local e no da integração do sistema de parentesco), envolvia situações em que o passado se renovava, praticamente, de modo contínuo no presente. As regras e normas estabelecidas para situações já vividas podiam ser aplicadas, com eficiência inalterável, às situações novas, em que se mantivesse a integridade estrutural e funcional da organização tribal. O homem e a mulher *sabiam* como agir nas diversas atividades relacionadas com a caça, com a pesca, com a horticultura, com a repartição de víveres, com o conforto e a segurança domésticos, com a guerra, etc. O "pai", a "mãe", o "filho", a "filha", o "irmão", a "irmã", a "tia", o "tio", todos sabiam o que esperar uns dos outros e como se comportar nas mais variadas situações tribais de existência. Se surgisse algum imprevisto, as exigências novas podiam ser examinadas pelos velhos – os cabeças de parentela – em reuniões feitas no âmbito do grupo doméstico ou como parte das atividades dos conselhos de chefes dos grupos locais e das tribos. Esse exame conduzia ao cotejo das situações novas com os exemplos legados pelos antepassados, com o fito de ampliar a área de utilização prática dos conhecimentos fornecidos por aqueles exemplos e pelas tradições. As decisões tomadas estabeleciam como "norma" os ensinamentos inferidos das experiências coletivas anteriores, impondo-se como se elas próprias fizessem parte das tradições seculares da tribo. Os mortos e os modelos de conduta por eles consagrados governavam literalmente os vivos. Como dizia Japy-açu, a respeito desse mecanismo, pelo qual os conselhos dos velhos tentavam enfrentar as exigências do presente:

> Bem sei que esse costume é ruim e contrário à natureza, e, por isso, muitas vezes procurei extingui-lo. Mas todos nós, velhos, somos quase iguais e com idênticos poderes; e se acontece um de nós apresentar uma proposta, embora seja aprovada por maioria de votos, basta uma opinião desfavorável para fazê-la cair; basta alguém dizer que o costume é antigo e que não convém modificar o que aprendemos de nossos pais.

Organização tribal e reação à conquista

O caráter e as consequências dos contatos de povos diferentes dependem, entre outros fatores psicossociais e socioculturais, da maneira como eles se organizam socialmente. A influência ativa da organização social nas relações de povos em contato (transitório, intermitente ou permanente) revela-se, principalmente, sob dois aspectos: a) estatisticamente, pela capacidade de manter, em situações sociais mais complexas e instáveis, a integridade e a autonomia da ordem social estabelecida; b) dinamicamente, pela capacidade de submeter as situações sociais emergentes a controle social eficiente, mediante a reintegração estrutural e funcional do padrão de equilíbrio inerente à ordem social estabelecida. Os resultados empíricos da análise anterior mostram-nos que o sistema organizatório dos antigos tupis possuía um padrão de equilíbrio interno relativamente indiferenciado e rígido. Este subordinava-se à renovação contínua de condições estáveis, tanto nas relações do homem com a natureza quanto nas relações dele com seus semelhantes. Alterações bruscas que se repetissem regularmente depois só poderiam ser enfrentadas com sucesso quando as demais esferas da vida se mantivessem estáveis e houvesse tempo para explorar, com eficácia, o demorado mecanismo de escolha da solução, entre tentativas recomendáveis à luz da experiência anterior. A presença do branco constituía uma alteração dessa espécie, que não podia ser arrostada, entretanto, em condições favoráveis. O sistema organizatório tribal logo passou a se ressentir dos efeitos desintegradores resultantes de sua incapacidade de se reajustar a situações novas, impostas pelo contato com o invasor branco.

Os primeiros brancos e o escambo

O estudo da evolução da situação de contato põe em evidência as condições dentro das quais o sistema organizatório tribal podia reagir construtivamente à presença dos brancos. Enquanto estes eram em pequeno número e podiam ser incorporados à vida social aborígine ou se acomodavam às exigências dela, nada afetou a unidade e a autonomia do sistema social tribal. Essa situação manteve-se onde os brancos se limitavam à exploração de produtos que podiam ser permutados com os índios, especialmente o pau-brasil. O intercâmbio econômico, nessas condições, não exigia a permanência de grande número de estranhos nos grupos locais, o que dava aos nativos a possibilidade de impor sua autoridade e seu modo de vida. Os brancos viviam nos grupos locais, literalmente sujeitos à vontade dos nativos; ou se agrupavam nas feitorias, dependendo tanto sua alimentação quanto sua segurança do que decidiam fazer os "aliados" indígenas. Os contatos dos tupis com os franceses sempre se fizeram segundo esse tipo de relação. Mas, a partir de 1533, aproximadamente, os portugueses puderam alterar, em várias regiões ao mesmo tempo, o caráter de seus contatos com os indígenas, subordinando-os a um padrão de relação mais favorável a seus desígnios de exploração colonial da terra, dos recursos que ela possuía e dos moradores nativos. Isso se deu com a adoção do regime das donatarias. As transformações daí resultantes, no trato com os indígenas, acentuaram-se ainda mais com a criação posterior do governo-geral. Subverteu-se o padrão de relação, passando a iniciativa e a supremacia para as mãos dos brancos, que transplantaram para os trópicos o seu estilo de vida e as suas instituições sociais.

É claro que o escambo envolvia um padrão de relação social aprendido sob influência do branco. A troca silenciosa, praticada pelos nativos nas relações tribais, pressupunha certos riscos para os agentes e era ocasional. No entanto, a permuta em espécie e a prestação de serviços aos brancos (concernentes ao alojamento, à alimentação, ao transporte de utilidades, de bagagens e de pessoas, etc.) exigiam certa regularidade e intensidade, bem como um clima relativamente seguro para os entendimentos. Durante certo tempo, ele foi fomentado devido à importância atribuída pelos indígenas às mercadorias que lhes eram oferecidas pelos europeus, cujo uso eles entendiam ou redefiniam, de modo a reputá-las muito acima do "valor" que elas tinham para os brancos. Mas, a partir de certo momento, o escambo prendeu os indígenas a uma teia mais ampla e invisível de interesses, compelindo-os a compartilhar das rivalidades e dos conflitos que agitavam as nações europeias, por causa da posse das terras brasileiras e de suas riquezas. Os indígenas não compreendiam, naturalmente, os aspectos abstratos desses compromissos. Todavia, agiam no plano prático de acordo com eles. Especialmente depois que a presença dos portugueses configurou-se como uma ameaça, o escambo passou a representar um meio para obter "alianças" que pareciam decisivas. Em suma, o apoio nos invasores europeus logo adquiriu, para os indígenas, significado equiparável ao que as "alianças" com os nativos possuíam para os próprios brancos.

Relações entre brancos e índios

Os bens culturais, recebidos através do escambo, não chegaram a desencadear mudanças culturais profundas. A razão disso é evidente. Artefatos como o machado, a enxada, a faca, a foice, além dos tecidos, dos espelhos, dos colares de vidro e outras quinquilharias, logo foram muito cobiçados pelos indígenas. A ponto de se sujeitarem não só a permutá-los com os próprios bens, mas também a prestar serviços em condições muito árduas para consegui-los. A difusão desses elementos culturais não afetava, entretanto, o equilíbrio do sistema organizatório tribal. De um lado, porque o uso de tais artefatos não se fazia acompanhar da aceitação das técnicas europeias de produção, de circulação e de consumo. De outro, porque os próprios indígenas selecionavam os valores que desejavam incorporar à sua cultura, rejeitando os demais, às vezes até de forma desagradável para os brancos (como as maneiras dos europeus às refeições ou diante dos bens naturais, que pretendiam acumular em grande quantidade: os nativos ridicularizavam-nas abertamente). O essencial é que os brancos não tinham poder, nessas condições, de obrigá-los a agir de outra forma e a promover a substituição de instituições tribais que lhes pareciam "bárbaras". Em consequência, o processo de mudança cultural seguia o curso determinado pela capacidade de assimilação de inovações dos aborígines.

Por sua vez, os agentes humanos desse processo de difusão não perturbavam o equilíbrio da vida social tribal. Os que se viam na contingência de aceitar alojamento entre os nativos tinham de se acomodar, forçosamente, às tradições tribais. Para terem alimentos, disporem de proteção ou de outras regalias e, mesmo, possuírem uma posição social definida nos grupos locais, precisavam escolher principais que funcionassem como seus "hospedeiros" (*mussucás*). Com isso, eram de fato integrados à família grande dos *mussucás*, através do matrimônio. A "aliança", nesses casos, baseava-se em laços de parentesco por afinidade: o indivíduo que se tornava *aturasáp* ou *kotuasáp* adquiria uma posição na estrutura social como membro de determinado grupo doméstico (na qualidade de marido da "irmã" ou da "filha" do *mussucá*). Nessas circunstâncias, era compelido a se comportar de acordo com direitos e deveres que já encontrava plenamente constituídos. O impacto da situação na personalidade dos brancos era tão forte que eles às vezes passavam a viver como nativos, assimilando inclusive atitudes e valores considerados como degradantes pelos europeus, como a participação nos sacrifícios humanos e no repasto antropofágico. Os que viviam agrupados nas feitorias estavam sujeitos à mesma condição de dependência perante os nativos. O índio era a fonte de alimentos, de bens para exportação e da pouca segurança existente em face das tribos hostis e dos brancos pertencentes a nacionalidades inimigas, no âmbito da colônia. Como não possuíam mulheres brancas, obtinham as companheiras através de arranjos com os indígenas. Isso também redundava em agregação às famílias dos "aliados", sobre os quais podiam exercer influência muito reduzida e aos quais se viam forçados a contentar das mais variadas maneiras, inclusive participando de suas expedições guerreiras, de cauinagens e outras cerimônias tribais.

Os portugueses, a agricultura e a escravidão

Só os portugueses conseguiram modificar esse padrão de relações com os nativos. Ainda assim, depois de prolongada experiência com o outro tipo de relações, que infundiam no branco verdadeiro pavor diante do indígena, em virtude do estado de insegurança e de sobressalto em que precisavam viver normalmente. Essa constatação é tão verdadeira que muitas atrocidades cometidas pelos portugueses se explicam mais pelo medo que pela cobiça ou pela crueldade insofreável. Ao substituírem o escambo pela agricultura, os portugueses alteraram completamente seus centros de interesse no convívio com o indígena. Este passou a ser encarado como um obstáculo à posse da terra, uma fonte desejável e insubstituível de trabalho e a única ameaça real à segurança da colonização. Passamos, então, do período de tensões encobertas para a era do conflito social com os índios. Os alvos dos brancos só poderiam ser alcançados e satisfeitos pela expropriação territorial, pela escravidão e pela destribalização (ou seja, pela desorganização deliberada das instituições tribais, que pareciam garantir a autonomia dos nativos e eram vistas como "ameaças" à segurança dos brancos, como as instituições vinculadas à vida doméstica, ao xamanismo e à guerra).

O anseio de "submeter"' o indígena passou a ser o elemento central da ideologia dominante no mundo colonial lusitano. Na prática, porém, esse elemento sofria várias gradações, provocadas por interesses e por valores sociais que dirigiam a atuação dos indivíduos pertencentes aos diversos estamentos da sociedade colonial em formação. Aí é preciso distinguir três espécies de polarização. Primeiro, o colono, o agente efetivo da colonização: para ele, "submeter" os indígenas equivalia a reduzi-los ao mais completo e abjeto estado de sujeição. Tomar-lhes as terras, fossem "aliados" ou "inimigos"; convertê-los à escravidão, para dispor *ad libitum* de suas pessoas, de suas coisas e de suas mulheres; tratá-los literalmente como seres subumanos e negociá-los – eis o que se entendia como uma solução razoável e construtiva das tensões com os diferentes povos aborígines. Segundo, o administrador ou agente da Coroa, que compartilhava e comungava dos interesses indicados, mas que era forçado a restringi-los ou a amenizá-los, por causa da pressão das circunstâncias. A exportação de produtos naturais, como o pau-brasil e outras utilidades, coexistiu durante algum tempo com a exploração agrícola organizada e com o apresamento de índios movido por fins comerciais. Em consequência, o trabalho do indígena era tão necessário na forma anterior, pressuposta pelo escambo, quanto nas lavouras. Doutro lado, navios de outras nacionalidades (principalmente franceses) conseguiam tirar proveito lucrativo do escambo com tribos hostis aos portugueses. Daí a necessidade de prudência no trato do indígena: todas as concessões podiam ser feitas aos colonos, mas de modo a resguardar certos interesses fundamentais, que dessem à Coroa a possibilidade de utilizar as tribos "aliadas" como instrumento de conquista e de controle dos territórios ocupados. Embora nem sempre os colonos respeitassem tais convenções, o complexo alvo era atingido mediante a atribuição de certas garantias às tribos "aliadas" e a admissão concomitante do direito à guerra justa contra as tribos "hostis". Portanto, a "proteção" legal, concedida aos índios, possuía um caráter predominantemente restritivo que, sem impedir os piores abusos dos colonos, favorecia a realização da política de exploração dos indígenas como fator humano da colonização. Terceiro, os jesuítas, cujas atividades contrariavam, com frequência, os interesses dos colonos e, mesmo, as conveniências da Coroa, mas concorriam igualmente para atingir o fim essencial, que consistia em destruir as bases de autonomia das sociedades tribais e reduzir as povoações nativas à dominação do branco.

Os jesuítas

É interessante notar como a influência dos jesuítas tem sido avaliada em termos estritos do horizonte intelectual do "colonizador". Desse ângulo, seu papel humanitário ressalta facilmente, em virtude dos conflitos que tiveram a coragem de enfrentar, seja com os colonos, seja com os oficiais da Coroa ou diretamente com esta. Invertendo a perspectiva, entretanto, e examinando as coisas tendo em vista o que se passou no seio das sociedades aborígines, verifica-se que a influência dos jesuítas teve um teor destrutivo comparável ao das atividades dos colonos e da Coroa, apesar de sua forma branda e dos elevados motivos espirituais que a inspiravam. Coube-lhes desempenhar as funções de agentes de assimilação dos índios à *civilização cristã*. Em termos práticos, isso significa que os jesuítas conduziram a política de destribalização, entre os indígenas que optaram pela submissão aos portugueses e desfrutavam da regalia de "aliados". Em seus relatos, percebemos como eles concentraram seus esforços na destruição da influência conservantista dos pajés e dos velhos ou de instituições tribais nucleares, como o xamanismo, a antropofagia ritual, a poliginia, etc.; como eles instalavam no ânimo das crianças, principalmente, dúvidas a respeito da integridade das opiniões dos pais ou dos mais velhos e da legitimidade das tradições tribais; e, por fim, como solaparam a eficiência adaptativa do sistema organizatório tribal, pela aglomeração dos indígenas em reduzido número de "aldeias", agravando os efeitos da escassez de víveres (resultante da competição com os brancos) e introduzindo desequilíbrios insanáveis nas relações dos sexos e no intercâmbio do homem com a natureza. Esses aspectos negativos inevitáveis da atuação dos jesuítas assinalam em que sentido eles operavam como autênticos agentes da colonização e situam suas funções construtivas no plano da acomodação e do controle das tribos submetidas à ordem social criada pelo invasor branco.

Reação dos índios

Em outras palavras, a partir da instituição das donatarias, o sistema organizatório tribal teve de corresponder a exigências sociais que provinham da formação de um sistema social mais complexo e absorvente, cuja estrutura interna impunha uma posição subordinada e dependente às comunidades aborígines. Tribos autônomas convertiam-se em camada social heteronômica de uma sociedade organizada com base na estratificação interétnica (no caso: na dominação dos índios pelos portugueses). Teoricamente, podemos presumir três formas básicas de reação do índio a esse desdobramento da conquista: a) de preservação da autonomia tribal por meios violentos, a qual teria de tender, nas novas condições, para a expulsão do lavrador branco; b) a submissão, nas duas condições indicadas, de "aliados" e de "escravos"; c) de preservação da autonomia tribal por meios passivos, a qual teria de assumir a feição de migrações para as áreas em que o branco não pudesse exercer dominação efetiva. Essas três formas de reação hão de ocorrer, de fato, contribuindo para modelar os contornos assumidos pela civilização luso-brasileira.

"Confederação dos Tamoios"

A primeira forma de reação pode ser exemplificada pelo que se vem chamando, impropriamente, de "Confederação dos Tamoios", bem conhecida graças, principalmente, aos relatos de Nóbrega e Anchieta. Sua importância histórica provém de comprovar ela que as populações aborígines tinham capacidade de opor resistência organizada aos intuitos conquistadores dos brancos. Ela também revela a inconsistência do sistema organizatório tribal para atingir semelhante objetivo. Na ocasião, ainda que temporariamente, a desvantagem tecnológica dos indígenas podia ser amplamente compensada pela supremacia oriunda da preponderância demográfica e pela iniciativa de movimentos combinada ao ataque simultâneo a diversas posições dos brancos, do litoral ao planalto. Tudo parecia indicar que os brancos seriam varridos da região, o que deu origem à missão que tornou Anchieta ainda mais célebre. No entanto, o sucesso dos índios foi parcial e efêmero. As fontes de funcionamento eficiente da sociedade tribal impediam a formação de um sistema de solidariedade supratribal, exigido pela situação. As *alianças* fragmentaram-se, e a luta contra o invasor tornou ao antigo padrão dispersivo, que jogava índios contra índios, em benefício dos brancos. É que os laços de parentesco que promoviam a unidade das tribos engendravam rivalidades insuperáveis, mesmo em ocasiões de emergência, no âmbito mais amplo da cooperação intertribal.

A submissão voluntária

A segunda forma de reação foi posta em prática pelos tupis em todas as regiões do país, às vezes sob o influxo dos jesuítas e garantias formais das autoridades; outras, como decorrência da derrota em "guerras justas". O exemplo do que ocorreu na Bahia sugere que a submissão voluntária (única alternativa que nos interessa agora) equivalia, em ritmo lento, ao extermínio puro e simples. Os efeitos da destribalização (que iam da seleção letal nas populações aborígines à perda do interesse pela vida), as doenças contraídas nos contatos com os brancos e a escassez frequente de víveres, somados aos inconvenientes do trabalho forçado de toda espécie, inclusive na guerra, faziam com que o regime imposto de vida operasse como um sorvedouro de seres humanos. Não obstante, foi no intercâmbio assim estabelecido entre os nativos e os portugueses que surgiu uma população mestiça, capaz de dar maior plasticidade ao sistema social em formação e de contribuir para a preservação de elementos culturais herdados dos indígenas.

A preservação da autonomia tribal

A terceira forma de reação tinha pouca eficiência, devido à grande mobilidade das "entradas" e "bandeiras" dos portugueses, como nos atestam os relatos de Knivet, Frei Vicente do Salvador, Gabriel Soares, dos jesuítas, etc. Todavia, ela constitui a maneira típica de acomodação, desenvolvida pelos nativos na tentativa de controlar os efeitos da invasão. Trata-se, naturalmente, de um controle de natureza passiva, que transforma o isolamento em fator de defesa da autonomia tribal. Apesar disso, ele pressupunha certo conhecimento, por parte dos indígenas, da sequência de acontecimentos associados ao domínio do branco e o propósito de evitá-los. O seguinte trecho, atribuído à intervenção de Momboré-uaçu contra a "aliança" dos tupinambás com os franceses, situa bem a questão:

> Vi a chegada dos peró [portugueses] em Pernambuco e Potiú; e começaram eles como vós, franceses, fazeis agora. De início, os peró não faziam senão traficar sem pretenderem fixar residência. Nessa época, dormiam livremente com as raparigas, o que os nossos companheiros de Pernambuco reputavam grandemente honroso. Mais tarde, disseram que nos devíamos acostumar a eles e que precisavam construir fortalezas, para se defenderem, e edificar cidades para morarem conosco. E assim parecia que desejavam que constituíssemos uma só nação. Depois, começaram a dizer que não podiam tomar as raparigas sem mais aquela, que Deus somente lhes permitia possuí-las por meio do casamento e que eles não podiam casar sem que elas fossem batizadas. E para isso eram necessários *paí*. Mandaram vir os *paí*; e estes ergueram cruzes e principiaram a instruir os nossos e a batizá-los. Mais tarde afirmaram que nem eles nem os *paí* podiam viver sem

escravos para servirem e por eles trabalharem. E, assim, se viram constrangidos os nossos a fornecer-lhos. Mas, não satisfeitos com os escravos capturados na guerra, quiseram também os filhos dos nossos e acabaram escravizando toda a nação; e com tal tirania e crueldade a trataram, que os que ficaram livres foram, como nós, forçados a deixar a região.

Portanto, há uma conexão bem definida entre os sucessos e os insucessos dos tupis, em suas relações com os brancos, e o padrão tribal de organização de sua sociedade. Enquanto as situações eram simples, o sistema organizatório tribal continuou a funcionar normalmente, mantendo as condições que asseguravam o equilíbrio e a autonomia da vida social aborígine. Quando as situações se complicaram, o sistema organizatório tribal não se diferenciou internamente, modificando-se com elas. Ao contrário, manteve-se relativamente rígido e impermeável às exigências impostas pelo crescente domínio dos brancos. Isso fez com que tivessem de escolher entre dois caminhos: a submissão, com suas consequências aniquiladoras da unidade tribal, ou a fuga com o isolamento. Esta alternativa, sob vários aspectos, representa a modalidade de reação à conquista mais consistente com as potencialidades dinâmicas do sistema organizatório tribal. Ela deslocou a luta pela sobrevivência e pela autonomia tribal para o terreno ecológico. Os tupis pagaram elevado preço por tal solução, pois tiveram de se adaptar, progressivamente, a regiões cada vez mais pobres. Mas conseguiram, pelo menos parcialmente, combinar o isolamento à preservação de sua herança biológica, social e cultural.

Favelas[1]

A presente obra colige uma série de fotografias, feitas por Gui Tarcísio Mazzoni e Marcos de Carvalho Mazzoni, do serviço de fotodocumentação da Escola de Arquitetura da Universidade de Minas Gerais, sobre aspectos de três favelas de Belo Horizonte – Pindura Saia, Ilha dos Urubus e Avenida Bias Fortes, com uma sequência de fatos sobre um desdobramento desta última, relacionado com o aproveitamento de vagões como residências. É difícil qualificar o "campo" em que incide a contribuição; fiquei tentado em descrevê-la como contribuição sociográfica. Mas ela também poderia, com a mesma razão, ser considerada uma coletânea de instantâneos de interesse para a geografia humana, para a antropologia cultural ou para a ecologia humana. Ao fixar aspectos da ocupação do meio pelo homem e da organização do espaço urbano, o arquiteto acaba servindo, simultaneamente, a várias disciplinas além da arquitetura, incluindo-se até a história, que encontra em obras dessa espécie uma fascinante matéria-prima.

O que atrai a atenção, nesta monografia, é o ângulo de que são "vistas" as favelas. Os autores, com a prefaciadora do trabalho, Suzy de Mello, a autora da alentada introdução, têm nítida consciência do problema humano representado pela favela. Indicam saber com objetividade o que ela representa como índice da espoliação do homem pelo homem na grande cidade – e como problema jurídico-administrativo e econômico. Mas, sem ignorar esses aspectos, souberam tirar da situação as lições que ela encerra. A favela representa uma maneira de aplicação da capacidade inventiva do homem: como habitação rica, luxuosa e

---

[1] Resenha de: MAZZONI, Gui Tarcísio; MAZZONI, Marcos de Carvalho. *Favelas*. 2. ed. Belo Horizonte: Escola de Arquitetura da Universidade de Minas Gerais, 1961. Originalmente publicada em: *Revista Brasileira de Estudos Políticos*, Belo Horizonte, n. 18, p. 186-188, jan. 1965.

confortável, ela responde à mesma necessidade básica de impor ao meio uma série de controles artificiais, introduzidos e dominados pelo comportamento social inteligente dos seres humanos. Por isso, não só deram "dignidade" ao tema. Expuseram-no de forma a incluí-lo nas soluções técnicas de interesse arquitetônico, explorando ângulos estéticos positivos e o que a favela significa como uma alteração da paisagem humana.

Os dados coligidos mostraram que as favelas de Belo Horizonte são de formação recente. "Datam de 1942 os primórdios da favela 'Pindura Saia', nome advindo da circunstância de lá existirem muitas lavadeiras" (a Confederação dos Trabalhadores Favelados de Belo Horizonte mudou esse nome para "Vila Sant'Ana"); ela se situa a 500 metros do perímetro urbano, tem boa ventilação e desfruta de "uma vista magnífica do centro da cidade". "O que diferencia 'Pindura Saia' das demais favelas focalizadas neste Documentário Arquitetônico são suas ruas tortuosas e de largura irregular, dando a impressão de se acabarem, repentinamente, dentro de terrenos particulares." As habitações são construídas com material heterogêneo e, ao todo, essa favela conta com 599 moradias (529 casebres, 51 casas e 19 casas de cômodos diferenciados), ascendendo sua população, em 1957, a 2.460 habitantes (p. 19-20).

> A favela da "Ilha dos Urubus", cujo nome se originou da presença constante dessa ave, fica às margens do ribeirão Arrudas, muito sofrendo por sua má localização. Situada na região insalubre, próxima ao escoamento dos esgotos de uma fábrica de derivados de suínos e bovinos, tem o ar contaminado e mesmo fétido, em alguns pontos.

A Confederação dos Trabalhadores Favelados batizou-a de "Vila Nossa Senhora dos Anjos"; as habitações, feitas naturalmente com material heterogêneo, às vezes revelam soluções cuidadas – como o revelam duas amostras: moradia elevada e com requisitos adaptados, para contornar as dificuldades criadas pela proximidade do ribeirão e por suas enchentes, e moradias com "aparência erudita". As ruas, embora irregulares, apresentam tendência ao paralelismo; das 360 habitações existentes, contam-se 296 casebres, 62 casas e duas construções em começo, servindo a 1.453 habitantes. A favela "Avenida Bias Fortes" está em fase de formação: localiza-se no fim dessa artéria, ficando portanto próxima ao centro da cidade, e já abrange "cerca de 12 precárias habitações".

"Sua única rua é tortuosa, sem calçamento e de forte aclividade, em terreno pequeno"; os autores conjecturam que nela vivem 48 pessoas adultas. A breve resenha sobre as habitações construídas em vagões é digna de nota. Escrevem os autores:

"O favelado possui grande poder de imaginação, que se manifesta desde as denominações que encontra para seu lugar de moradia, como 'Pindura Saia', 'Pau Comeu', 'Buraco Quente' etc., até os mínimos detalhes das construções que realiza" (p. 95). "No afã de construir e de decorar, ele volta da cidade trazendo tudo que pode recolher das sobras de construções ou de doações para empregar, com sua 'ciência' empírica, no seu barracão" (p. 95).

"De modo geral, o favelado é assim: faz tudo que pode dentro de seus poucos recursos. Recolhe, transporta, mede, corta, fabrica e quem analisar suas realizações constatará por certo o poder de sua fantasia, expressada em boa vontade, anseio de processo e esforço compensadores da precariedade de seus recursos" (p. 95).

A rica coleção de fotografias apanha, de forma artística, esses aspectos do "espírito criador", pelo qual o homem paupérrimo ou pobre afirma sua condição humana – vence a degradação material e moral a que se vê reduzido e coloca "calor humano" sobre a paisagem de misérias da grande cidade. Seria difícil imaginar outra situação para se sentir ternura, admiração e revolta diante do fato que subjuga milhares de brasileiros, despojando-os dos mínimos a que têm direito no cenário da vida moderna. O homem pondo a sua marca sobre a natureza, nos piores limites, uma marca de grandeza e de fortes esperanças. Embora aqui ou ali os autores deixem escapar afirmações de teor etnocêntrico, eles prestaram real serviço à inteligência brasileira, desvendando a força criadora e construtiva que se oculta por trás de um mundo aparentemente degradado pela miséria e corrompido pela injustiça social.

A concentração demográfica no Brasil[1]

Esse trabalho constitui a tese de doutoramento do senhor Eduardo Alcantara de Oliveira. É um dos poucos trabalhos sistemáticos sobre a estrutura das populações brasileiras. Nele o autor, por meio de um índice sintético de distribuição – o índice de concentração –, estuda a distribuição da população brasileira sobre seu território, servindo-se dos dados calculados para 1937. Os resultados mostram em geral um índice muito elevado (13 dos estados brasileiros apresentam índices superiores a 0,50), confirmando a observação de outros autores de que nos países "novos" a concentração demográfica, comparada à de nações "velhas", é quase sempre forte. Há, todavia, acentuada diferença de um para outro estado – o campo de variação está compreendido entre um máximo de 0,79 (Pará) e um mínimo de 0,16 (Território do Acre), sendo, pois, extremamente grande (0,63) –, o que também acontece em outros países.

Essa é, por assim dizer, a constatação inicial: os termos em que a aplicação da estatística a certos fenômenos demográficos brasileiros permitiram colocar a questão. Resta a parte mais importante – e, aliás, mais fecunda da tese – que é a interpretação e a própria explicação do fenômeno. Uma primeira tentativa seria a explicação a partir dos próprios fatores demográficos, explicação específica e por fatores internos, tão a gosto de alguns cientistas contemporâneos. Seria a explicação daquele fenômeno pela densidade da população de cada unidade administrativa brasileira considerada, pela variabilidade demográfica

---

[1] Resenha de: OLIVEIRA, Eduardo Alcantara de. *A concentração demográfica no Brasil*. São Paulo: Boletim n. XLVII (Estatística Geral e Aplicada n. 1) da Faculdade de Filosofia, Ciências e Letras da Universidade de São Paulo, 1944. Originalmente publicada em: *Sociologia*, v. VII, n. 1, p. 110-111, mar. 1965.

e pela tensão demográfica (veja-se a discussão do assunto no capítulo VII). Entretanto, apesar de o grau de concentração depender em parte desses fatores, eles não são suficientemente explicativos: outros fatores, de natureza geográfica, econômica e social, atuam diretamente sobre eles, mascarando suas possíveis consequências. O autor chega a essa conclusão depois de uma análise sistemática e completa dos próprios elementos que entram no índice estatístico utilizado, em que procura situar as mútuas relações de dependência funcional desses elementos. Resta, portanto, a abordagem através dos outros fatores.

Discriminando apenas os fatores geográficos e econômicos, o autor verifica que os primeiros não explicam variações verificadas, ainda que forneçam indicações sérias para a interpretação dos resultados e para a divisão das áreas administrativas em zonas demógrafo-econômicas. Quanto aos segundos, são as zonas economicamente menos desenvolvidas que apresentam maior concentração. Isso porque "a população operária das fábricas é diminuta em relação à população geral, o que faz com que a industrialização incipiente de algumas regiões do país pouca influência exerça sobre a concentração demográfica" (p. 37). Dos três estados mais industrializados – São Paulo, Rio Grande do Sul e Minas Gerais –, São Paulo é o que tem maior concentração demográfica e é o sexto estado na ordem de concentração decrescente. Isso levou o autor a analisar, de modo mais profundo, as relações entre os fatores econômico e demográfico, através de um estudo da concentração urbana em São Paulo. O valor do novo índice pode ser considerado muito grande, o que evidencia o seguinte: há uma influência mais nítida da industrialização sobre a concentração urbana [do] que sobre a concentração de toda a população.

Os critérios que prevaleceram foram dois: um geográfico e outro econômico-cultural (p. 56 e seguintes). Eles forneceram elementos para uma tentativa de classificação das diversas zonas demógrafo-econômicas brasileiras e para uma compreensão mais concreta da fisionomia, do mecanismo de distribuição e de desenvolvimento de nossa população. É uma contribuição preciosa, essa do senhor Eduardo Alcantara de Oliveira, merecendo a atenção dos leitores de *Sociologia*, pois os fenômenos de estrutura demográfica estão na base de qualquer estudo sociológico sério.

Formação e desenvolvimento da sociedade brasileira[1]

4º ano de Ciências Sociais (2º semestre)
Professor Dr. Florestan Fernandes

1- Problemas gerais: 1) o uso de técnicas e de conceitos sociológicos na descrição e interpretação de uma "sociedade nacional". Importância do estudo das "sociedades nacionais" para a sociologia. Objetivos e orientações teóricas do curso.

2- Problemas gerais: 2) aspectos universais e peculiares da colonização do Brasil. Tendências globais de sua formação e desenvolvimento histórico-sociais.

3- As heranças sociais em presença. Seleção e adaptação dos padrões transplantados de integração da ordem social.

4- O patrimonialismo no mundo colonial. Os modelos nucleares: castas e estamentos na emergência e consolidação da ordem social patrimonialista.

---

[1] Anotações do curso ministrado por Florestan Fernandes ao 4º ano do curso de Ciências Sociais, em 1966. Obtido junto ao Fundo Florestan Fernandes da Universidade Federal de São Carlos (UFSCar/Biblioteca Comunitária/DeCORE Fundo Florestan Fernandes). Inédito. A ementa do curso, composta de 10 pontos, figura datilografada junto ao manuscrito; todavia, no texto são abrangidos apenas os assuntos indicados nos pontos 1 a 4 da ementa. Logo na abertura do texto, repete-se o título "Formação e desenvolvimento da sociedade brasileira", seguido de um parêntese: "(apontamentos – 1966)". Em uma folha em branco que precede o texto, figura ainda uma anotação em separado: "Análise da formação da sociedade de classes no Brasil". Aparentemente, trata-se de um misto entre texto e esquema ou roteiro de aula (daí os recorrentes sinais em seu interior, tais como o sinal de igual, a seta, os lembretes a "desenvolver" ou a "discutir", etc.). Segundo a socióloga Heloísa Fernandes, o manuscrito parece ser uma primeira versão, com correções, e que provavelmente seria ainda revista pelo autor. Até o presente momento, não foi encontrada versão datilografada, caso exista. A transcrição foi realizada pela equipe da Editora da Fundação Perseu Abramo, tendo sido revisada na íntegra por Antônio David e Luma Ribeiro Prado. Algumas passagens contaram com o apoio de Heloísa Fernandes.

5- A implantação de uma "ordem social nacional" e suas consequências político-sociais. Apogeu e crise do patrimonialismo.

6- Emergência e expansão da ordem social competitiva. As fontes materiais e morais da debilidade da "revolução burguesa".

7- Generalização e diferenciação do "sistema de classes". Explicação sociológica dos grandes dilemas do Brasil contemporâneo, na esfera racial, ecológica, demográfica, econômica, educacional, política, cultural e social.

8- Capitalismo e ordem social. Raízes e consequências do subdesenvolvimento.

9- Fatores de inércia e de dinamização da ordem social competitiva. A neutralização das "grandes opções históricas" no cenário nacional. A consciência social dos requisitos para a superação do subdesenvolvimento.

10- Uma perspectiva sociológica do presente e do futuro.

Bibliografia: A ser ministrada no decorrer do curso.

1- Problemas gerais = 1) o uso de técnicas e de conceitos sociológicos na descrição e interpretação de uma "sociedade nacional". Importância do estudo das "sociedades nacionais" para a sociologia. Objetivos e orientação teórica do curso.

1.1- Este curso não pretende ser um "estudo do Brasil". Não é meu objetivo discutir os diversos aspectos da formação e do desenvolvimento da "sociedade brasileira" em termos empíricos. Nem, tampouco, dar um balanço, seja sobre as diferentes contribuições já feitas para o "conhecimento do Brasil", seja sobre as formas de consciência inerentes aos trabalhos conhecidos sobre o assunto, dos cronistas aos novos dias.

Tendo em vista que vocês realizaram uma aprendizagem completa de técnicas e conceitos sociológicos; e que leram muito sobre os diferentes aspectos da sociedade brasileira – pretendia fazer uma espécie de curso <casuístico>.[2] Neste caso, o nosso curso tem um objetivo eminentemente didático e precisa ser desenvolvido em forma

---

[2] Estão marcadas pelos sinais < e > palavras que no manuscrito foram grafadas posteriormente ou sobre rasuras. (N.Org.)

de diálogo, como se fosse uma reflexão em comum. Se vocês não colaborarem comigo, apresentando questões e problemas, não iremos muito longe. Como saldo positivo ficará, tão somente, o meu próprio ponto de vista e os resultados a que cheguei através dos meus estudos sobre a "sociedade brasileira".

O objetivo didático não exclui uma "orientação teórica". Esta se volta para os requisitos conceituais e metodológicos da macroanálise na sociologia. Toda a minha carreira foi devotada a estudos de tipo macro (mesmo quando tinha em mente o grupo de folguedos ou o grupo local de uma tribo).[3] No entanto, só no último livro consegui dar maior amplitude às minhas preocupações, que consistem em combinar a *análise sincrônica* e a *análise diacrônica* na interpretação de estruturas sociais globais, segundo uma técnica de descrição empírica tão rigorosa quanto possível. O meu principal objetivo volta-se na direção de prepará-los para estudar a formação e o desenvolvimento da "sociedade brasileira" dentro do espírito dessa orientação. 1.2- Como *"interpretar sociologicamente"* uma "sociedade nacional"? Para o estudante, especialmente no nível em que vocês se acham, essa pergunta envolve graves dilemas intelectuais e morais (assinalar, como comparação, minhas próprias condições na época em que terminei os meus estudos = o que é a sociologia? o que se pode esperar das suas contribuições? como ligá-la proveitosa e rigorosamente ao "estudo do Brasil"?, etc.). Tais dilemas não podem ser apreciados em um nível puramente verbal. É preciso trabalhar duro para enfrentá-los e respondê-los com intensidade intelectual. Aqui, não vou dar respostas definitivas. Vocês terão de procurá-las por conta própria. Vou apenas proferir certas diretrizes por assim dizer axiomáticas e inevitáveis. O resto terá de ser descoberto pelo trabalho, ao longo da vida.

Desde logo, não existe uma receita definida e invariável. Não temos um livro de como preparar e fritar bolinhos. Pode-se seguir, com êxito comparável, diversos caminhos radicalmente diferentes

---

[3] [*Nota de margem*] Introdução a *O folclore em uma cidade em mudança* x *Organização social [dos tupinambás]* e *Função social da guerra na sociedade tupinambá* + *Negros e brancos* (I, II e IV).

entre si. Mas diversas tentativas de estudo de uma "sociedade nacional", dos discípulos de Le Play aos sociólogos norte-americanos modernos, foram explorados vários modelos distintos. Em termos puros, quatro orientações básicas são possíveis (desenvolver = modelos <inerentes> à sociologia descritiva, à sociologia sistemática, à sociologia diferencial e à sociologia comparada). A esses quatro modelos seria possível acrescentar uma quinta possibilidade, que provém das considerações da maneira pela qual uma "sociedade nacional" reage a seus problemas de "integração nacional" e de "desenvolvimento nacional" (desenvolver = sociologia aplicada).

Neste curso, não pretendemos explorar uma linha de interpretação exclusiva, tampouco nos é possível treinar vocês em cada uma das técnicas apresentadas. Pretendemos fazer algo mais geral e fundamental, que diz respeito aos diversos nomes da descrição e da interpretação de uma "sociedade nacional".

Deste ângulo, duas coisas são necessárias. Primeiro, entender-se bem o que é uma "sociedade nacional". Uma *nação* pode ser entendida como um todo. Contudo, não é um todo simples e unitário, por mais complexa que seja sua integração em termos de cada padrão de integração de ordem social inclusiva – como a "pequena comunidade" ou a "sociedade tribal". Ela comporta unidades internas que podem apresentar diferentes ritmos de evolução. Constitui o melhor exemplo possível da "unidade na diversidade". O paradigma de sua interpretação é fornecido pelo padrão de integração da ordem social decorrente do tipo de civilização vigente. Na realidade, porém, esse paradigma não é realizado do mesmo modo e com a mesma intensidade em todos os recantos da "sociedade nacional" (contrastar = USA x Brasil em termos de ordem social competitiva. Como ambos revelam, em graus diferentes, problemas análogos. A diferença provém da maneira de realizar historicamente o mesmo tipo de civilização = "hemisfério" x "núcleo" dessa civilização). Por isso, é preciso explorar o paradigma com muito cuidado – seja para não simplificar demais as análises, seja para não reificá-las indevidamente. Segundo, delimitar um horizonte intelectual apropriado à interpretação de dada "sociedade nacional" (inclusive, ao nível de cada "sociedade nacional"). Como tal, ela é "particular". Os propósitos da descrição de interpretação sociológica são nomotéticas e, portanto, "gerais". As duas maiores figuras da sociologia moderna, Marx e Durkheim[4] assinalam claramente como essa combinação deve ser feita. Uma "sociedade nacional" sempre constitui uma variante de um tipo social. Por isso, a questão consiste em determinar, através de conceitos estruturais, funcionais e históricos, como o "particular" e o "geral" se equacionam – e qual a importância específica que eles possuem para construções sociológicas pertinentes a dada "sociedade nacional".

1.3- A importância do estudo das "sociedades nacionais" para a sociologia é evidente. Vivemos no estágio da civilização das "sociedades nacionais". No entanto, o progresso empírico e teórico da sociologia foi maior na área do estudo dos pequenos grupos e na elaboração de conceitos fundamentais – portanto, da sociologia descritiva que toma por objeto *"unidades integradas de modo uniforme"* e da sociologia sistemática (mais na parte propriamente psicossocial do que na sociocultural). Constitui em desafio à presente geração de cientistas sociais expandir o estudo sociológico de "grandes unidades heterogêneas" com o objetivo de adequar empírica e interpretativamente os termos sociológicos às condições de existência imperantes na "civilização moderna".

A importância desse desenvolvimento apresenta duas faces. De um lado, verificações e generalizações de conceitos e teorias constituídos ou elaborados a partir de dados aspectos da "sociedade nacional" – o que se pode sustentar a respeito de todas as contribuições fundamentais de Marx e Durkheim a Mannheim, Parsons ou Levy. De outro, incluir no estudo das "sociedades nacionais" as variantes pertinentes à "periferia" da civilização moderna. Originalmente as investigações só consideram ou alternativas relevantes para construções ou elaborações que tomavam um objeto no "núcleo" dessa civilização. Países que nasceram da "expansão da civilização ocidental moderna" não podem ser devidamente compreendidos com ou através de suas teorias. Além disto, seria mérito considerar as implicações nativas dessa possibilidade (consciência social, planejamento e controle dos problemas sociais x dinâmica da civilização ocidental moderna em países da "periferia").

---

[4] [*Nota de margem*] A mesma reflexão poderia ser aplicada a Max Weber, ilustrar com suas reflexões sobre o patrimonialismo.

2- Problemas gerais: 2) aspectos universais e peculiares da colonização do Brasil. Tendências globais de sua formação e desenvolvimento histórico-sociais.

2.1- Todo processo "colonizador" apresenta duas facetas. De um lado, a invasão, a <conquista> e o controle de outros territórios, com a população nele existente (ou populações), por "povoadores" que possam a representar a hegemonia de determinado Estado (concebido como "metrópole", em face da "colônia"). De outro, as condições por assim dizer histórico-sociais e geoeconômicas sob as quais se desenrola todo o processo [(daí = diferenças e semelhanças entre a colonização da A.L. e dos U.S.A, ressaltadas por Caio Prado Jr.)]. Neste sentido, fatos geográficos, humanos e culturais podem traçar a fisionomia própria da colonização de dada região (como o tráfico, a ausência de ouro e especiarias, as populações aborígines e as potencialidades econômicas imediatas do Brasil condicionaram o aproveitamento da herança cultural transplantada pelo "colonizador" português). Definição do conceito de colonização: "em sentido amplo, significa povoamento de terra, ainda não habitada ou habitadas por povos de cultura primitiva.[5] [*nota de margem com trechos ilegíveis*] Em acepção mais restrita, define-se como povoamento de um território sobre o qual determinado Estado assumiu o controle político" (E. Willems, *Ac. dos.*, 26). Portanto, os povoadores pertencem "à sociedade política que controla o território colonial" (id.). Melvin M. Knight (Colonies, *Encyclopedia of the Social Sciences*, III, 653 e seguintes) sublinha: "O termo colônia originalmente significa um fragmento transplantado de uma sociedade humana. Esse povoamento (*settlement*) pode estar com completo controle [ou posse] de seu novo lar ou ser meramente um grupo organizado no meio de uma população estranha, ou mesmo, hostil". (Neste sentido, a colônia japonesa ou alemã no Brasil). "Em um sentido político uma colônia é seja a) a fixação (*settlement*) dos súditos de um estado fora de suas fronteiras, ou b) uma unidade territorial geograficamente separada de um estado, mas devendo lealdade a ele <de> algumas formas específicas e tangíveis" (idem). Daí temos:

---

[5] [*Nota de margem semilegível*] 1) oficial ou perseguida por um governo sob seu próprio interesse; 2) privada = indivíduos ou ... perseguem interesses próprios (às vezes com permissão... do governo).

colônias de povoamento (*"settlement colony"*) e colônias de exploração (*"<exploration> colony"*). "Em geral, a colônia de povoamento é aquela em que o meio geográfico não difere muito da mãe pátria. É ainda mais característica se a área povoada conta com populações nativas escassas e os nativos são decididamente inferiores aos colonizadores em organização econômica" (exemplos: USA com os antigos povoadores ingleses; Austrália). "A colônia de exploração, ao contrário, consiste tipicamente de um pequeno grupo de homens de negócios, administradores e soldados, ou todos os três, colocados em condições muito diversas das de sua mãe pátria. A região pode ser densamente povoada por nativos e possuir uma civilização avançada. Muitas dessas colônias estão em trópicos e subtrópicos. Se a mãe pátria estiver na zona temperada, os dois conjuntos de recursos naturais diferem largamente. Surge uma tendência, pois, para as plantações coloniais se desenvolverem especializando-se em colheitas não praticadas nas condições de origem. Escravidão e trabalho forçado tendem a aparecer quando as condições climáticas são tais que os colonizadores não podem enfrentar esforço físico contínuo" (idem). Os aspectos que se [*ilegível*] são evidentes = cf. Caio Prado Jr. (especialização nos trópicos x colônias de exploração) e a eles são inerentes os que são particulares (falta de especiarias e de ouro x substituição pela agricultura => que levam à especialização tropical na agricultura = colonização x capitalismo comercial).

Nesse plano, com vista a também ressaltar: a natureza do *sistema colonial* (ver J. F. Rees, idem, 651-653). Referindo-se ao que ocorreu na Europa, do século XV ao século XVIII = "sob a influência da crescente autoconsciência nacional e a convicção de que no comércio uma nação ganha às custas de outra, cada um desses países perseguiu uma política de estrito monopólio do comércio colonial" (651 = Espanha e Portugal: <sistema que envolvia> monopólio estatal -> todas as outras considerações = submetidas à obtenção e à transferência para a mãe pátria do máximo de riquezas, em ouro, prata, <colheitas>, etc.). Daí, impedir o acesso de "estrangeiros" em suas colônias, como prejudiciais ao interesse nacional; concentração máxima do fluxo da riqueza tendo como centro a Metrópole e o seu interesse; domínio estreito da colônia (sua expansão interna, organização e relação com outros centros concorrentes). Fundo da política econômica:

A doutrina mercantilista segundo a qual para qualquer país as exportações devem exceder as importações em valor, de modo que a diferença pudesse ser <retida pelo tesouro>, pressupunha uma estreita análise do comércio para descobrir quando a balança era favorável ou desfavorável. Para corrigir balanças desfavoráveis, um país podia restringir ou proibir a importação de comodidades suntuárias ou de artigos que podiam ser produzidos em casa, mas sempre havia necessidades que tinham de ser <satisfeitas através de seus> obtidas de fora. A colonização parecia oferecer uma solução a esse problema. As atividades dos colonizadores podiam ser orientadas pela mãe pátria de tal modo que sua dependência dos países estrangeiros para certas comodidades podia ser eliminada e novos mercados para seus produtos manufaturados desenvolvidos (652).

Daí = produtos adquiridos na Metrópole; a produção da colônia – destinada à Metrópole; fluxo de riqueza controlado por esta = consumo interno no comércio com outras nações. O pivô; o alfa e o ômega da vida econômica da colônia = os interesses da Metrópole: o enriquecimento dela, o aumento do seu poder e a elevação contínua da sua prosperidade. Nesse sentido, a relação de heteronomia se define (em sentido weberiano) = como uma condição normal, geral e invariável da colônia em relação à metrópole.

As etapas da "colônia de exploração no Brasil". O grupo de organizadores do tráfico; as feitorias (um agrupamento mais diferenciado e consistente);[6] o donatário. Por fim, o *governo geral* = transferência de técnicas [*ilegível*] e administrativas capazes de darem realidade e continuidade ao "futuro colono" (desenvolver).

<2.2>- Os aspectos peculiares da "conquista". Discutir a tese semântica da ocupação pacífica (inclusive na sociologia: a interpretação de Gilberto Freyre sobre a "reação vegetal" do indígena). Como a situação de contato se transforma: do feitor isolado e da feitoria aos donatários = criação do complexo colonial e seus reflexos nas acomodações com os grupos tribais. Fatores socioculturais da <ineficácia> da reação indígena, como ela se exprime (pela violência = as confederações; de modo passivo mas autodestrutivo: resistência passiva, suicídio e autodestruição; a fuga para o sertão = o isolamento como

---

[6] [*Nota de margem*] Marchant (23) = 1) fortificações ligeiras; 2) fortaleza.

mecanismo de defesa). Exploração das terras; apropriação dos bens dos indígenas e das comunidades indígenas; a escravização do índio e o seu significado econômico (punição colonial através da captura e tráfico de indígenas = S. Paulo especialmente). A substituição do trabalhador nativo pelo negro como parte dos processos de formação do complexo colonial: necessidade de trabalho regular, contínuo e eficaz x produtividade.

2.3- A formação das "plantações" de tipo brasileiro ("engenhos" e "fazendas de criação"; mais tarde, estrutura análoga: o trabalho nas minas e nas "fazendas" ou "charqueadas" do Sul): a tentativa de transplantação dos modelos dos "donatários" (experiência das Ilhas). Solução selecionada = latifúndio x trabalho escravo = empresa agrícola de grande produção (daí o conhecido mecanismo = "lavoura de subsistência" e "grande lavoura"; Caio [Prado Jr.] x Paul Singer). Terra como fator abundante; trabalho como fator caro. A estrutura da "grande empresa agropastoril" = garantir a produção de produtos exportáveis a baixos preços e com grandes lucros (estes como suscetíveis de garantir e cobrir aqueles. Não se trata de racionalidade no sentido da grande produção moderna). De qualquer modo, as relações de produção continham o princípio de integração das relações sociais = alta concentração de renda, do poder e do prestígio social. A "plantação" como unidade e centro nuclear vital da vida social. Economia, ordem e civilização = nela se concentravam.

2.4-[7] As "formações urbanas": as descrições sobre Salvador, Recife ou São Vicente e São Paulo. O lado tosco da vida social = como se fosse um *estado de transição* para os agentes ("deixar os brasões" e tentar o futuro em condições melhores – na África, na Ásia ou em Portugal). Aos poucos, o peso da permanência e da fixação se fazem sentir. Mas, os dois primeiros séculos – e nestes particularmente os três primeiros quartos de século, depois da instituição dos donatários – foram uma era de violência no melhor sentido da palavra. A respeito, os jesuítas, apesar de acoimados de testemunhos parciais, dão os seus melhores retratos. [O que se pode inferir, do mesmo modo, com a colonização posterior do Maranhão]. Cupidez, vício e violência como parte normal do estilo de

---

[7] [*Nota de margem ilegível*]

vida. Como não se tratava de uma migração de colonização, de início muitas instituições só tinham valor nominal (as regras do comportamento católico e da moral cristã) ou contingente (a própria colonização comprometia o Estado, a Administração e a Igreja com tal situação: todo apoio devia ser dado aos homens animosos, que conquistaram a terra, submetiam e escravizavam os índios, promoviam a conquista e faziam sonhar com à "descoberta" do ouro). Nesse ambiente, as aglomerações dificilmente poderiam ser definidas como *cidades* (conforme ao padrão europeu da época). Suas principais funções eram de proteção e defesa (no começo: área de concentração, no caso de ataques de índios ou de estrangeiros);[8] de escambo e traficância (mais que "comercial") e de exportação (como mero ponto de embarque); de concentração de símbolos da ordem (administração e governo, com o tipo de justiça acessível) e de exercício do governo através de seus pressupostos; de satisfação das necessidades de convivência, de recreação e de religião (nos dizeres dos missionários: segundo inspirações próprias – muita devassidão somada a quase nenhuma caridade cristã). Ao todo, A. Azevedo[9] calculou <3 cidades e> 14 vilas (p. 12-14), repartidas como verdadeiros "nódulos" esparsos pelo litoral (com exceção de São Paulo = discutir por que = erros: típica exceção que confirma a regra). Como escreve, "tudo parece indicar que, das três cidades e 14 vilas existentes ao encerrar-se o quinhentismo, quatro ocupariam um lugar de maior destaque: a cidade de *Salvador* e a cidade do *Rio de Janeiro*, principalmente por sua função político-administrativa, pois ambas serviram como sede do Governo Geral, a segunda por um curto prazo, mas a primeira por meio século, ininterruptamente, o que lhe valeu a incontestável posição de metrópole colonial; e as vilas de *Olinda* e *São Vicente*, em virtude do seu papel de 'cabeça' das duas mais importantes e prósperas capitanias, únicos centros econômicos de destaque, a par com o Recôncavo Baiano. Os demais aglomerados urbanos seriam bastante modestos, inclusive a cidade de Filipéia ou Paraíba, que evidentemente não deveria ter recebido semelhante honraria, não fossem motivos restritos e ocasionais" (idem, 20). Ler a descrição de Salvador (p. 20-21); ela fornece-lhe base para

---

[8] [*Nota de margem*] Acumulação de víveres para frotas.
[9] [*Nota de margem*] *Vilas e cidades do Brasil colonial*, USP, 1956.

assegurar que a "metrópole do Brasil quinhentista" constituía "um grupo que teria um milhão de habitantes, fortemente ligado à região agrícola" [...] "tendo na função político-administrativa e na função religiosa as principais <razões> de ser de sua existência" (p. 21). O mesmo se poderia dizer das outras cidades e de S. Vicente ou de S. Paulo (cf. Frei Gaspar, <Pedro Taques, Taunay,> Ellis Júnior, F. da Silva Bueno, etc.). Deve-se acrescentar duas coisas: 1º) como se forma o nosso tipo de cidade submetida ao campo (ver Etienne Juillard, "Europa industrial e Brasil: dois tipos de organização do espaço periurbano", *Boletim Baiano de Geografia*, I-4, 1961); 2º) crescimento demográfico x exportação de produtos tropicais = base para a continuidade de desenvolvimento de cidades com a diferenciação progressiva e o fortalecimento paulatino de suas principais funções (o que faz com que ela = e não o campo = tenha a principal função dinâmica na reabsorção progressiva e na vitalização das instituições a serem transplantadas em todos as esferas da vida = economia, sexual e familial, religiosa, política e administrativa, recreativa, etc.). A riqueza está e vem do "campo", mas a cidade como núcleo de condensação das relações com o exterior (e portanto com a Metrópole) rapidamente se converte no *centro civilizado* da Colônia. Nela se agitam os grandes problemas da terra e, em particular, se manifestam os tipos de divergência que podiam ser fomentadas e toleradas pela estrutura colonial (evidenciar: com ênfase = as religiosas = consciência e moral cristã x observância dos mores e x maior rigor possível na aproximação para com os modelos das instituições transplantados).[10] Doutro lado, por causa das funções ad[ministrativa] e pol[ítica], nela o controle da Metrópole e sua proteção podiam ser mais eficazes (na medida das conveniências e das possibilidades).

2.5-[11] Quanto à estratificação = dois pontos merecem maior atenção. Primeiro, a dominação colonial e a plantação => conduziu à estratificação interétnica e à estratificação racial [desenvolver implicações societárias da escravização do índio e do africano]. Segundo, esse tipo de estratificação não exclui a resistência dos tipos

---

[10] Na margem direita do manuscrito, o autor introduziu dois traços paralelos, ressaltando a passagem entre parênteses. (N.Org.)

[11] [*Nota de margem ilegível*]

de dominação preexistentes na Metrópole, que marcam e caracterizam as relações dos brancos entre si e, em seguida, as relações com os mestiços que se incluíam nos estoques brancos [desenvolver = o "nobre" e o "homem da ralé", com ofícios mecânicos. Sangue, como descendência; <ocupação, tarefa [ilegível] e ofício mecânico> e estilo de vida = como princípios classificatórios]. Daí se origina uma complexa combinação de "casta" e "estamento" na vida social brasileira. No início e durante os primeiros cinquenta anos, porém, esse arcabouço funcionava de forma muito precária. A dominação colonial fortalecia tais nexos sociais (como negócio da coroa e florescimento econômico da nobreza). Porém a dissolução dos cativos, a fraqueza das agências de controle (a família, a igreja ou o estado) e o caráter explosivo da implantação de uma economia de grande lavoura nos trópicos -> fazia com que os conflitos girassem mais em torno de tipos humanos (o "colono", o "soldado", o "sacerdote"); e com que sua solução se desse mais na linha dos interesses diretos e imediatos da Coroa. Por conseguinte, os contornos da ordem social operavam antes como um quadro de referência exterior, que não tinha eficácia para impedir ou sofrer de modo expressivo a anarquia, a violência e as vicissitudes da realidade histórica. Não obstante, os requisitos da estratificação interétnica e racial, por motivos de segurança (de natureza econômica, social e política), se viam impostos com maior rigor e a eficácia possível (uso de armas; trajes; reuniões e utilização do ócio; repressão das manifestações de independência e de liberdade; controle exterior dos contatos e da comunicação; proibição da vadiagem e dos ajuntamentos de fitos recreativos, etc.). Por isso será nessa área que o código das relações sociais e da dominação social se irão manifestar com mais intensidade [no estilo = *senhor* x *escravo* ou *liberto*: desenvolver]. Portanto, a dominação colonial contribuiu poderosamente menos para expandir e diferenciar as estruturas sociais que poderiam ser transplantadas (as formas sociais estamentais com seu código ético, suas recomendações jurídicas e suas funções sociais); que para *fomentar e ordenar, progressivamente, as formas de relações e de dominação* (e, por conseguinte, de estratificação) *associadas à escravidão* (o que fez com que a dominação colonial tivesse tido mais importância, nesse período, para a consolidação do sistema de castas). Isso servia para tornar a situação mais confusa, pois os limites dos estamentos (<entre> os brancos) tornam-se mais fluídos e indecisos = ao mesmo tempo que relativamente mais "abertos".

3- As heranças sociais em presença. Seleção e adaptação dos padrões transplantados de integração da ordem social.

3.1- Na discussão do desenvolvimento de países da América duas grandes teses se chocam – a da *"civilização original"*, que se teria desenvolvido no Novo Mundo; a da *"cópia da Europa"*. As duas orientações contêm argumentos parcialmente verdadeiros; mas, elas são incompletas. De fato, ocorreram variações profundas (meio físico, povos aborígines, tipo de exploração econômica, condições em que tudo isso se correlaciona, etc.). Mas, também, o poder da civilização dominante (ainda que em graus diversos e com consequências que variam de região para região e de nação para nação nas Américas) foi o europeu. Sobre isto não resta nenhuma dúvida. Essa civilização é que forneceu, mesmo nas piores condições, o fulcro pelo qual o homem se viu como agente do processo civilizador, delimitando pelo menos o que havia de essencial na organização e nos conteúdos do seu horizonte cultural. Dois pontos iniciais merecem especial relevo, a esse respeito: 1º) a maior viabilidade e a maior vitalidade na transplantação do poder de civilizações justificam nas chamadas *colônias de colonização*; 2º) contudo, as *colônias de exploração* também associaram os povos das Américas àquele padrão, pois a razão de ser da sua existência, importância e desenvolvimento estava na produção de produtos para a <riqueza>, o comércio e o consumo europeus.[12] Aí está o essencial, do ponto de vista dinâmico. Nessa situação <(na 1ª)>, o propósito de reproduzir a Europa (ou, melhor, a parte dela representada na situação de contato) era explícito e forte; Mas, ainda assim, a Europa não era "reproduzida" – isso seria impossível. A civilização transplantada se reinstruiu, o que quer dizer que se transformava, para adaptar-se às peculiaridades de novos ciclos ecológicos, de novos tipos de produção e de novos ritmos ou estilo de vida. Na outra situação <(na 2ª)>, as margens de variação histórico-cultural eram maiores. Não por influência exclusiva dos "trópicos": mas como parte de uma diferenciação sociocultural que se impunha, para adaptar e acomodar

[12] [*Nota de margem ilegível*]

o poder de civilização transplantado às condições inerentes à grande propriedade, à escravidão e à agricultura comercial. Não obstante, como as linhas gerais mais profundas do processo eram traçadas por interesses e valores sociais dos brancos dos estoques dominantes, a Europa encontraria um lugar importante no processo de reconstrução da civilização transplantada = pelo menos, um lugar mais importante do que seria imaginável à primeira vista (da predominância da religião à predominância dos códigos legais, o "agente civilizador" pretendia resguardar e impor, como que fosse possível, sua herança sociocultural).

3.2- Aqui, não nos interessa a descrição desse amplo processo, em suas fases e mecanismos ou consequências mais marcantes. Importam, apenas, algumas tendências mais gerais e decisivas ou marcantes, <e que se relacionam com a integração da ordem social> (mesmo o que se poderia aceitar de um "legado português" foi deixado à parte = recomendo, para conhecer minha posição: *Mudanças sociais no Brasil*, p. 165 e seguintes). Sob esse aspecto, a questão crucial diz respeito ao modo de organizar as relações humanas no Novo Mundo, especificamente, no Brasil. O agente do processo de colonização não só era portador de uma civilização; ele fez o que pôde para que ela vingasse, convertendo a colonização num processo de reconstrução das bases materiais e morais da civilização transplantada (instituições e valores não encontravam condições para vingar com eficácia: a luta dos agentes da colonização se orientará, nos dois primeiros séculos, no sentido de criar tais condições). Por isso, existem várias heranças culturais em presença (os diferentes grupos linguísticos nativos; os diferentes grupos culturais africanos; esporadicamente, também franceses, holandeses ou ingleses). Prevaleceu o que respondia aos interesses e aos valores do grupo humano que alcançou o controle do processo de colonização. Apesar de vasto intercâmbio cultural na esfera das técnicas adaptativas, os portugueses foram inflexíveis ao nível das relações que podiam assegurar o controle da situação e a dominação colonial. Nesse nível, nenhuma instituição ou valor importante foi transferido das demais heranças sociais e absorvido. Ao contrário, como elementos alternativos e possível base para dificultar a estratificação interétnica, eles foram colocados à margem da lei e da normalidade e perseguidos de forma feroz (exemplificar: com o índio e com escravo = controle das formas de comunicação de associações e de solidariedade + destruição implacável de tudo que poderia redundar em conspiração, autonomia ou disputa de poder). Portanto, atrás da aparente habilidade cultural, ocultava-se um verdadeiro monolitismo cultural na esfera dos padrões possíveis de integração da ordem social. Esta não só se orientava pelos modelos transplantados de Portugal, adaptava-se às condições locais e às exigências da situação unilateralmente, em função dos interesses e dos valores sociais defendidos pelo *colono* português. Em suma, as outras etnias, eliminadas das condições de autonomia, <material ou moral>, e subjugadas socialmente, reduziram-se a agentes subordinados e destituídos na cena histórica. Quanto à integração da ordem social, seus padrões de comportamento, seus valores e suas instituições sociais deixaram de ter qualquer importância prática para as relações de caráter interétnico e para as relações intragrupais que porventura se ligassem, mesmo tangencialmente, à estrutura e ao funcionamento da ordem social suplantada pela colonização.

3.3- Todavia, a própria transplantação do poder de integração da ordem social de que os portugueses eram os portadores sofreu o impacto da situação colonial. Eles não tentaram "reproduzir" <e> "manter" <ou> "desenvolver" todo o seu mundo sociocultural da Metrópole. Sob esse aspecto, o esforço criador do colono e <da Coroa> orienta-se por uma diretriz bastante nítida. Os padrões de associações, de solidariedade e de organização do poder foram mantidos tão somente na medida em que fossem compatíveis com a própria situação colonial. Em outras palavras, os padrões de estratificação e de dominação transplantados continuaram a ter vigência nas relações dos portugueses entre si (e eventualmente, com brancos de outra origem ou com "mestiços" que possuíssem "status" equivalentes); mas, sofreram ampla diferenciação, para permitir a institucionalização de formas de dominação decorrentes da conquista, da escravidão e da <grande lavoura>. Aqui, notam-se dois processos gerais, interligados e interdependentes. Primeiro, o núcleo da ordem legal era constituído e se fundava nos interesses e valores da Coroa, que restringia as formas legítimas de dominação à atuação de seus representantes diretos e dos colonos qualificados como "nobres" ou "homens bons". Segundo, as fontes de diferenciação da ordem legal e da estrutura do sistema social inclusivo eram esses mesmos interesses e valores, em sua objetivação direta na Coroa ou em sua equação nas pessoas dos colonos. Por isso, tudo girava em torno da eficácia das medidas de dominação para organizar a colônia e submetê-la, a curto e a largo prazo, ao que parecesse melhor para a prosperidade da Metrópole e para a prosperidade dos próprios colonos. Daí decorria: 1º) o núcleo da ordem legal tendia a abranger apenas os círculos sociais identificados com os interesses e os valores da Coroa e dos seus representantes diretos ou não; 2º) em sua diferenciação, esse núcleo tendia a definir os demais estratos como camadas inferiores e submetidas, excluídas dos direitos que protegeram pessoas em grupos incluídos na ordem legal; 3º) daí se originou um princípio de estratificação interétnica, que inverteu a ordem legal transplantada numa sociedade mista, de castas e estamentos. A permanência na situação de castas passa a depender da probabilidade de recrutar escravos nas populações submetidas (discutir = situação do índio e do negro a respeito). Esse desenvolvimento não se refletiu de forma profunda no padrão transplantado da ordem social, porque a colonização favorecia sistemática e abertamente os círculos mais altos da sociedade (os nobres, os seus aparentados da "pequena fidalguia" e os seus protegidos). As vantagens concedidas pela Coroa a essas categorias sociais produziam dois efeitos: 1º) ao nível da estrutura, fortaleciam o princípio de integração estamental do estoque racial branco; 2º) Em termos pessoais, davam realidade e amplitude aos privilégios da nobreza e aos seus apaniguados, sob a proteção e a fiação da Coroa. Além disso, nenhuma influência ativa, inerente à herança social transplantada, exercia qualquer impacto restritivo em tais tendências. De um lado, porque a religião sancionava a ordem estamental e legitimava a escravidão sob a racionalização de que a condição de escravo seria benéfica para a catequese, a conversão do gentio ou do negro e sua preparação para os mores do "cristão". De outro, porque a escravidão se impunha como necessidade inelutável. Sem ela, a <colonização> seria impraticável. Ao contrário, ela se impunha, naquele contexto histórico, econômico e demográfico, como a solução mais vantajosa e eficaz para a criação e a expansão da "grande lavoura". Como o núcleo da ordem legal transplantada permanecia intacto, o escravo não <ameaçava> o branco qualificado como "mecânico". Este também participava de algumas vantagens, porém em escala que variava e era bem inferior à nobreza e seus apadrinhados. O trabalho concreto podia ser delegado a outros, convertendo-se o artesão em agente de fiscalização; e em algumas circunstâncias, onde a colonização prosperou, esse tipo de [ilegível]. Enquanto a aquisição de escravos índios era acessível, isso foi mais fácil. Mas, mesmo depois que o negro tomou o seu lugar muitos grandes proprietários cediam terras a tais pessoas, que não trabalhavam como escravos (nos pequenos engenhos) e adquiriram assim nessa situação econômica e social que tinham e manteriam em Portugal.

4.3-[13] Essas indicações evidenciam, no conjunto, que a colonização constitui uma fonte de privilégios para o estoque racial dominante. Deu lugar à mera diferenciação da ordem social transplantada que conduziu a institucionalizações de novas formas de dominação interétnica. Em toda essa fase, por esse motivo, as seleções e adaptações promovidas nos padrões de comportamento e de relação social eram, por natureza, lusocêntricos. Nela se constituiu a estrutura nuclear da sociedade colonial, sob o predomínio do princípio que convertia a Coroa e o nobre (no seu equivalente humano) nos agentes privilegiados de todo o processo. Assim, foi um princípio de integração social (relacionado com o padrão de diferenciação da ordem social transplantada) que regulou, estrutural e funcionalmente, a disciplinação e a regulamentação dos processos econômicos, bem como o curso posterior da história. Um privilégio social – e não o cálculo econômico – estava instalado na base das inovações que deram origem à estrutura da grande propriedade e às funções que dentro dela desempenhava a escravidão.

---

[13] Aqui há um salto no manuscrito, do item 3.3 para o 4.3. (N.Org.)

Introduções do livro *Comunidade e sociedade no Brasil*[1]

Primeira parte: A comunidade

I. A aldeia tribal

A aldeia tribal não aparece nesta coletânea nem como a "unidade de observação mais simples" nem como a "unidade primordial" da evolução histórico-social da sociedade nacional brasileira. O intento didático é outro. Existem vários agrupamentos tribais, remanescentes da hecatombe humana, associada à "colonização" e à "expansão nacional". Alguns desses agrupamentos são bem conhecidos. Extraímos as leituras coligidas de três obras fundamentais, com o intento de pôr em evidência certos aspectos estruturais e dinâmicos do *grupo local* organizado em bases tribais. Se se considerar o grupo local à luz da ordem tribal, sua estrutura social é mais complexa que a da pequena comunidade, imersa seja no mundo rural, seja em alguns desenvolvimentos urbanos da sociedade nacional brasileira. Doutro lado, embora ele fosse, no período pré-cabralino, a menor unidade inclusiva da organização comunitária, ele não constitui o suporte original da formação societária, elaborada através da "colonização". Ao contrário, encarado dessa perspectiva, o grupo local de tipo tribal vincula-se a padrões de civilização aborígines, postos em crise e desintegrados pela "colonização" e pela "expansão nacional".

---

[1] Originalmente publicadas em: FERNANDES, Florestan (Org.). *Comunidade e sociedade no Brasil*. 2. ed. São Paulo: Companhia Editora Nacional, 1975. p. 9-11, 46-50, 81-85, 138-142, 197-202, 280-283, 399-407, 506-511.

Escolhemos para caracterizar a aldeia tribal três leituras que enfatizam aspectos diferentes da relação da herança sociocultural aborígine com as confluências dinâmicas do meio não indígena. A descrição de H. Baldus apanha a aldeia Tapirapé numa fase em que ela ainda reproduzia, aproximadamente, sua morfologia aborígine. O texto seguinte, de C. Wagley e E. Galvão, focaliza a aldeia Tenetehara numa situação de tensão, em que sua persistência estrutural dependia de uma ampla acomodação com comunidades caboclas da mesma região. Por fim, a análise de R. Cardoso de Oliveira compreende a comunidade Terena num contexto histórico-social mais complexo, no qual a continuidade de padrões tribais envolve um intercâmbio mais profundo com formas de trabalho e estilos de vida típicos da cidade tradicional imbricada nas fronteiras de expansão geográfica ou econômica da sociedade nacional brasileira. Essas três situações são características, mas elas não traduzem um *processo normal* nem qualquer *tendência universal*. Primeiro, porque a preservação maior ou menor do padrão aborígine, com frequência, se dá graças a mecanismos bem conhecidos de mobilidade espacial e de isolamento. Os agrupamentos indígenas fogem da ameaça acarretada pela autossegregação coletiva. Segundo, porque a eficácia dessa técnica de autoproteção é limitada e não suporta a pressão étnica dos "caboclos" e dos "civilizados", onde ela adquira maior intensidade. Então, o processo se interrompe pela destruição, dispersão e absorção em massa dos elementos humanos que compõem as povoações tribais ameaçadas. Não obstante, a gradação contida nas três leituras possui inegável interesse didático. Ela evidencia que, na reação à *conquista* e à *civilização*, os indígenas podem desenvolver e suportar diversas formas de acomodação, que diminuem ou diluem, pelo menos provisoriamente, o impacto desintegrativo da população cabocla, da civilização "moderna" e da integração nacional.

Esse quadro de referência poderia ser ampliado, através de outras leituras. Como essa é uma área de aprendizagem de interesse específico nos cursos de Antropologia e de Etnografia Brasileira, limitamos a bibliografia suplementar a três referências adicionais. F. Fernandes, *A organização social dos tupinambá* (2. ed. São Paulo: Difusão Europeia do Livro, p. 82-148); C. Lévi-Strauss, "Contribuição para o estudo da organização social dos bororó" (*Revista do Arquivo Municipal*, São Paulo, ano III, v. XXVII, p. 7-19, set. 1936); C. Wagley e E. Galvão,

Os índios tenetehara (p. 31-34). A primeira leitura poderia interessar sob dois pontos de vista. De um lado, em termos da reconstrução do padrão aborígine de aldeia tribal, visto em termos de documentação dos séculos XVI e XVII, ou seja, numa fase em que ainda era possível reconhecer os traços típicos do grupo local Tupi. De outro, se o professor e os estudantes tiverem interesse didático em aprofundar o nível da aprendizagem, de modo a focalizarem as funções ecológicas e socioculturais da aldeia tribal na organização do espaço físico e humano. As outras duas leituras apresentam outro interesse didático. A última propõe um foco comparativo, por meio do qual o estudante poderá projetar, analiticamente, o mesmo padrão de aldeia tribal em situações materiais de existência e em contextos histórico-sociais distintos. A segunda leitura, por sua vez, responde a outra necessidade didática. Ela indica que a composição e a estrutura do grupo local variam de acordo com a civilização indígena que se considere e o padrão de ordem tribal dela decorrente. O mundo indígena brasileiro não é homogêneo. A aldeia tribal Borôro é morfologicamente mais complexa que a aldeia tribal Tupi, "preservada" ou "transformada". Nesse caso, o confronto analítico é útil pelo que ele sugere no plano didático, instigando o estudante a pensar a aldeia tribal como uma realidade humana variada e variável, a partir da própria herança sociocultural aborígine.

II. *A pequena comunidade*

A história social do Brasil se construiu, no plano sociodinâmico, através de pequenas aglomerações humanas, relativamente condensadas em torno de certos focos de concentração, mas altamente dispersas no conjunto de territórios ocupados. As fases iniciais da colonização se deram através de aglomerações desse tipo (as feitorias, enquanto as relações com indígenas eram passivas e se fundavam no escambo; os primeiros tipos de engenho, organizados sobre a escravidão dos nativos; os povoados que desempenhavam a função de ponta de lança da colonização). Com o tempo, os povoados se diferenciaram e aderiram aos padrões europeus ou às normas coloniais de ocupação e exploração da terra. Os povoados se converteram, aqui e ali, em "arraiais", "vilas" ou "cidades", ou, então, imobilizaram-se no tempo, continuando a se identificar como "povoados" ou sendo conhecidos como "bairros" e "lugarejos". A palavra "aldeia" desaparece rapidamente da tradição linguística – porque o aldeão ao estilo europeu não sobrevive socialmente nem sequer nas capitanias do sul, que lembravam aos cronistas um "novo Portugal"[2] –, e o seu sucedâneo, "aldeamento", é empregado para designar as reservas de "braço índio", em que se converteram as povoações de indígenas "aliados", submetidos à administração colonial. Seria impossível, em virtude da escassez de investigações, mas também improdutivo enumerar todos os tipos de "pequena comunidade" que aparecem ao longo da formação da sociedade colonial e persistem, depois, através dos diferentes processos de integração nacional, de revolução urbana e de industrialização.

Na verdade, imensidão espacial e grandes vazios humanos concorreram, isoladamente e em conjunto, para esvaziar as formas sociais transplantadas ou elaboradas aqui das fundações rurais ou urbanas, que poderiam possuir sob o padrão de civilização transplantado. A palavra "vila" e mesmo o conceito de "cidade" são logo deturpados, aplicando-se a povoações que, na tradição lusitana, seriam "arraiais", "vilarinhos", "aldeias" ou "lugarejos". No entanto, a integração nacional desencadeou forças integrativas polarizadas pela "civilização" e pela "intencionalidade urbana". A valorização da cidade, no contexto de uma sociedade nacional escravista e politicamente orientada por interesses socioeconômicos agrários, deu alento a símbolos de modernização relativamente vazios e a formas superficiais de urbanização de estilos rústicos de vida. À medida que o crescimento demográfico imprimia densidade à revolução urbana e que as tendências de integração regional ou nacional da economia convertiam a urbanização numa força real, os vários tipos de "pequena comunidade" redefiniam-se morfológica e dinamicamente. Muitos arraiais e povoados se converteram em vilas propriamente ditas; muitas vilas se converteram em cidades; algumas cidades se converteram em metrópoles, e pelo menos duas metrópoles, Rio de Janeiro e São Paulo, incorporam os

---

[2] É assim que Cardim se refere a São Paulo de Piratininga. Todavia, graças às formas coloniais de utilização do trabalho servil indígena, ainda aí o aldeão desaparece, cedendo o lugar para o rústico e quase sempre pobre "potentado de arco e flecha".

espaços contíguos e deram origem a formas de integração regional que estão em curso. Ao revés, antigas "vilas" e "cidades" perderam sua densidade demográfica e suas funções urbanas, reais ou supostas. Estagnaram ou regrediram, imobilizando-se no tempo e no espaço em que construíram a sua "era de grandeza". No meio desse torvelinho, somente um tipo de pequena comunidade preservou seus padrões de cultura ou de sociabilidade e manteve certa continuidade no tempo, apesar da história. Esse tipo de comunidade apresenta certa variação tanto histórica e cultural quanto espacial. No entanto, ela é uma comunidade embrionária, de origem biológica, cultural e social "mestiça". Ela se erigiu mais como uma modalidade de redução que como um produto de aculturação que deveria acompanhar a fusão de estoques raciais distintos. Em toda parte, ela exprime a linha residual de empobrecimento das heranças culturais nativas e transplantadas que se fundiam. Em toda parte, o denominador ou regulador estrutural e dinâmico desse processo de estabilização do empobrecimento cultural emergiu espontaneamente de estilos de vida adaptados à mera subsistência. Em toda parte, a pequena comunidade, assim constituída, afirmava-se como um bastião de autonomia da pobreza e de autoproteção dos pobres (inclusive quando eles tinham origem escrava e formavam comunidades de "negros fugidos"). Em toda parte, essas pequenas comunidades forneciam os germes de fixação de massas humanas em deslocamento (seja através dos povoados erigidos pelas bandeiras ou graças à mineração, seja através das migrações pioneiras desencadeadas pelo café). Em toda parte, essa pequena comunidade apresenta traços estruturais e dinâmicos análogos, preservando seu equilíbrio demográfico, social e cultural graças ao contexto agrário da civilização e apesar de intercâmbios fortuitos ou permanentes com a economia de mercado. Em toda parte, quando a revolução urbana atinge o clímax e se consuma a integração nacional em todos os níveis sociais de organização da vida local – e tanto mais depressa quando os dois processos concomitantes são acompanhados de industrialização intensa –, ela se esboroa, desintegrando-se e desaparecendo no seio de outras formações análogas ou nas cidades em expansão.

Por essas razões, para caracterizar a pequena comunidade, selecionamos quatro leituras que descrevem e interpretam, sociologicamente, a estrutura e o "destino" do equivalente brasileiro da *sociedade de folk*. O texto de A. Candido foi extraído de uma obra que se tornou "clássica" em nossa bibliografia sociológica. Ele lida com o caipira paulista, através do qual se pode considerar a pequena comunidade em seus traços de maior pureza. A leitura seguinte, de M. I. Pereira de Queiroz, permite uma rotação de perspectiva, pela qual se focaliza a pequena comunidade em um contexto sociocultural diverso. O confronto é necessário, para se estabelecer o que é residualmente invariável e o que é apenas dinamicamente homólogo nas estruturas e nas funções da pequena comunidade integrada. A sucinta mas penetrante análise subsequente, de M. Vinhas de Queiroz, situa o plano em que se desenrola a tensão propriamente histórica dessa formação comunitária com uma sociedade em integração nacional. Pelo que se sabe, essa tensão assume o caráter de um processo e repete-se, em condições variáveis, segundo um padrão comum. A pequena comunidade não tem, dentro de si mesma, impulsões capazes de incorporá-la à sociedade nacional. Esta, por sua vez, por causa da extrema concentração social da renda e do poder, converte a integração nacional numa sorte de cataclisma social, provocando a explosão das estruturas arcaicas em que se abrigam os desprotegidos e compelindo-os a engrossar, em massa, os candidatos a empregos e a salários degradados. Por fim, a última contribuição, de G. Mussolini, põe em questão problemas de natureza teórica, numa linha interpretativa que transcende, aqui e ali, a "sociedade de *folk*" propriamente dita. Contudo, essa constitui uma das unidades didáticas mais frutíferas deste livro, pois o estudante precisa adestrar-se na arte do raciocínio teórico.

A bibliografia suplementar, de um conjunto de leituras como o precedente, acabaria sendo demasiado volumosa. Por isso, limitamo-nos a algumas indicações essenciais, para o aprofundamento da unidade de trabalho didático nas direções apontadas. Como alternativas de ilustração empírica e uma espécie de contraponto às duas primeiras leituras: E. Willems, em colaboração com G. Mussolini, *Buzios Island*: a *Caiçara Community in Southern Brazil* (New York: J. J. Augustin Publisher, 1952, p. 24-64); O. da Costa Eduardo, *The Negro in Northern Brazil: a Study dy in Acculturation* (Washington: University of Washington Press, 1948, *passim*: sempre as passagens relativas a Santo Antônio dos Pretos). A primeira indicação permite aprofundar a análise da estrutura econômica da pequena comunidade; a segunda, a das orientações religiosas da cultura. Para suplementar a terceira leitura, em diferentes linhas interpretativas, seria preciso considerar pelo menos três contribuições diversas: Euclides da Cunha, *Os sertões* (14. ed., São Paulo: Livraria Francisco Alves, 1938, p. 182-214); J. V. Freitas Marcondes, *First Brazilian Legislation Relating to Rural LabroUnions: a Sociological Study* (Gainsville: University of Florida Press, 1962, p. 30-26); M. I. Pereira de Queiroz, *O messianismo no Brasil e no mundo* (São Paulo: Dominus Editora; Editora da Universidade de São Paulo, 1965, p. 193-328). A primeira leitura é a de um clássico obrigatório, ao mesmo tempo um pioneiro pré-científico do estudo de comunidade no Brasil e um analista dramático do desenlace catastrófico do conflito entre a pequena comunidade e a integração da sociedade nacional. A segunda leitura oferece dados sobre a transição republicana que merecem ser levados em conta para a localização histórica dos fatores que permitiram a persistência e o agravamento desse conflito. O estudo de M. I. Pereira de Queiroz tenta, por sua vez, uma análise estrutural do referido conflito, facilitando a interpretação comparada de suas várias manifestações no tempo e no espaço.

Quanto aos fatores e aos efeitos da crise da pequena comunidade integrada, apenas considerada sinteticamente na quarta leitura, seria preciso recorrer a vários textos adicionais, que escrevem ou interpretam os vários aspectos e as principais consequências do processo. O texto mais geral e importante a esse respeito é também de A. Candido, *Os parceiros do Rio Bonito* (p. 68-183), no qual é descrito e interpretado o dilema social que a civilização urbana cria para a integridade e a continuidade da cultura caipira. Os mecanismos da expulsão da zona rural são examinados por diversos autores (uma síntese recomendável: J. F. de Camargo, Êxodo rural no Brasil: *ensaio sobre suas formas, causas e consequências econômicas principais*. São Paulo: Faculdade de Ciências Econômicas e Administrativas da USP, 1957, esp. p. 65-91). As diversas facetas da proletarização dentro do campo e suas implicações socioeconômicas fundamentais podem ser acompanhadas, em seus aspectos essenciais, através dos seguintes trabalhos: O. Ianni, *Industrialização e desenvolvimento no Brasil* (Rio de Janeiro: Civilização Brasileira, 1963, p. 131-150, "A constituição do proletariado agrícola"); M. Correia de Andrade, *A terra e o homem no Nordeste* (São Paulo: Brasiliense, 1963, p. 97-124, "O desenvolvimento da usina e a proletarização do trabalhador rural"); J. G. A. Gnaccarini, *A formação da empresa e relações de trabalho no Brasil rural* (São Paulo: Faculdade de Filosofia, Ciências e Letras da USP, edição limitada, 1966, obra deveras importante sobre o desenvolvimento do capitalismo no campo, embora de acesso difícil, por não ter sido editada tipograficamente).

III. As vilas

Sob o regime colonial e posteriormente através dos costumes, a vila brasileira típica constituía uma aglomeração semiurbana, inserida em um complexo meio agrícola preponderante, que determinava sua morfologia, a intensidade de sua vida social e, inclusive, a sua duração. Ela corresponde ao que Maunier caracteriza como um tipo indiferenciado de *ville* (cidade) e que, com razão, associa estrutural e funcionalmente à *village* (aldeia).[3] Na verdade, a maior parte das vilas dos séculos XVI, XVII e XVIII convertiam-se em tal, em virtude de razões administrativas (funcionava como cabeça de um conselho de câmara ou de um município). "Ir à vila" era o mesmo que ir ao "povoado", e, se prevalecesse o padrão português, muitas vilas seriam simples "vilarejos" ou "vilarinhos". No entanto, em virtude dos riscos inerentes à hostilidade dos índios (primeiro) e à escravidão (em seguida), de exigências da vida religiosa e da administração civil, dos padrões de sociabilidade da *plebe* (que requeriam a intensificação periódica da vida social, através das festas profano-religiosas) e do estadão[4] de vida dos proprietários agrícolas (que desempenhavam vários papéis sociais no e através do "aglomerado urbano"), as vilas constituíam uma necessidade social. Não eram, em um sentido específico, dotadas de uma "estrutura urbana"; mas preenchiam algumas "funções urbanas", como o equivalente do burgo em um mundo rural que dispersava a massa de população no campo e que concentrava o poder nas mãos dos proprietários agrícolas. Assim, a vila era um prolongamento e uma diferenciação do "setor rural". Nos períodos iniciais da conquista e da colonização, operava como o refúgio

---

[3] Cf. MAUNIER, René. *L'Origine et la fonction économique des villes*. Paris: V. Giard et E. Brière, 1910. p. 65-95.

[4] Segundo o *Dicionário Houaiss da Língua Portuguesa*: "grande ostentação; magnificência, luxo, pompa".

e o núcleo da resistência ou do contra-ataque. Mais tarde, concorria para manter um certo fluxo na vida social das massas e certa fluidez nas relações sociais dos estamentos dominantes, isolando a grande propriedade agrícola e também a pequena comunidade de homens livres dependentes de influências externas perturbadoras ou incontroláveis. A crise do sistema colonial refletiu-se nos dinamismos sociais das vilas. Elas evoluíram mais depressa na direção dos padrões de uma economia de mercado. Contudo, como a escravidão persistiu e, com ela, a estrutura fechada da grande propriedade e o isolamento da comunidade de *folk*, o crescimento demográfico, a diferenciação social e o desenvolvimento econômico das vilas operaram-se de modo preponderantemente lento e desigual. Apenas certas vilas privilegiadas – pela posição ecológica, pela oscilação dos ciclos econômicos e por funções político-administrativas ou culturais – converteram-se em cidades, adquirindo a estrutura e as funções urbanas típicas que deveriam possuir. A grande maioria, porém, continuou submetida ao estrangulamento provocado pela estrutura e dominância do meio rural, que fazia da vila uma aglomeração humana pouco entrosada com a vida cotidiana no campo e com as necessidades diárias de sua população.

Nesses quadros histórico-sociais, a vila ficou presa a padrões de pobreza e de rusticidade que não achariam paralelos senão em certas regiões de Portugal ou nos países latino-americanos de fala espanhola menos prósperos e urbanizados. Fortemente dependentes e subordinadas aos interesses das grandes propriedades agrícolas, quando se transformou a organização social, cultural e política da sociedade brasileira, elas transferiram para as cidades, que serviram de palco ou se beneficiaram com a revolução urbana, a situação de dependência e de subordinação. Conheceram, então, maior prosperidade, e as tendências de crescimento demográfico ajudaram, aos poucos, a minar seu arraigado provincianismo. Todavia, como a vida rural não se reorganizou em novas bases e as funções industriais, urbanas ou culturais foram absorvidas (por vezes até monopolizadas) por poucas cidades, as vilas continuaram despojadas de meios autônomos de expansão econômica, de diferenciação social interna e de desenvolvimento sociocultural. Para os seus moradores, ou ela define os confins do mundo e da humanidade ou soa como uma sorte de condenação. No plano mais amplo do cenário criado pela integração econômica e sociocultural nacional, ela se moderniza e se urbaniza, mas não se supera senão quando consegue destruir as fontes de seu arcaísmo, transformando-se em cidade e em núcleo polarizador de ciclos regionais e desenvolvimento socioeconômico.

As nossas vilas, entendidas no contexto civilizatório em que elas se formaram e em função das convulsões que marcam a evolução do "mundo agrícola" para o "mundo urbano-industrial", são ainda mal conhecidas. Existe uma ampla bibliografia histórica sobre várias "cidades" que ainda são ou foram vilas. Essa bibliografia, amplamente enriquecida por investigações geográficas recentes, é, porém, insatisfatória, do ponto de vista sociológico. Raramente se vai além de episódios da história das famílias gradas e das circunstâncias da fundação e da evolução dessas "cidades" ou dos aspectos mais externos e superficiais da paisagem. Por isso, ficamos nos limites dos estudos de comunidade, feitos por sociólogos e antropólogos. Fizemos as escolhas obedecendo a uma linha por assim dizer caleidoscópica. A intenção, no caso, é de abrir perspectivas didáticas criadoras pela variedade de situações, já que não se pode explorar, sistematicamente, o conhecimento em profundidade.

Abrimos as leituras com uma descrição da cidade colonial, de N. Omegna. Passamos para a vila da orla pioneira, através de um excerto de P. Monbeig. Em seguida, consideramos a vila típica, por meio de um texto de D. Pierson. As outras duas leituras apanham duas realidades que deviam ser documentadas: 1º) a vila associada à experiência organizatória europeia, focalizada através de uma passagem de U. Albersheim; 2º) as potencialidades internas de mudança conferidas à vila por seu meio socioeconômico e cultural imediato, descritas por H. W. Hutchinson.

As leituras do capítulo subsequente servirão, sob alguns aspectos, de complemento a este capítulo. Entretanto, da bibliografia adicional disponível gostaríamos de realçar algumas indicações, mais úteis à formação do estudante. Sem dúvida, a análise longitudinal aparece como das mais frutíferas. Ela permite apreender as etapas da constituição da vila e os processos de sua recomposição ou transformação. Para esse fim, a cidade de São Paulo é quase um exemplo ideal. Devido às condições da conquista e da colonização, ela permanece uma vila brasileira típica mesmo depois que havia sido elevada à condição de cidade e de capital de província. Doutro lado, nela se evidencia com nitidez como a agregação de bairros, através de uma composição e de um crescimento elementar, engendra uma vila com funções urbanas circunscritas. Por fim, esse é o "caso mais claro" da explosão da vida por efeito da revolução urbana e da expansão industrial. A leitura de Pierson abria perspectiva para a vila que subsiste presa à sua tradição cultural; a passagem de Hutchinson desvenda como a reorganização do espaço rural e da produção econômica rompe o marasmo, sem quebrar as velhas estruturas. Através de São Paulo, acompanhamos o outro processo, que encadeia a vila e a sua destruição à "marcha do progresso" e à integração econômica, social e cultural da sociedade nacional brasileira. Além dos livros de A. E. Taunay,[5] que poderão ser explorados se houver tempo, recomendaríamos as seguintes indicações sumárias: E. da Silva Bruno, *História e tradições da cidade de São Paulo* (Rio de Janeiro: Livraria José Olympio Editora, 1953-1954, 3 v.); R. M. Morse, *De comunidade à metrópole: biografia de São Paulo* (tradução de M. A. Madeira Kerbeg. São Paulo: Comissão do Quarto Centenário da Cidade de São Paulo, 1954); G. Leite de Barros, *A cidade e o planalto: processo de dominância da cidade de São Paulo* (Livraria Martins Fontes Editora, 1967, 2 v.). Para uma caracterização sintética das fases estruturais de evolução da cidade, cf. também F. Fernandes, *Mudanças sociais no Brasil* (São Paulo: Difusão Europeia do Livro, 1960, cap. VI, sobre "Caracteres rurais e urbanos na formação e desenvolvimento da cidade de São Paulo", p. 179-201). À análise longitudinal de uma situação que participa do caráter de um *experimentum crucis*, como diria Simiand, seria necessário acrescentar uma discussão sociológica em profundidade das funções diferenciadoras e integrativas dos grupos de localidade no meio econômico e sociocultural brasileiro (cf. T. Lynn Smith, *Brazil: People and Institutions*. Baton Rouge: Louisiana University Press, 1954, p. 492-523). Embora o autor não leve em conta os fatores socioculturais da criação de semelhante paisagem, aqui seria oportuno que os estudantes lessem E. Juillard, "Europa

---

[5] TAUNAY, A. E. *São Paulo nos primeiros anos (1554-1601)*. Tours: Imprensa de E. Arrault & Cie, 1920; *São Paulo no século XVI*. Tours: E. Arrault & Cie, 1921; *História seiscentista da Vila de São Paulo*. São Paulo: Tipografia Ideal de H. A. Canton, 1926-1928, 4 v.; *História da cidade de São Paulo no século XVIII*. São Paulo: Divisão do Arquivo Histórico do Departamento de Cultura, 1949-1951, 4 v.

industrial e o Brasil: tipos de organização do espaço periurbano" (*Boletim Baiano de Geografia*, v. I, n. 4, 1961, p. 3-10), que permite a comparação suscitada por Lynn Smith entre a organização social do espaço no Brasil e nos Estados Unidos.

Entre as demais leituras, que poderiam ser recomendadas com um espírito de reiteração, cumpre ressaltar: com referência aos núcleos coloniais, N. Goulart Filho, *Contribuição ao estudo da evolução urbana do Brasil (1500-1720)* (São Paulo: Livraria Pioneira Editora e Editora da USP, 1968), a descrição sintética mais completa dos núcleos urbanos coloniais (esp. p. 91-188), e A. de Azevedo, *Vilas e cidades do Brasil colonial* (São Paulo: Faculdade de Filosofia, Ciências e Letras da USP, 1956). Esses dois livros são extremamente úteis para se compreender a vila de composição estrutural-funcional elementar, que envolve o tipo de crescimento por aglutinação de unidades análogas (conforme Maunier; ele designa as referidas unidades como aldeias). Assim, o aumento e a diferenciação da população se projeta em um contexto de reorganização do espaço social. Todavia, no conjunto, o impacto de todo o processo sobre a urbanização propriamente dita é muito limitado, porque não conduz à substituição dos padrões de organização do espaço social nem acelera a urbanização propriamente dita. A análise de O. da Costa Eduardo (cf. *The Negro in Brazil*; indicações bibliográficas no capítulo anterior) permite confrontar o negro da zona rural com o negro urbano de São Luís do Maranhão. Os resultados a que chegou podem ser postos no contexto das interpretações de Maunier, sugerindo que as diferenças qualitativas na configuração da cultura não exprimem a distância cultural que existiria, sob a hipótese de uma autêntica revolução urbana (a qual pressupõe o que Maunier designa como cidade de tipo diferenciado). Quanto à complementação das indicações, duas questões podem merecer maior atenção. Primeiro, a situação da cidade colonial quanto à mobilidade social e o seu "imobilismo" (ver esp. N. Omegna, *A cidade colonial*, p. 198-226); segundo, a situação dos núcleos de colonização estrangeira e sua evolução urbana (ver esp. M. Diegues Jr., *Imigração, urbanização, industrialização*. Rio de Janeiro: Centro Brasileiro de Pesquisas Educacionais, 1964, p. 135-155; J. Roche, *La Colonisation Allemande et le Rio Grande do Sul*. Paris: Institut des Hautes Études de l'Amérique Latine, 1959, esp. caps. VII-X).

IV. A cidade tradicional

O Brasil constituiu-se como uma "colônia de exploração", cujo núcleo dinâmico consistia na exploração de "produtos tropicais" ou de ouro para a metrópole. Como já se escreveu de diversas formas, isso deu continuidade à orientação agrária existente na economia metropolitana e imprimiu à colônia a estrutura de uma sociedade agrária. Em consequência, o núcleo da vida colonial estava nas "plantações" – na grande propriedade agrária e, mais tarde (enquanto durou o "ciclo do ouro"), também na exploração de seus recursos naturais, sob o capitalismo comercial. Não obstante, algumas vilas tinham de preencher, forçosamente, certas funções econômicas, político-administrativas e religiosas. Tais funções não diferenciavam a estrutura dos aglomerados humanos em um sentido urbano. Mas acentuavam o caráter urbano de tais vilas e contribuíam para que elas crescessem com maior rapidez, mantendo a feição típica de uma conglomeração de aldeias ou de "aldeias gigantes". A razão desse padrão de crescimento não se achava (como Maunier supõe, ao estudar cidades desse tipo) na estrutura e nos dinamismos do conglomerado urbano como tal. Encontrava-se na ordem social inerente à sociedade global: uma sociedade que se organizava estamentalmente, no plano dos homens livres, e em castas, nas relações deles com os escravos. Essa ordem social coordenava e regulava, sob as mesmas normas, valores e formas de dominação, o funcionamento, o crescimento quantitativo e o desenvolvimento de todos os "aglomerados rurais" ou "urbanos". A vila aumentava de população e eventualmente podia acumular várias funções de natureza urbana. Todavia, isso se processava dentro de uma mesma estrutura social que, sem ser completamente "rígida", excluía a possibilidade da formação de cidades ordenadas a partir de suas próprias funções urbanas.

Por esses motivos, as vilas que se converteram em cidades deram origem a aglomerações dotadas de estruturas e de funções urbanas pouco diferenciadas, com reduzido "impulso interno" para desencadear a urbanização como um processo histórico-social autônomo. Assim, em nenhuma parte – com exceção do episódio aberto pela invasão holandesa – elas conduziram a um "estilo urbano de vida", mesmo no seio dos estamentos de homens livres dominantes, de suas elites aristocráticas e da sociedade civil que eles constituíam. Mesmo sob a sociedade imperial e nas cidades mais importantes, o refinamento e os padrões de civilidade desses círculos apresentavam-se como funções urbanas incorporadas à organização do espaço urbano através de peculiaridades exclusivistas daqueles círculos sociais (e, portanto, nada tendo a ver com os próprios requisitos estruturais e funcionais de organização do espaço urbano como tal). É preciso que se entenda que esse "padrão urbano" não representa, encarado sociologicamente, o "produto de nossa civilização agrária" e, muito menos, um efeito aculturativo das "tradições agrárias portuguesas", como muitos acreditam. Essa "civilização agrária" projetou-se, graças à colonização exploradora sob o signo do capitalismo comercial, em um contexto histórico que aumentava e, sob certos aspectos, até congestionava as funções urbanas das vilas (está claro: das vilas que fossem, ecológica, econômica e socialmente, pontas de lança da colonização exploradora). Doutro lado, as "tradições agrárias portuguesas" só valiam, de fato, como princípio ordenador de uma dominação patrimonialista, por meio do qual a "ruralização da plebe" servia de fundamento material seja para a concentração de renda e de poder nas mãos dos nobres, seja para a "urbanização parcial" de seus próprios estilos de vida. No contexto histórico-social da colônia, ambos os efeitos das "tradições agrárias portuguesas" se agravaram e se intensificaram, porque não existia aqui – nem podia existir sob o regime colonial imposto pela Coroa – nenhuma cidade que interpusesse, entre os senhores, os escravos e os brancos livres dependentes, uma burguesia insatisfeita e com condições de crescente autoafirmação social. Por conseguinte, embora a vila e a cidade exprimissem os padrões de cultura de uma "civilização agrária", as fontes de seus limitados dinamismos urbanos se achavam na própria organização estamental e escravista da sociedade colonial.

Isso nos levou a designar a aglomeração urbana mais complexa, que apareceu sob o signo da colonização espoliativa e se manteve, ao longo do tempo, porque as chamadas "estruturas coloniais" não desapareceram juntamente com o regime colonial, de cidade tradicional. Não pretendíamos, com essa particularização conceitual, caracterizar esse tipo de cidade em termos de um suposto tradicionalismo. O tradicionalismo existia e dava um colorido especial aos estilos de vida de todas as camadas sociais. Entretanto, o mundo colonial brasileiro (e, posteriormente, o mundo imperial) conhecia vários tradicionalismos. Havia um denominador comum, fornecido pela configuração de cultura dominante aglutinativa, que era a cultura transplantada de Portugal. Além disso, os vários tradicionalismos ligavam-se estruturalmente em um ponto, que eram as formas de dominação patrimonialista e estamental, que definiam (tradicional ou legalmente) as possibilidades de mando e os deveres de obedecer. Mas o tradicionalismo assim compreendido era algo universal e não separava, senão imperceptivelmente, o "campo" da "cidade". O que havia de específico na cidade que chamamos de tradicional não era o tradicionalismo levemente atenuado que nela tinha vigência. Mas o apinhamento de funções urbanas, que emanavam da concentração ecológica, econômica e burocrática de certas atividades centrais nesse tipo de cidade (ela tinha de operar, em maior ou menor grau e provisória ou permanentemente, como centro de organização administrativa e política de dominação metropolitana, como entreposto comercial, como centro religioso e educacional, como núcleo de intensificação da vida social e meio por excelência de polarização do estilo de vida conspícuo da aristocracia, etc.). E, em segundo lugar, o fato de que esse apinhamento de funções urbanas diversas não continha, em si mesmo, os germes de uma revolução urbana propriamente dita. A cidade em questão pode ser chamada de tradicional, portanto, porque traduzia o cosmos material e moral da sociedade colonial: tinha reduzidas possibilidades de influenciá-lo, através de suas funções urbanas ou urbanizadoras; em contrapartida, não possuía meios para resguardar essas funções de suas influências sociodinâmicas, que faziam dela uma fronteira histórica do campo e, ao mesmo tempo, a cidadela em que eclodiam ou se resolviam os pequenos e os grandes interesses do mundo colonial. Nesse sentido, a cidade tradicional era um elo do campo com o interior e com o exterior da colônia. Tanto podia condensar os interesses "locais" ou "regionais" por natureza nativos ou nativistas quanto podia organizar os interesses colonizadores, através da Coroa e de seus prepostos ou dos agentes particulares da colonização. Doutro lado, ele selecionava, assimilava e redistribuía o fluxo de modernização, compatível ou com o regime colonial ou com as formas de dominação patrimonialista. Tudo isso quer dizer que ela era tradicional por suas vinculações estruturais e dinâmicas com a ordem estamental e escravista da sociedade colonial.

A duração da cidade tradicional surge como um fenômeno à parte. Nos termos em que ela é caracterizada aqui, ela é um "produto histórico", mas também se apresenta como uma "configuração estrutural típica". Ela sobreviveu ao mundo colonial por várias razões, que não podem ser debatidas aqui. A mais importante consiste na preservação e no fortalecimento das estruturas econômicas, sociais e culturais da colônia, após a emancipação política. Mas também precisa ser levado em conta que, sob o chamado complexo socioeconômico agrário-exportador – em regime escravista ou de trabalho livre –, o meio sociocultural jamais libertou esse tipo de cidade das amarras que a prendiam à tutelagem direta ou indireta do campo. Por isso, durante a expansão do café, mesmo sob a égide da República, muitas cidades "novas" nasciam e se desenvolviam segundo esse modelo primordial arcaico. Cidades que prendiam o homem ao horizonte cultural rústico e ao conservantismo prepotente como estilo de vida. Não obstante, na superfície ostentavam vários traços demográficos, econômicos ou socioculturais da vida urbana. O congestionamento urbano da paisagem, portanto, não indica, por si mesmo, os novos rumos da história. Estabelece, apenas, um indício do como as funções urbanas se comprometem, regionalmente, com os interesses e os valores de vilas, fazendas e pequenas comunidades nuclearmente rústicas.

Como capítulos anteriores reúnem leituras que esclarecem diferentes facetas do processo pelo qual chegamos à consolidação e à universalização da cidade tradicional, demos preferência a textos que permitem esclarecer, sociologicamente, certas questões centrais. A passagem de F. de Azevedo dá um balanço histórico-sociológico de como se expande esse tipo de cidade, sob o impulso da transferência da corte, da emancipação política e do desenvolvimento socioeconômico posterior. Como julgamos que as formações mais recentes evidenciam o que é típico de forma ainda mais clara que as formações mais antigas, escolhemos para exemplificar a cidade tradicional descrições que se referem a aglomerações humanas de atingiram o clímax de sua evolução urbana primordial sob os efeitos da expansão do café. Daí as seleções concatenadas: as abordagens penetrantes de L. Herrmann, que cortam longitudinalmente os vários momentos estruturais da expansão de uma das mais típicas e importantes cidades tradicionais; a descrição de O. Nogueira da estratificação de uma dessas cidades na época histórica em que elas começam a ser estruturalmente afetadas pela revolução urbana propriamente dita; a análise de E. Willems, que focaliza a cidade tradicional como cenário do entrechoque de forças conservadoras e modernizadoras, que ela não pode controlar e orientar. Esses três textos devem ser aproveitados em duas direções diferentes. Primeiro, para ilustrar as estruturas urbanas típicas e as variações possíveis da cidade tradicional. Segundo, para sugerir as linhas da crise da cidade tradicional (ou ela é transcendida pelo aumento demográfico, pelo crescimento econômico interno e pelo desenvolvimento socioeconômico do meio regional ou nacional; ou ela se debate com as insuficiências de sua estrutura urbana, como se tivesse uma "vida urbana morta"). Por fim, a última leitura procura levantar problemas de percepção e de consciência da realidade pelos agentes humanos na cidade tradicional. Aproveitamos um texto de M. Harris sobre relações raciais, porque não dispúnhamos de descrições, igualmente penetrantes, que incidissem sobre a estratificação socioeconômica. Os professores poderão levantar problemas decorrentes desse tipo de análise.

A complementação dessas leituras pode obedecer a diferentes centros de interesses didáticos. Em nosso entender, as leituras arroladas nos dois capítulos anteriores compõem um sistema de referência completo. Todavia, o professor pode ter interesse em aprofundar as variações. Nesse caso, duas leituras curtas, mas sugestivas poderiam ser recomendadas: L. T. Medeiros, *O processo de urbanização no Rio Grande do Sul* (Porto Alegre: Faculdade de Filosofia da Universidade do Rio Grande do Sul, 1959, p. 38-55, "A cultura nas cidades gaúchas"); T. de Azevedo, *Ensaios de antropologia social* (Salvador: Publicação da Universidade da Bahia, 1959, p. 105-129, "Classes sociais e grupos de prestígio" na cidade de Salvador). Se houver maior empenho em aprofundar certos aspectos da cidade tradicional, como sua organização ecológica ou as funções de certas instituições-chave, como a família, o melhor seria retomar uma das obras selecionadas (como O. Nogueira, *Família e comunidade*, p. 205-223 e 236-283, respectivamente). No que respeita às potencialidades de absorção de influências modernizadoras recentes pela cidade tradicional (como a industrialização, por exemplo) e seu impacto sobre as relações de acomodação e de conflito, as contribuições mais recomendáveis são as de J. B. Lopes (*Crise do Brasil arcaico*. São Paulo: Difusão Europeia do Livro, 1967, esp. p. 19-43; e *Sociedade industrial no Brasil*. São Paulo: Difusão Europeia do Livro; Editora da USP, 1964, esp. p. 145-161).

V. A cidade moderna

A cidade ocidental típica não é apenas um "fenômeno urbano". M. Weber já demonstrou, em análise justamente famosa, que ela requer condições materiais, racionais e morais que são específicas da civilização criada pelo desenvolvimento do capitalismo moderno.

Vendo-se as coisas desse ângulo, é claro que o Brasil colonial não possuía um *background* demográfico, econômico e institucional para alimentar socialmente esse tipo de cidade. Somente depois da transferência da corte, da emancipação política e de processos socioeconômicos posteriores de integração nacional é que surge esse produto tardio da evolução da sociedade brasileira.

A primeira cidade brasileira verdadeiramente moderna, na acepção em que ela poderia ser tomada em confronto com os padrões urbanos específicos da civilização associada ao capitalismo, à sociedade de classes e às formas correspondentes de ordenação da vida política, é a cidade do Rio de Janeiro. Essa cidade não só ilustra, de modo quase exemplar, como se deu a transição da "cidade tradicional" para a "cidade moderna" no Brasil. Ela também indica: 1º) o que representou, em termos histórico-sociológicos, a urbanização numa sociedade em que a economia de mercado capitalista foi condicionada e inibida por uma ordem social escravocrata e senhorial; 2º) em que consistiu a revolução urbana, que se operou através da desagregação dessa ordem social, da formação concomitante de uma economia de mercado puramente capitalista e da desintegração do antigo tipo de "cidade indiferenciada".

A evolução da cidade do Rio de Janeiro, durante o século XIX, confirma o ponto de vista sociológico segundo o qual não é a cidade, como e enquanto tal, que gera as forças de sua diferenciação, de sua transformação e de sua reintegração. De início, foi a eclosão da economia de mercado capitalista de estilo moderno que desencadeou os vários processos demográficos, econômicos e sociais que criaram um novo padrão e novos ritmos de urbanização. A incorporação direta ao mercado internacional originou a absorção de técnicas, valores e instituições sociais por meio dos quais se reorganizou tanto a economia quanto o espaço urbano e suas funções. Desenrolou-se, assim, um longo e profundo processo de modernização, que, malgrado suas intermitências e suas crises, aproximou as concepções sobre o "estilo urbano de vida" e de "organização das cidades" dos modelos fornecidos pela civilização ocidental moderna. No entanto, embora a urbanização lançasse raízes no aumento da população, no crescimento econômico e na modernização institucional, o seu impulso revolucionário nascia na esfera do político. De um lado, porque a emancipação política envolveu os estamentos senhoriais, dominantes ou intermediários, nas estruturas de poder da nação emergente. Isso significou uma ruptura com o passado: as cidades tornaram-se os núcleos estratégicos de ordenação da vida política, legal e administrativa. Os centros de interesses desses círculos sociais continuaram polarizados no campo. Mas passaram a se organizar, estrutural e dinamicamente, a partir e através das cidades. A intensidade desse fenômeno, naturalmente, foi maior no Rio de Janeiro, sede da corte portuguesa ou do reinado depois do Primeiro e Segundo Império. De outro lado, porque a urbanização não repousava, numa sociedade escravista e dinamizada através de uma economia de exportação de produtos tropicais, em processos análogos aos que ocorreram no decorrer dos séculos XVIII e XIX na Europa. Em vez de ganhar intensidade e amplitude graças aos efeitos da modernização da economia agrária e dos grandes movimentos de populações internas, ela se intensifica gradualmente, através de duas influências específicas, praticamente monopolizadas pelo setor urbano. Primeiro, a localização urbana do "polo moderno da economia interna" fez com que a cidade absorvesse, dinamicamente, os excedentes produzidos pelo crescimento econômico da grande lavoura. Segundo, a tendência a definir os meios e os fins da integração nacional a partir desse mesmo "polo moderno da economia interna" conduziu à mais completa hegemonia da cidade sobre o campo. Nesse contexto, a urbanização configurou-se como um processo histórico-social tumultuoso, desorientado e incontrolável. Como o demonstra a evolução do Rio de Janeiro, atingido esse patamar irreversível, no qual a cidade moderna passa a monopolizar o comando e os proventos do desenvolvimento econômico interno e da integração nacional, a revolução urbana converte-se numa realidade histórica. A cidade cresce sem cessar, avassaladoramente, desequilibrando-se e aumentando o desequilíbrio da sociedade nacional. Torna-se uma metrópole de baixos padrões urbanísticos vencida pelos efeitos sociopáticos de seu congestionamento demográfico e das contradições existentes entre a concentração urbana e a concentração social da renda, do prestígio social e do poder. A riqueza e o poder são canalizados para a grande cidade. As massas, porém, comprimem-se em pequenos espaços e enfrentam a vida em um permanente limiar sub e pré-urbano, condenadas a padrões de ganho e de consumo que não garantem senão formas mais ou menos cruas de mera subsistência.

Apesar de o Rio de Janeiro ser a mais típica cidade moderna brasileira (e, ao mesmo tempo, a que alcançou, até o presente, melhores recursos urbanísticos e urbanização relativamente mais homogênea das concepções do mundo, dos estilos da vida ou da região metropolitana), preferimos agrupar as leituras recomendadas em torno da cidade de São Paulo. As razões dessa escolha são simples. São Paulo foi a primeira cidade brasileira cruamente "burguesa". Ela emergiu tardiamente da condição de cidade tradicional e evoluiu na direção da cidade moderna tão depressa que ostenta, mais que o Rio de Janeiro, o caminho "normal" que as demais cidades irão trilhar, enquanto prevalecer o padrão de urbanização e o tipo de revolução urbana mencionados anteriormente. Por fim, ela combina dois componentes essenciais, que não se apresentam com igual intensidade no Rio de Janeiro: a massa de imigração estrangeira e o modo de sua substituição por correntes migratórias nacionais; a extensão e o ritmo da industrialização. Nesse sentido, ela revela melhor seja as influências dinâmicas que associam a urbanização à revolução burguesa; seja as deficiências crônicas de grande cidade criada sob o capitalismo dependente; seja o futuro próximo ou remoto desse modelo predatório de urbanização.

Não foi fácil escolher as leituras, que poderiam ser recomendadas em termos de critérios didáticos. Doutro lado, o espaço disponível não comporta o arrolamento das leituras que poderiam cobrir os vários aspectos, que já são mais ou menos conhecidos documentadamente, da evolução sugerida. Entretanto, J. Wilheim traça um panorama sintético do processo, visto da perspectiva do urbanista, que permite pelo menos situar certas tendências fundamentais da transição para a grande cidade e para a metropolização. J. C. Pereira expõe as fases por assim dizer estruturais da industrialização. P. Petrone sugere, pela descrição geográfica da paisagem, os quadros atuais da metrópole. O texto de R. Bastide foi introduzido apenas para suscitar um confronto, que deve ser aprofundado pelo professor, já que não se poderia ignorar as diferenças ou as dessemelhanças existentes entre Rio de Janeiro e São Paulo. Por fim, a passagem de P. Singer foi selecionada como um recurso para se pôr em discussão, didaticamente, o problema da evolução urbana de São Paulo sob o regime econômico, social e político vigente.

A complementação dessas leituras depende, naturalmente, dos critérios didáticos e dos problemas sociológicos a serem explorados pelo professor. Além da bibliografia indicada adicionalmente no capítulo anterior (parte pertinente a São Paulo), recomendaria leituras suplementares em várias direções simultâneas. Se houver interesse em aprofundar ou alargar a discussão dos fenômenos urbanos, seria pelo menos conveniente explorar duas contribuições: P. P. Geiger e F. Davidovich, "Aspectos do fato urbano no Brasil" (*Revista Brasileira de Geografia e Estatística*, Rio de Janeiro, ano XXIII, n. 2, abr.-jun. 1961, p. 263-360); e P. P. Geiger, *Evolução da rede urbana brasileira* (Rio de Janeiro: Centro Brasileiro de Pesquisas Educacionais, 1963). Outra alternativa didática relevante seria a de explorar mais a fundo alguns estudos sobre São Paulo (é de notar, em especial, que não foram indicadas leituras que apreendam as influências da imigração estrangeira ou relatem aspectos ecológicos essenciais da organização espacial da grande cidade). Uma obra que merece exploração cuidadosa é, sem dúvida, *A cidade de São Paulo*, organizada por A. de Azevedo e publicada pela Companhia Editora Nacional (São Paulo, 1958, 4 v.) da qual foi extraído o texto do professor Petrone. Na mesma linha, dever-se-ia considerar: P. Monbeig, *La Croissance de la ville de São Paulo* (Grenoble: Institut et Revue de Géographie Alpine, 1953); A. de Azevedo, *Subúrbios orientais de São Paulo* (São Paulo: Faculdade de Filosofia, Ciências e Letras da USP, 1945); Departamento de Geografia, *Pinheiros: aspectos geográficos de um bairro paulistano* (São Paulo: Editora da Universidade de São Paulo, 1963). Como contribuição sociológica à ecologia urbana da cidade: L. Hermann, "Estudo do desenvolvimento de São Paulo através da análise de uma radial: a Estrada do Café (1935)" (*Revista do Arquivo Municipal*, São Paulo, ano X, v. XCIX, nov.-dez. 1944, p. 7-44, com várias fotos fora do texto). Quanto ao padrão de composição demográfica e aos vestígios da influência estrangeira, esp. S. H. Lowrie, *Imigração e crescimento da população no estado de São Paulo* (São Paulo: Escola Livre de Sociologia e Política, 1938) (essa leitura poderá, naturalmente, ser atualizada com o estudo de J. R. de Araújo Filho, "A população paulistana", em A. de Azevedo (Org.), *A cidade de São Paulo*, col. II, p. 167-247; e pelo estudo das camadas migrantes de origem nacional de V. Unzer de Almeida e O. T. Mendes Sobrinho, *Migração rural-urbana: aspectos da convergência de população do interior e outras localidades para a capital do estado de São Paulo*. São Paulo: Secretaria de Agricultura, 1951). Para colocar a metropolização de São Paulo em uma perspectiva histórica: cf. R. M. Morse, *De comunidade a metrópole,* p. 216-304. Alguns aspectos isolados, que seriam importantes para caracterizar a cidade de São Paulo sociologicamente: as deficiências do padrão de urbanismo desenvolvido (cf. F. Fernandes, "O homem e a cidade-metrópole", *Mudanças sociais no Brasil,* p. 266-286); o comportamento político do operário (em termos eleitorais ou de interesses de classe: esp. A. Simão, "O voto operário em São Paulo", *Anais do I Congresso Brasileiro de Sociologia*. São Paulo: Sociedade Brasileira de Sociologia, 1955, p. 201-214; M. Lowy e S. Chucid, "Opiniões e atitudes de líderes sindicais metalúrgicos", *Revista Brasileira de Estudos Políticos*, Belo Horizonte, n. 13, 1962, p. 132-169; L. M. Rodrigues, *Conflito industrial e sindicalismo no Brasil*. São Paulo: Difusão Europeia do Livro, 1966, parte sobre greves operárias em São Paulo, p. 51-102; A. Simão, *Sindicato e estado: suas relações na formação do proletariado de São Paulo.* São Paulo: Dominus Editora; Editora da USP, 1966, cap. 3, sobre os conflitos coletivos de trabalho; A. Touraine, "Industrialisation et conscience ouvrière à São Paulo", *Sociologie Du Travail*, Paris, n. 4, 1961, p. 77-95); as orientações econômicas e políticas dos empresários industriais (F. H. Cardoso, *Empresário industrial e desenvolvimento econômico*. São Paulo: Difusão Europeia do Livro, 1964, cap. V); a mobilidade entre gerações sucessivas (B. Hutchinson, *Mobilidades e trabalho: um estudo da cidade de São Paulo*. Rio de Janeiro: Centro

Brasileiro de Pesquisas Educacionais, 1960, esp. p. 207-229); orientação de comportamento e valores ideais entre professores primários (esp. L. Pereira, *O magistério primário numa sociedade de classes: estudo de uma ocupação em São Paulo*. São Paulo: Livraria Pioneira Editora, 1969, esp. caps. 3-5); polarizações ideais, ocupacionais e políticas dos estudantes universitários (M. Mencarini Foracchi, *O estudante e a transformação da sociedade brasileira*. São Paulo: Companhia Editorial Nacional, 1965, segunda parte, *passim*); acomodação e conflito nas relações raciais (esp.: R. Bastide e F. Fernandes, *A integração do negro à sociedade de classes*, *passim*). Por fim, no plano didático ainda seria possível: ampliar a discussão dos paralelismos entre Rio de Janeiro e São Paulo (esp. P. E. James, "Rio de Janeiro and São Paulo", *Geographical Review*, n. 23, 1933, p. 271-278); selecionar um trabalho sobre o setor pobre das populações urbanas (recomendaria, no caso, J. Arthur Rios e colaboradores, *Aspectos humanos da favela carioca*, suplemento especial de *O Estado de S. Paulo*, 13 abr. 1960 e 15 abr. 1960); comparação dos padrões de crescimento econômico e de desenvolvimento urbano de várias cidades brasileiras (São Paulo, Blumenau, Porto Alegre, Belo Horizonte e Recife), cf. P. Singer, *Desenvolvimento econômico e evolução urbana* (nesse caso as bibliografias de cada capítulo poderiam fornecer novas indicações de leituras complementares). A esses tópicos, conviria acrescentar a experiência urbana mais recente e mais discutida do Brasil: a implantação e a situação de Brasília (recomendaríamos J. Pastore, *Brasília: a cidade e o homem: uma investigação sociológica sobre os processos de migração, adaptação e planejamento urbano*. São Paulo: Companhia Editora Nacional, 1969; nessa obra o professor encontrará outras indicações bibliográficas, p. 125-130).

Segunda parte: A sociedade

I. *A sociedade tribal*

As investigações etnológicas conheceram uma rápida expansão recentemente e, ao mesmo tempo, sofreram profunda mudança empírica e teórica. As aglomerações foram consideradas, no passado, mas até época recente, ao nível da organização dos grupos locais. Os problemas teóricos, quando surgiam, ou fugiam ao contexto da ordem tribal considerada (como no caso de análises comparativas explícitas ou implícitas, mais interessadas na natureza da religião, nas funções "universais" dos mitos, na evolução real ou presumível do status do pajé, etc.), ou eram interpretados em um plano puramente descritivo. Em regra, o grupo local tendia a ser encarado como unidade total, mas isolada. Quando muito, apenas conexões mais concretas, transparentes nas relações de troca, de conflito ou entre parentelas de grupos locais distintos, encontravam alguma focalização mais ampla. Essa orientação passou a se alterar no quadro das problemáticas teóricas que foram desenvolvidas por etnólogos e sociólogos brasileiros graças às influências do "funcionalismo", do "difusionismo" e, mais recentemente, do "estruturalismo". A integração em plano regional e a comparação com vistas à abstração de diferenças específicas começaram a ser mais exploradas por H. Baldus e investigadores que trabalharam sob sua orientação. C. Lévi-Strauss, por sua vez, iniciou investigações de curta duração e de pequeno alcance empírico, mas ricas de consequências teóricas, por projetarem as explicações das sociedades tribais no nível da análise e da interpretação de modelos. Por fim, C. Wagley, M. Harris e E. Galvão acentuaram e aprofundaram a investigação em escala regional, em termos brasileiros ou latino-americanos, sendo o último o pioneiro de uma orientação que tenta compreender a sociedade tribal no contexto do contato com o "mundo civilizado" e a expansão das fronteiras nacionais. Essa orientação encontrou seus principais expoentes e teóricos, em seguida, em D. Ribeiro e em R. C. de Oliveira. Na verdade, R. C. de Oliveira e seus colaboradores elaboraram os projetos de investigação mais ambiciosos, que nos mostram os indígenas nas malhas de sua incorporação típica à "sociedade nacional".[6]

---

[6] O plano empiricamente mais amplo e teoricamente mais consistente é exposto por R. C. de Oliveira em "Subsídios a um estudo comparativo do desenvolvimento regional" (Ed. mim., Museu Nacional, 1969). Esse plano tem o grande mérito de tirar a etnologia do estado de paroquialismo em que ela se encontrava no Brasil, isolada dos centros de interesses teóricos das outras ciências sociais, tal como eles vêm se desenvolvendo em nosso país. Doutro lado, os frutos dessa orientação aparecem em várias obras já publicadas, como: R. C. Oliveira (*Urbanização e tribalismo: a integração dos índios Terena numa sociedade de classes*,

Para introduzir os estudantes nos problemas da organização e mudança dos vários tipos de ordem tribal existentes no Brasil, recomendamos três leituras básicas. D. Maybury-Lewis caracteriza, sinoticamente, um desses tipos de ordem tribal. Preferimos esse texto porque ele toma por objeto tribos do grupo linguístico Ge, de grande importância na etnologia brasileira depois das investigações de K. U. Nimuendaju; e por causa da consistência, rigor e elegância de suas análises interpretativas. Os excertos de E. Schaden situam os mecanismos de reação tribal (e, portanto, de preservação e de mudança da ordem tribal) em um contexto no qual a pressão étnica da "sociedade nacional" e a assimilação intertribal são forças dinâmicas simultâneas. Em nossa opinião, não existem mais refúgios para os remanescentes das aglomerações indígenas. C. Lévi-Strauss já demonstrou, através de seu estudo sobre os nambiquaras,[7] que não sobre-existem condições demográficas, psicossociais e culturais para a operação eficaz dos mecanismos tribais de controle de solidariedade e de autopreservação coletiva. Nas atuais circunstâncias, as alternativas de sobrevivência ligam-se às oportunidades de incorporação ativa dos indígenas à ordem social criada pela expansão da sociedade nacional, nas áreas ou regiões de fricção interétnica (já mencionamos, a esse respeito, as conclusões de R. C. de Oliveira, que evidenciam as potencialidades da ordem tribal para enfrentar o período de transição nas condições forjadas pelo contato direto). Sob esse aspecto, o isolamento espacial (parcial ou completo) constitui uma forma de acomodação relativamente mais perigosa e destrutiva que o intercâmbio regular. Todavia, é deveras importante conhecer os mecanismos intertribais que ele desencadeia. É que, nesses mecanismos, acham-se as evidências para se saber se os grupos indígenas possuem ou não meios autóctones para se preservar

---

O índio e o mundo dos brancos: a situação dos Tukúna do Alto Solimões. São Paulo: Difusão Europeia do Livro, 1964; *O processo de assimilação dos Terena*. Rio de Janeiro: Museu Nacional, 1960); R. de Barros Laraia e R. da Matta (Índios e castanheiras: a empresa extrativa e os índios no médio Tocantins. São Paulo: Difusão Europeia do Livro, 1967); J. C. Melatti (Índios e criadores: a situação dos *Krahú na área pastoril dos Tocantins*. Rio de Janeiro: Instituto de Ciências Sociais da UFRJ, 1967).

[7] LÉVI-STRAUSS, Claude. *La Vie familiale et sociale des indiens Nambikwara*. Separata de *Journal de La Société des Américanistes*, Paris, Musée de l'Homme, 1948.

demográfica, cultural e socialmente. A outra passagem de D. Ribeiro põe ênfase no padrão de reação da sociedade nacional; a pressão assimilacionista não deixa alternativas muito amplas. Ela se orienta para a quebra das identificações psicossociais de natureza tribal e para a destribalização como objetivo final. Pode-se presumir, à luz dessa análise (que consideramos empiricamente rigorosa e teoricamente irrefutável), que o êxito dos indígenas em "contato direto e permanente" com a civilização é transitório. À medida que se intensificar a pressão étnica da sociedade nacional, a ordem tribal e seus portadores estarão condenados à diluição em outras estruturas e ao desaparecimento como entidades autônomas. Essa possibilidade não invalida os resultados empíricos e as conclusões teóricas de T. C. de Oliveira e seus colaboradores. Ao contrário, tais conclusões sugerem que os mecanismos socioculturais reativos, que eles estudaram, operam em dadas condições da situação de contato; e que é preciso que se evolua, rapidamente, para uma política demográfica, econômica e cultural de assistência ao indígena, que vise à defesa da "herança tribal" em suas confluências inevitáveis com a sociedade de classes, a integração nacional e a "civilização".

Quanto à bibliografia adicional, em havendo interesse didático, seria conveniente explorar sistematicamente as possibilidades interpretativas abertas pelas contribuições de R. C. de Oliveira, R. de Barros Laraia, R. da Matta e J. C. Melatti.[8] A elas acrescentaria: E. Galvão, "Estudo sobre a aculturação dos grupos indígenas no Brasil" (*Revista de Antropologia*, São Paulo, v. 5, n. 1, jun. 1957, p. 67-74; trabalho apresentado originalmente na 1ª Reunião Brasileira de Antropologia, realizada no Rio de Janeiro em 1953); J. B. Watson, *Cayuá Culture Change: a Study in Acculturation and Methodology* (Andover, Massachusetts: Memoir 73, 1952); H. Baldus, "Métodos e resultados da ação indigenista no Brasil" (*Revista de Antropologia*, São Paulo, v. 10, n. 1 e 2, jun.- dez. 1962, p. 27-42; contém ampla bibliografia); J. Steward, "Acculturation Studies in Latin America: some Needs and Problems" (*American Anthropologist*, N. S., v. 45, n. 42, Apr.-June 1943, p. 198-206). Doutro lado, com referência aos índios tupis, as

---

[8] Vejam-se referências bibliográficas na nota 37.

minhas próprias análises levam em conta o padrão de integração da ordem tribal e os mecanismos de reação à conquista: F. Fernandes, *A organização social dos tupinambá*, p. 350-355; *A função social da guerra na sociedade tupinambá*, esp. p. 369-370 (em geral: todo o livro segundo): *Mudanças sociais no Brasil*, cap. XI (p. 287-343. Conviria ajuntar a essas leituras a análise de A. Métraux sobre a influência aculturativa dos jesuítas (cf. "Le Caractère de la conquête jésuitique. *Acta Americana*, v. 1, n. 1, jan.-mar. 1943, p. 69-82).

II. *A sociedade estamental e de castas*

O *período colonial* e o *período imperial*, com seus desdobramentos históricos, subordinavam-se estrutural e dinamicamente, do ponto de vista sociológico, ao mesmo padrão societário de integração da ordem social. Isso não quer dizer que não tenham ocorrido profundas transformações nas estruturas sociais econômicas e políticas, que se constituíram através da conquista, da colonização e da independência. Mas, estritamente falando, que as transformações se deram sob os marcos históricos e o modelo estrutural-funcional de um mesmo tipo de ordem social. Esse fato não foi devidamente compreendido, até hoje, porque se tentou pintar as fases formativas da sociedade nacional brasileira através de falsas ilusões patrióticas, as quais engendraram um finalismo infantil e compensatório, que penetra até as melhores tentativas de "interpretação" do Brasil.

É praticamente impossível reunir nesta introdução todos os esclarecimentos globais que seriam necessários para a adequada localização sociológica dos textos selecionados e para a utilização racional das leituras suplementares.[9] Limitando-nos ao essencial, três pontos precisariam ser mencionados (e aprofundados pelo professor, nas discussões de seminário e no aproveitamento dos materiais didáticos, selecionados ou sugeridos).

O primeiro ponto se refere ao tipo de ordem social que se constituiu através da colonização portuguesa. Apesar das experiências prévias dos portugueses com a grande lavoura e com a escravidão, o

---

[9] A mesma limitação existe quanto às introduções dos dois capítulos subsequentes. O espaço não permite ir além de certas indicações interpretativas mais importantes.

sentido, a natureza e as proporções do empreendimento colonial foram determinados pelas circunstâncias e possibilidades da incorporação do Brasil ao sistema de exploração colonial. De um lado, o Brasil não dispunha de "produtos tropicais" ou de "riquezas" que pudessem ser pilhadas através de expedientes militares. De outro, Portugal não dispunha de *background* econômico e demográfico para converter-se, autonomamente, em uma Metrópole imperial. Em consequência, a seleção de produtos agrícolas e, mais tarde, da mineração, impunha esquemas de ocupação humana, de exploração organizada e de comercialização que transcendiam às possibilidades dos colonizadores. A Coroa portuguesa teve de admitir a associação com interesses econômicos e financeiros externos (aos poucos predominantemente concentrados em torno do mercado holandês) e de evoluir para uma política colonial rígida. Embora as populações nativas não contassem com recursos e meios para impor soluções alternativas e, passadas as fases mais cruentas da Conquista, não causassem embaraços sérios,[10] a ordenação das relações econômicas e sociais fazia parte dessa política colonial. Nesse plano, os interesses da Coroa e os dos colonos eram coincidentes. A extensão territorial da Colônia, por sua vez, contribuía para intensificar a rigidez da política colonial e para estreitar ainda mais a referida convergência de interesses, já que muitos fatores de desagregação ameaçavam permanentemente a unidade do sistema colonial e o seu controle pela Coroa (a importância desses fatores varia com a época histórica; os principais fatores, já esclarecidos pelas investigações históricas, são os seguintes: a eclosão de tentativas de expulsão dos colonizadores por populações nativas coligadas; os conflitos com outras potências europeias, empenhadas em adquirir uma

---

[10] É preciso assinalar que a resistência indígena organizada foi violenta nas fases da expropriação territorial e de apresamento. Doutro lado, esse padrão de resistência não desapareceu de uma vez. Como as populações indígenas se protegiam pela mobilidade espacial e pelo isolamento depois de vencidas, ocorria um constante deslocamento das fronteiras com os indígenas e com o sertão. Por isso, os episódios da época da Conquista repetiam-se a cada fase da expansão, o que continuou a ocorrer mesmo posteriormente, até que se esgotaram as funções protetivas da mobilidade espacial e o isolamento passava a combinar-se com alguma forma bem definida de submissão às autoridades, serviços de aldeamento e às populações brancas ou mestiças.

posição colonial em territórios brasileiros; a propensão dos colonos pobres a rejeitarem formas de dominação a que se julgavam imunes no meio colonial e das quais podiam escapar com maior ou menor facilidade; a rebeldia dos mestiços de colonos com mulheres nativas ou, mesmo, de parentelas inteiras, contra a monopolização do poder pelos colonos de "sangue limpo" ou pelos "reinóis"; a frustração que fustigava as povoações coloniais postas à margem da expansão dos engenhos ou suas meras subsidiárias). Portanto, sob a ebulição aparentemente caótica de populações em constante deslocamento, em miscigenação e em luta, e sob o pano de fundo da criação de um mundo social novo, a partir de controles pessoais e diretos ou por meio dos mecanismos burocráticos e políticos institucionalizados, os colonos portugueses — que se consideravam ou eram considerados "nobres" ou "gente de prol" — e a Coroa impunham, com intransigência e até pela violência, o padrão de ordem social transplantado. Se esse padrão de ordem social se desintegrasse, perdendo parcial ou totalmente sua eficácia, com ele ruiria, simultaneamente, toda a política colonial, com o que ela representava para os interesses dos colonos poderosos e para a Coroa. Em suma, o antigo sistema colonial seria minado de dentro para fora, desagregando-se e dando origem a uma sociedade de homens livres.

O segundo ponto que precisa ser ventilado diz respeito às transformações sofridas por esse tipo de ordem social. Tanto no plano tradicional quanto no plano legal e político-administrativo, a rigidez da colonização portuguesa se manifestou através da defesa das instituições transplantadas e, em particular, dos interesses sociais, econômicos e políticos que se ocultavam atrás delas. A colonização não emergiu, em Portugal, como uma resposta à pressão demográfica ou a conflitos sociais irredutíveis. Ela fazia parte de empreendimentos que inseriam a Coroa, os estamentos nobres e dos negociantes urbanos em projetos comuns de expansão ultramarina (de início, concebidos como simples pilhagem; em seguida, definidos segundo modelos de expropriação colonial que envolviam formas organizadas de troca, de tráfico e de produção). Por isso, as colônias se constituem como "colônias de exploração" e se organizam segundo o modelo de ordem social que podia privilegiar, ao máximo, os interesses e o poder da Coroa e dos nobres ou dos comerciantes, o qual era o da própria ordem societária imperante em Portugal. Todavia, as proporções demográficas do país não permitiam impulsionar a expansão colonial através de uma revitalização da servidão em massa do próprio branco. A principal transformação do padrão português de ordem social ocorre como diferenciação por aglutinação: à estratificação estamental, que ordenava as relações dos brancos colonizadores, agrega-se uma camada servil, de escravos nativos ou africanos, que preenchia estrutural e dinamicamente as funções equivalentes de uma casta. Essa evolução se opera no decorrer do século XVI e se estabiliza no século XVII. A sociedade colonial tornou-se, portanto, uma sociedade cuja ordem social se compunha, nuclearmente, de vários estratos de homens livres, cujos direitos, deveres e estilo de vida eram regulados estamentalmente, e de vários agregados de escravos. No conjunto, a linha de castas passava entre os estratos estamentais da "gente de prol", ou seja, senhoriais, e os agregados de escravos. Os homens livres (brancos, mestiços ou nativos), que não se classificavam socialmente em algum dos estratos estamentais, compunham uma plebe marginalizada econômica, cultural e socialmente. Doutro lado, como a escravidão se impunha, organizava e expandia como "instituição econômica", o núcleo de condensação das relações entre o senhor e o escravo passava a ser o *domus* (ou seja, o domínio senhorial, que incorporava a grande lavoura escravista no modelo tropical da "plantação"). Por causa disso, foi através do domínio senhorial que a diferenciação estrutural por agregação estabilizou-se e integrou-se funcionalmente. O padrão de ordem societário perdeu substância, morfológica e dinamicamente, pela exclusão e marginalização dos estratos estamentais baixos (de "gente da plebe", que poderia ser ocupada em "serviços mecânicos"). Essa perda era compensada funcionalmente, pela incorporação dos escravos à ordem societária e pelo fortalecimento resultante de formas de dominação patrimonialista, que eram necessárias ao equilíbrio do domínio senhorial. Assim, a política colonial portuguesa repousava numa ordem societária que convertia o senhor e o escravo nos dois polos centrais da sociedade. A emancipação política não tocou nessa estrutura. O Brasil fornece um dos poucos exemplos de "nação emergente" nos quais a modernização institucional e a implantação do capitalismo se realizavam através de uma ordem social moldada para uma sociedade colonial.

O terceiro ponto que requer consideração relaciona-se com as épocas históricas dessa ordem societária típica. Sob as condições coloniais, o atrofiamento do regime estamental não afetava somente a plebe. O próprio senhor, nobre ou não, via-se excluído de status e papéis sociais que poderiam integrar suas prerrogativas de mando em escala horizontal. Na verdade, todo o processo apontado anteriormente transcorre simultaneamente à evolução da coroa como um Estado moderno centralizador e absolutista. O privilegiamento econômico e social dos estamentos senhoriais se fazia, no contexto do sistema colonial, a expensas do próprio poder da nobreza ou dos estamentos senhoriais. Por isso, os senhores possuíam todos os atributos e direitos ou deveres de um estamento senhorial. Mas não podiam agir coletivamente como nobreza ou estamento senhorial. Quando o faziam, tinham de fazê-lo em nome da coroa e como delegados da coroa (como seus funcionários, agentes ou mandatários, pouco importando, no caso, que tivessem nascido em Portugal ou no Brasil). Isso quer dizer que, sob o antigo regime colonial, a concentração social do poder esgotava-se dentro dos domínios e que, sob outros aspectos, o privilegiamento equivalia a uma pulverização do poder dos senhores como camada social. Se o domínio senhorial se organizasse segundo princípios feudais, isso seria irrelevante. De fato, porém, dada a rígida centralização legal, administrativa e política existente, os senhores se viam privados de qualquer forma de realização coletiva como estamento (onde isso sucedesse, esbarrariam com os interesses e o poder da coroa). Essa limitação desaparece com a emancipação política. Ao contrário, como a autonomia política foi obtida (e em parte conquistada) graças ao poder que os senhores possuíam através do domínio senhorial, a formação de um Estado nacional independente constituía uma forma de nativização das estruturas de poder centralizado, nos níveis legal, administrativo e político. Assim se explicam duas coisas importantíssimas. De um lado, porque a emancipação nacional não conduziu, de imediato, à destruição da ordem social herdada da colônia, mas ao seu fortalecimento e diferenciação. De outro, porque a emancipação nacional serviu de trampolim para a integração da dominação senhorial em plano horizontal, mais amplo da sociedade (local, regional e nacionalmente). Desaparecido o antigo regime colonial, desapareciam com ele as limitações impostas no plano social e político ao poder da camada senhorial. Esta se organiza em termos de seus interesses coletivos e utiliza a Nação para resguardar, fortalecer e ampliar o seu poder estamental. Às formas tradicionais ou legais de dominação patrimonialista acrescentam-se formas especificamente burocráticas e políticas de dominação social. Por esses motivos, a época de ouro da ordem social escravista e senhorial não é a que se associa aos períodos formativos, sob o antigo regime colonial. Mas a que se abre com a independência e com a consolidação do Império, no qual essa ordem social atinge o seu clímax, antes de entrar em declínio e na fase de colapso final.

As leituras disponíveis, por melhores que sejam, não nos dão conta, sociologicamente, de todos os aspectos essenciais da formação, desenvolvimento e desagregação da sociedade estamental e de castas no Brasil. Além disso, a limitação de espaço não permitiu aproveitar certos textos, que ampliariam e diversificariam, quando menos, o quando de referência histórico-sociológico. F. J. de Oliveira Viana fornece uma descrição um pouco idealizada, mas no essencial verdadeira do domínio rural. C. Prado Júnior situa a estrutura da sociedade colonial, com suas gradações e ambiguidades, sem qualquer recurso a categorias conceituais e interpretativas sistemáticas. Por isso, os excertos extraídos do seu livro podem ser extremamente úteis à discussão casuística, orientada sociologicamente. N. Duarte dá uma contribuição que ainda hoje é importante para a compreensão e a explicação das origens do Estado nacional independente e do controle de suas funções pelos estamentos senhoriais (embora algumas explicações precisem ser retificadas; ou careçam de fundamentação empírica). G. Freyre tem sido associado a interpretações "estáticas" da sociedade senhorial brasileira. Entretanto, ele se revelou sensível, como analista e intérprete, a feições estruturais tanto quanto a aspectos cambiantes dessa sociedade. O trecho selecionado mostra como ele focaliza atentamente certas tensões, que tinham raiz estrutural e acabaram minando e destruindo a sociedade estamental e de castas no Brasil. A passagem subsequente, de R. Bastide e F. Fernandes, procura caracterizar estruturalmente os padrões de relações raciais de uma sociedade escravista. Por fim, O. Ianni esboça um painel sumário dos fatores que articulam a desagregação da ordem social escravista e senhorial à formação da sociedade de classes no Brasil. Portanto, as leituras foram concatenadas em forma de arco-íris, oferecendo ao professor e ao estudante a passagem gradual de um polo a outro do *spectrum* da sociedade estamental e de castas, considerada estruturalmente e em sua projeção dinâmica na história.

Várias leituras que não puderam ser aproveitadas exigem aproveitamento mais ou menos intensivo. Quanto à colonização, ao sistema colonial e à estrutura da economia colonial, cf. esp. C. Prado Jr., *História econômica do Brasil* (2. ed. Editora Brasiliense, 1949, p. 21-31), e *Formação do Brasil contemporâneo*, p. 13-26; R. C. Simonsen, *História econômica do Brasil, 1500-1820* (São Paulo: Companhia Editora Nacional, 1937, 2 v., v. I, p. 119-142); F. A Novais, "O Brasil nos quadros do antigo sistema colonial" (em C. G. Mota (Org.). *Brasil em perspectiva*. São Paulo: Difusão Europeia do Livro, 1968, p. 55-71); C. Furtado, *Formação econômica do Brasil* (7. ed. São Paulo: Companhia Editora Nacional, p. 5-93). Para aprofundar a análise do domínio rural e suas vinculações com a expansão de uma "civilização agrária", cf. esp. S. Buarque de Holanda, *Raízes do Brasil* (2. ed. Rio de Janeiro: Livraria José Olympio Editora, 1948, p. 89-125); e G. Freyre, *Interpretação do Brasil* (trad. e int. de O. Montenegro. Rio de Janeiro: Livraria José Olympio Editora, 1947, p. 91-138). Alguns aspectos fundamentais, que poderiam ser explorados complementarmente por meio de novas leituras: 1) a escravidão como problema político (cf. esp. P. Beiguelman, *Pequenos estudos de ciência política*. São Paulo: Editora Centro Universitário, 1967, p. 15-47); 2) as influências dinâmicas da modernização (cf. esp. R. Graham, *Britain & The Onset of Modernization in Brazil, 1850-1914*. Cambridge: Cambridge University Press, 1968, p. 23-50); 3) a importância do desenvolvimento mercantil para a formação interna do excedente econômico (cf. esp. N. Werneck Sodré, *História da burguesia brasileira*. Rio de Janeiro: Civilização Brasileira, 1964, p. 112-133); 4) a situação dos homens livres no contexto histórico-social da grande lavoura (cf. esp. S. S. Stein, *Grandeza e decadência do café no Vale do Paraíba*. Trad. de E. Magalhães. São Paulo: Brasiliense, 1961, p. 141-157 e M. S. de Carvalho Franco, *Homens livres na ordem escravocrata*. São Paulo: Instituto de Estudos Brasileiros da USP, 1969, *passim*); 5) a imigração como força social e seu impacto na estrutura da grande lavoura (cf. esp. E. Willems, "Brasil", em O. Handlin, B. Thomas *et al.*, *Aportaciones positivas de los inmigrantes*. Paris: UNESCO, 1955, p. 130-158; E. Viotti da Costa, *Da senzala à colônia*. São Paulo: Difusão Europeia do Livro, 1966, esp. p. 65-123); 6) sobre o padrão demográfico de ordem escravista e senhorial (cf. esp. F. Fernandes, "O negro em São Paulo", em J. V. Freitas Marcondes e O. Pimentel (Org.). *São Paulo: espírito, povo e instituições*. São Paulo: Livraria Editora Pioneira, 1968, p. 129-151). Existe uma ampla bibliografia à disposição de quem quiser aprofundar e ampliar as implicações da leitura sobre "o estado e a ordem senhorial". Boa parte da bibliografia mais conhecida não desce à interpretação propriamente sociológica dos problemas; e, com frequência, certas transações do comportamento conservador são tidas como construtivas (em vez de serem relacionadas, estrutural e dinamicamente, com a impotência ou as irracionalidades do próprio comportamento conservador na esfera política). Algumas leituras recomendáveis: R. Faoro, *Os donos do poder: formação do patronato político brasileiro* (Porto Alegre: Editora Globo, caps. I-XII); C. Prado Jr., *Evolução política do Brasil e outros estudos* (São Paulo: Editora Brasiliense, 1953, esp. p. 43-98); P. Mercadante, *A consciência conservadora no Brasil* (Rio de Janeiro: Editora Saga, 1965, esp. caps. 1-9); J. Honório Rodrigues, *Conciliação e reforma no Brasil: um desafio histórico-cultural* (Rio de Janeiro: Civilização Brasileira, 1965, esp. parte I); F. Fernandes, *Sociedade de classes e subdesenvolvimento* (Rio de Janeiro: Zahar Editores, 1968, esp. p. 107-133).

III. *A sociedade de classes*

A estrutura da sociedade colonial incorporava o sistema de produção e de relações sociais apenas parcialmente nos mecanismos de mercado de tipo capitalista moderno. No nível da comercialização dos produtos exportados e de bens importados, os senhores, seus agentes e comerciantes que operavam por conta própria ou de firmas estrangeiras preenchiam papéis econômicos especificamente capitalistas. Mas o mercado colonial não se organizava como um mercado capitalista moderno. Em particular, ele não operava como uma fonte de valorização social de bens e serviços, classificando pessoas, grupos e estratos sociais: a ordem estamental e de castas desempenhava essas funções, e a condição de "possuidor" ou de "não possuidor" não era determinada, primariamente, por processos socioeconômicos determinados e regulados pela organização e pelo funcionamento do mercado.

Essa condição emerge mais por processos condicionados externamente que por uma revolução interna. A transferência da corte para o Brasil acompanha alterações da política europeia que refletiam, basicamente, tendências de transformação do mercado mundial e, especialmente, de reorganização de suas relações comerciais com o mundo colonial. Isso não quer dizer que não tenha havido uma pressão interna na mesma direção e que os círculos senhoriais tenham se mantido passivos. Ao contrário, devido ao teor espoliativo da apropriação colonial, que inseriu os senhores no processo colonial de expropriação econômica (praticado em nome da coroa, mas efetivamente controlado, através da metrópole, por grandes organizações financeiro-comerciais do mercado europeu), e da interferência dos mecanismos de dominação colonial sobre as possibilidades de exercício e de monopolização do poder pelos estratos senhoriais, estes estavam naturalmente empenhados em uma típica "revolução dentro da ordem". Não só se opunham à "exploração colonial"; foram mentores da derrocada interna do sistema colonial e dos processos de nativização do poder, que se desencadearam graças à transferência da corte, à elevação do Brasil à categoria de Reino Unido e à emancipação política. Essa "revolução dentro da ordem" efetivou-se em um plano político. Todavia, teve implicações institucionais e sociais que transcendiam à sua origem e, na esfera econômica, correspondia à pressão externa de reorganização das relações do mundo colonial com o mercado mundial. A eclosão de um mercado propriamente capitalista (em sua estrutura; em suas funções econômicas, sociais e tecnológicas; ou em suas tendências dinâmicas de diferenciação de crescimento e de desagregação do antigo sistema de produção e de comércio coloniais) representa o principal avanço que decorre, de modo imediato, da revolução política.

No entanto, é preciso não estabelecer confusões. Os episódios ligados à nativização do poder, à formação de um Estado nacional independente e à eclosão de um mercado propriamente capitalista como realidade histórica interna não são o equivalente brasileiro da "revolução burguesa" na Europa. Em termos sociológicos, a revolução política da independência constituía um processo de emancipação do país do "jugo" do antigo sistema colonial e esgotou-se, tanto política e legalmente quanto econômica e socialmente, na reorganização do *status quo* sob o controle estrito dos estratos senhoriais. Tal revolução entra no desenvolvimento da "revolução burguesa brasileira". Mas como o seu primeiro patamar e quase no mesmo sentido histórico que as formas ultraespoliativas de acumulação estamental tiveram, na Europa, para o desenvolvimento do capitalismo.[11] Enquanto os principais agentes e beneficiários dessa revolução – os estratos dominantes e intermediários das camadas senhoriais – lograram manter as formas de dominação econômica social e estatal que impuseram à nação, por meios tradicionais-patrimonialistas e político-burocráticos, eles tentaram impedir ou atenuar o impacto o impacto da eclosão da economia de mercado, circunscrevendo-a à esfera dos negócios de exportação-importação e às cidades que podiam monopolizar, econômica, ecológica e institucionalmente, a realização desses negócios. Portanto, a grande lavoura forjava uma posição ambígua e uma relação contraditória com o capitalismo. No nível comercial e financeiro de seus papéis econômicos e da própria natureza de um tipo de acumulação estamental fundada no sistema de plantação e na exportação, o senhor estava inevitavelmente preso à órbita dos dinamismos econômicos capitalistas e da "mentalidade burguesa". Nos níveis da estrutura de um sistema nacional de dominação estamental, que concentrava a renda, o poder e o prestígio social nos estratos senhoriais, as polarizações se invertiam. O senhor se opunha ao burguês, que estava instalado dentro dele, aos dinamismos capitalistas da economia das grandes cidades e, em especial, à expansão da ordem social competitiva (que ocorria tanto sob o impacto modernizador da eclosão da economia de mercado, pela absorção de novas instituições, técnicas e valores econômicos, quanto sob a ampliação dos estratos estamentais intermediários, em crescente autonomia dos interesses senhoriais nos meios urbanos, a diferenciação e o crescimento do trabalho livre, e a autonomização e o desenvolvimento progressivos das funções comerciais e financeiras do setor urbano). Todavia, eliminado o "jugo" colonial, desaparecia com ele o antigo sistema colonial e os fatores de

---

[11] A esse respeito cf. SOMBART, Werner. *Il borghese: contributo allá storia dello spirito dell'uomo economico moderno*. (Trad. H. Furst. Milano: Longanesi, 1950, p. 109-119. No entanto, é bom não levar esse confronto ao pé da letra, porque existem muitas diferenças fundamentais entre a situação europeia e a brasileira.

isolamento, que continham ou impediam a integração do Brasil aos dinamismos do mercado mundial. Em consequência, as orientações antiburguesas e anticapitalistas dos círculos senhoriais dominantes só tiveram êxito enquanto foi possível manter o tráfico, por vias "legais" ou "ilegais", e alimentar a estabilidade do regime de trabalho escravo, através do aumento natural da população escrava e das migrações internas de massas de trabalhadores escravos. A interrupção do tráfico e as leis emancipacionistas quebraram qualquer possibilidade estrutural de resistência, abrindo o caminho para a aceleração da revolução burguesa, a partir do último quartel do século XIX.

A "revolução burguesa" desenrolou-se, historicamente, de forma peculiar no Brasil. Não obstante, ela revela certos traços estruturais-funcionais que são típicos da formação e evolução do capitalismo, quaisquer que sejam as condições históricas em que ele se manifeste. As peculiaridades procedem da situação histórico-social brasileira, como nação de origens coloniais e que se incorporou ao mercado mundial preservando e vitalizando um sistema de produção de estrutura colonial. Esse sistema não ficou imune às funções desagregadoras, seja dos padrões e instituições impostas pelo mercado mundial, seja da própria expansão do setor moderno, nucleado em torno das funções do mercado capitalista, instalado nas grandes cidades, e das impulsões socioeconômicas da integração nacional. O ímpeto de transformação das referidas forças é fácil de avaliar. Ainda sob o regime de trabalho escravo, inaugura-se no oeste paulista a separação das funções econômicas das funções políticas, sociais e domésticas da fazenda. O senhor e sua família são projetados para o meio urbano, a supervisão da produção converte-se em atividade independente e o trabalho escravo passa a ser canalizado para fins predominantemente produtivos, com redução ou eliminação da massa de escravos ocupados em trabalhos domésticos. Esse processo intensifica-se aos poucos e normaliza-se com a transição para o trabalho livre. Outros aspectos análogos ocorreram em outros níveis da vida econômica. O mais importante é a absorção de novos papéis econômicos pelo agente privilegiado da economia escravista e senhorial. O "senhor" absorve diretamente, ou por meio de associados, posições que desdobravam sua rede de atividades econômicas, como "capitalista" (tomador de empréstimos a juros e exploração à renda do trabalho escravo, de casas para alugar e de interesses em vários tipos de firmas) ou como "homem de negócios" (banqueiro, comerciante, especulador em negócios de terras ou de exportação e de importação, etc.). Os traços típicos da revolução burguesa aparecem em vários planos. Enquanto prevaleceu o controle senhorial da economia e as conexões coloniais do sistema de produção, tais traços são evidentes na eclosão da economia de mercado e em sua expansão no setor urbano. Essa manifestação histórico-social poderia ser menosprezada, à luz do padrão histórico europeu da revolução burguesa. Nos quadros brasileiros, porém, eles são importantíssimos. Pois a ela se prende a diferenciação dos estratos estamentais intermediários, a ampliação da rede de serviços urbanos que requeriam trabalho livre e a constituição de mecanismos de troca regulados em bases especificamente capitalistas, com fortalecimento das funções comerciais e financeiras. O aspecto mais significativo dessas transformações encontra-se no fato de que a esses processos de origem socioeconômica capitalista prende-se o aparecimento e o fortalecimento de uma opinião pública relativamente independente dos interesses senhoriais e facilmente disposta a lutar contra eles, em nome da "razão" e do "humanitarismo". Emergia, assim, um fermento explosivo, que se voltou, logicamente, para a "crítica moral" da ordem escravista e se definiu, politicamente, por um novo tipo de "revolução dentro da ordem". Pretendia-se expurgar a sociedade brasileira da escravidão, mantendo-se as demais condições de concentração racial e social da renda, do prestígio social e do poder. Quando o controle senhorial da economia já se acha em crise, embora pouco visível (o ponto de referência histórico é a década de 1860, mas a fase característica abrange todo o último quartel do século XIX), certas influências dinâmicas concomitantes, do mercado mundial e do setor urbano interno, ganham uma configuração típica. Aos poucos, os condicionamentos do mercado mundial incentivam a transferência de capitais de empreendimentos ligados à criação de uma infraestrutura mais adequada à economia de mercado capitalista moderna e de massas de trabalhadores livres. Doutro lado, o café associa a grande lavoura a esse contexto socioeconômico novo. Ao contrário do que sucedia sob o antigo regime colonial, ela se convertia em fonte de retenção de excedente econômico e servia como foco de dinamização de outros setores da economia. Graças aos efeitos da imigração na transição para o trabalho livre ou na formação de novos tipos de exploração comercial e agropecuária, polarizados em torno da pequena propriedade e de um novo espírito de usura, e na intensificação das funções econômicas das vilas ou das cidades, os impulsos procedentes da grande lavoura incorporam-se a processos mais amplos de diferenciação econômica regional, de universalização do trabalho livre e da mentalidade capitalista, bem como de integração econômica da sociedade nacional. O circuito de produção e consumo interno fecha-se de várias maneiras, conforme as características das regiões do país que se tomem em consideração. De modo geral, a ordem social competitiva expande-se rapidamente, dentro dos muros da cidade, e impõe-se progressivamente nas regiões agrícolas da lavoura de café e da pequena lavoura com fitos comerciais. As relações de produção submetem-se (ou tendem a se submeter) a padrões capitalistas, nas relações entre o capital e o trabalho; o mercado funciona, pelo menos nas regiões ou zonas em que esse processo é intenso e irreversível, como uma fonte de valorização social de pessoas e serviços, diferenciando e classificando indivíduos e grupos de indivíduos em classes sociais diversas; por fim, o capital comercial e financeiro, captado internamente ou procedente do exterior, pressiona a diferenciação das estruturas econômicas, dando origem a um processo acelerado de industrialização e a um novo modelo do consumo.

Esses aspectos típicos, estrutural e funcionalmente análogos aos que se podem observar no contexto histórico europeu da revolução burguesa, transcorrem no seio de uma sociedade nacional que emergiu na crista de uma "revolução dentro da ordem" e se reintegrou, em uma segunda fase,[12] através de outra revolução política do mesmo tipo. Isso significa, sociologicamente, que a economia, a sociedade e a cultura fomentaram a passagem para o capitalismo e o seu desenvolvimento posterior dentro de marcos históricos próprios. A revolução burguesa foi, ao mesmo tempo, provocada e contida pelas forças econômicas,

---

[12] Para uma caracterização dos dois "ciclos" de integração nacional, que correspondem às duas revoluções mencionadas, cf. FERNANDES, Florestan. *Sociedade de classes e subdesenvolvimento*, p. 126-133. Quanto às origens e ao sentido da segunda "revolução dentro da ordem", cf. esp. HOLANDA, Sérgio Buarque de. *Raízes do Brasil*, cap. VII; BASTIDE, Roger; FERNANDES, Florestan. *Brancos e negros em São Paulo*, p. 46-56 e, esp.; 131-142.

sociais e políticas, que desencadearam. De um lado, cada fase de crise estrutural e de reordenação da ordem societária culminou na formação de novas estruturas econômicas, sociais e políticas que absorviam com pequena ou nenhuma mudança as estruturas econômicas, sociais e políticas anteriores. De outro, o capitalismo apresenta várias facetas, sendo uma realidade nas sociedades nacionais que podem impulsioná-lo de modo autônomo (ou relativamente autônomo) e uma realidade bem diferente nas sociedades que o dinamizam com recursos e sob controles externos. Na última alternativa, a situação de dependência não é determinante. Mas ela se configura como uma espécie de círculo vicioso permanente. Apenas os setores incluídos na organização da economia de mercado se classificam socialmente no seio da ordem social competitiva, e, desses setores, apenas uma parte se incorpora, verdadeiramente, às posições e papéis sociais essenciais para o funcionamento e o desenvolvimento dessa ordem social. Daí resulta que as aparências escondem uma realidade penosa: os índices de progresso e de prosperidade são conquistados sob permanente marginalização de fortes contingentes da população, que não se integram, de fato, à sociedade de classes e à sua ordem econômica, legal e política. No fundo, pois, a transição para o capitalismo produz uma revolução social. A "mentalidade capitalista" e os "interesses de classes" capitalistas, porém, não são, em si e por si mesmos, revolucionários. Eles articulam as composições que acomodam o *emergente* ao *arcaico*, o *nacional* ao *semicolonial* e ao *colonial*. A revolução burguesa surge, assim, mais como subproduto da implantação do capitalismo do que como processo histórico da consciência e do comportamento coletivos de uma classe. Ela se dilui, no tempo e no espaço, amolgando os padrões e os ritmos do capitalismo às escalas de tempo histórico e sociocultural da sociedade de classes emergente.

Os diferentes aspectos desse tipo de revolução burguesa, do capitalismo dependente a que ela se associa e da sociedade de classes que assim se constitui são ainda mal conhecidos sociologicamente. Nos limites de espaço acessíveis, tentamos coordenar certas leituras, que se não são propriamente "clássicas", pelo menos focalizam alguns aspectos centrais da formação da sociedade de classes sob o capitalismo dependente. A última passagem do capítulo anterior, de O. Ianni, fornece uma descrição sinótica dos aspectos explosivos da transição em processo. Por isso, escolhemos um excerto de H. Jaguaribe, que tenta descrever as funções sociais construtivas do padrão de desenvolvimento imanente à absorção do capitalismo pela sociedade nacional brasileira. A leitura subsequente, de L. Pereira, situa a polarização histórica, que acabou prevalecendo: o desenvolvimento, como ideologia e instrumento de dominação de classe da burguesia urbano-industrial, fornece os fundamentos da incorporação "interdependente" do Brasil ao mundo que está sendo criado pelo capitalismo monopolista, de integração dos mercados nacionais. As três leituras seguintes focalizam aspectos centrais desse novo modelo de transição, através do qual os dinamismos do capitalismo dependente se deslocam dos sonhos de autonomia nacional para as realidades da economia de consumo, de tecnologia avançada e da massificação do homem. J. R. Brandão Lopes dá-nos um painel das funções desintegrativas da civilização urbano-industrial sobre o meio rural; L. Martins e F. H. Cardoso invertem o painel, localizando as funções construtivas do regime de classes na formação do empresariado industrial ou do proletariado e na elaboração de certos ajustamentos típicos, em que a "racionalidade burguesa" é dimensionada pelas exigências ou possibilidades da sociedade urbano-industrial brasileira. Por fim, o último excerto, de F. Fernandes, formula uma interpretação sociológica da estrutura da sociedade classes nas condições atuais do Brasil.

Ao explorar essas leituras, didaticamente, cabe ao professor enorme responsabilidade. Em primeiro lugar, ele não deve esquecer que as descrições e interpretações escolhidas padecem das limitações e da contingência do "conhecimento aproximado". A investigação sociológica ainda não progrediu o bastante – essencialmente no que diz respeito à formação e ao desenvolvimento do regime de classes no Brasil – para nos resguardar de aproximações descritivas e interpretativas, mais ou menos improvisadas e hipotéticas. Onde se alcançou maior rigor descritivo e interpretativo, as afirmações são circunscritas a certos aspectos da sociedade de classes e dificilmente comportam esforços bem orientados de generalização. Em segundo lugar, é de todo indispensável afastar os alunos da convicção de que as descrições e as interpretações põem-nos diante de uma realidade inexorável e imutável. Como todas as sociedades "continentais", que lutam por uma posição dentro da civilização ocidental moderna, as "chances" do Brasil não se definem por imperativos estruturais da herança colonial ou do presente modelo de composição urbano-industrial. Até hoje, as tendências à mudança profunda sempre esbarraram na modernização inconsistente do arcaico ou na arcaização precoce do moderno. No entanto, como as contradições estruturais e funcionais se armam no plano histórico, deve-se levar em conta outras perspectivas, nas quais os ritmos do tempo podem se intensificar, pondo os homens, socialmente, diante de confrontos que tornarão improváveis novas "revoluções dentro da ordem". As técnicas sociais também se gastam. Os êxitos que confinam as mudanças da ordem societária aos interesses, aos valores e aos desígnios sociais de minorias privilegiadas acabam "fazendo história" às avessas. Mais cedo ou mais tarde, as transformações socialmente necessárias encontram seus protagonistas históricos e sobem à tona, de modo súbito e turbulento. Em uma sociedade como a brasileira, cuja integração nacional, sob o regime capitalista e de classes vigente, é inibida e conturbada por fortes propensões oligárquicas, plutocráticas e tecnocráticas dos estratos dominantes das classes altas e médias, esse tipo de "transição explosiva" desenha-se como parte da normalidade da situação. Convém, portanto, deixar a imaginação dos estudantes aberta para o futuro e para a inquirição do que é historicamente imprevisível, embora sociologicamente provável.

A suplementação das leituras, no caso, também precisa ser orientada de modo mais rigoroso. Em primeiro lugar, é preciso colocar certa ênfase nas análises demográficas e nas implicações que elas possuem para a explicação sociológica. Sob esse aspecto, seria interessante explorar a fundo o estudo de L. A. Costa Pinto, "As classes sociais no Brasil" (*Sociologia e desenvolvimento: temas e problemas de nosso tempo*. Rio de Janeiro: Civilização Brasileira, 1963, p. 202-242), complementando-o com dados demográficos mais recentes. Esse estudo levanta hipóteses sobre o "padrão tradicional" e o "padrão moderno" de estratificação social, que merecem ser aproveitados e criticados cuidadosamente. Em segundo lugar, conviria aprofundar a caracterização do "polo" urbano-industrial no Brasil. Na verdade, a ordem social competitiva só apresenta um mínimo de integração estrutural-funcional e relativa eficácia histórica nesse "polo". Além disso, é nele e através dele que se pode observar e analisar os limites dentro dos quais o regime de classes está desagregando formas econômicas, sociais e políticas requeridas pelo funcionamento e desenvolvimento da ordem social competitiva. Além da ampliação do uso didático das leituras arroladas neste capítulo e no capítulo subsequente, recomendaríamos a seguinte sequência de leituras, ordenadas como uma unidade de trabalho didático: a) sobre as funções econômicas da urbanização, esp. P. Singer, *Desenvolvimento econômico e evolução urbana* (p. 7-18 e 359-377) e W. Bazzanella, "Industrialização e urbanização no Brasil" (*América Latina*, Rio de Janeiro, ano 6, n. 1, jan.-mar. 1963, p. 3-28); b) sobre a industrialização como processo social e as orientações de comportamento do industrial, esp. G. Cohn, "Problemas da industrialização no século XX" (em C. G. Mota (Org.). *Brasil em perspectiva,* p. 319-353), F. H. Cardoso, "Política e ideologia: a burguesia industrial" (*Empresário industrial e desenvolvimento econômico*, p. 159-187; ou alternativamente, do mesmo autor: "Hegemonia burguesa e independência econômica: raízes estruturais da crise política brasileira", em C. Furtado (Org.). *Brasil: tempos modernos.* Rio de Janeiro: Paz e Terra, 1968, p. 77-110); M. W. Vieira da Cunha, *A burocratização das empresas industriais* (São Paulo: Faculdade de Ciências Econômicas e Administrativas da USP, 1951, p. 35-85); e os estudos sobre "os grupos econômicos no Brasil" (M. Vinhas de Queiroz, "Os grupos multibilionários"; L. Martins, "Os grupos bilionários nacionais"; J. A. Pessoa de Morais, "Os grupos bilionários estrangeiros"), publicados pela *Revista do Instituto de Ciências Sociais*, Rio de Janeiro, v. 2, n. 1, jan.-dez. 1965, p. 47-185; c) sobre os mecanismos políticos do desenvolvimento do capitalismo, no nível do controle direto ou indireto do Estado, cf. O. Ianni, *Estado e capitalismo: estrutura social e industrialização no Brasil* (Rio de Janeiro: Civilização Brasileira, 1965, caps. XX-VI). Sobre outros aspectos, em havendo interesse didático, cf. leituras recomendadas no cap. 5. No caso de ênfase no contraste "tradicional" *versus* "moderno", conviria que se explorassem as indicações de B. Hutchinson e seu estudo com C. Castaldi sobre "A hierarquia de prestígio e de ocupações" (*Mobilidade e trabalho*, p. 3-51). Apesar da mobilidade econômica e social, a estrutura de classes de uma cidade moderna brasileira, como São Paulo, parece "mais rígida" que a da Inglaterra. Além disso, as inconsistências de avaliação de status evidenciadas merecem análise especial, pois são sintomáticas de uma situação competitiva permeada de elementos tradicionais.

IV. A sociedade nacional problema

As leituras reunidas neste capítulo focalizam aquilo que se poderia chamar de "o dilema nacional" nas sociedades do terceiro mundo. Essas sociedades incorporam-se à civilização ocidental moderna pelas vias da expansão demográfica, econômica e cultural. Em todas elas, o principal fator dinâmico da "influência ocidental" foi a colonização. Por fim, foram poucos os casos de uma evolução completa na direção dos padrões de ordem econômica, social e política inerentes a essa civilização. Na América Latina, a preponderância de formas de colonização fortemente espoliativas, conjugadas a formas mais ou menos débeis de transição nacional, contribuíram para que a vigência da civilização ocidental moderna seja, ainda, um fenômeno da superfície. Enquanto a formação do Estado e o equilíbrio dos sistemas nacionais de poder se organizavam segundo modelos estamentais (frequentemente descritos como "aristocráticos" ou "oligárquicos"), o referido "dilema nacional" podia ser dissimulado e ignorado politicamente. Sob a emergência do capitalismo, do desenvolvimento do regime de classes e da irrupção de processos de democratização das estruturas de poder, aquele dilema se torna candente e inquestionável. O contraste entre os requisitos ideais da ordem societária instituída e o seu funcionamento concreto constitui um desafio permanente à sobrevivência e à evolução da Nação, como foco dinâmico de integração das estruturas de poder de uma sociedade de classes.

O "dilema nacional" não converte os países latino-americanos em "sociedades patológicas". Existem, sem dúvida, elementos sociopáticos na estrutura e no funcionamento das sociedades nacionais na América Latina. Esses elementos sociopáticos aparecem em todos os níveis – de ocupação, distribuição e exploração da terra; de distribuição e crescimento das populações; de desenvolvimento socioeconômico e cultural –, embora os seus aspectos mais graves e típicos se relacionem com os fatores e os efeitos de formas crônicas de extrema concentração social, racial e regional da renda e do poder. No entanto, dadas as condições que regulavam a formação e a evolução dessas sociedades, no *período colonial* e na época nacional, o aparecimento e a persistência de tais elementos sociopáticos representam processos normais. Sob esse aspecto, portanto, seria incorreto pensar-se na "sociedade nacional problema" como uma variação patológica dos modelos europeus de ordem social transplantados para a América Latina. Doutro lado, ao lidar com esses problemas, o professor precisa tomar cuidado para não cair nas implicações do conhecimento de senso comum e, em particular, das versões propriamente ideológicas de certos mitos nacionais. Tanto sob o regime estamental quanto sob o regime de classes, as *elites* econômicas, culturais e políticas da América Latina têm sido pródigas em forjar racionalizações – algumas de caráter compensatório e neutras, outras de teor autodefensivo. Tais racionalizações preenchem duas funções sociais conhecidas. Primeiro, a de fornecer meios intelectuais de defesa do *status quo*. Segundo, a de "dourar a pílula", dando aparência aceitável a técnicas de dominação ultraegoístas e, com frequência, antissociais e antinacionais. Como essas fórmulas comumente se originaram ou continuam a se originar nas esferas do "mundo letrado", elas impregnam as diferentes manifestações do pensamento, inclusive "interpretações" tidas ou aceitas como "sociológicas".[13] O professor precisa fazer um esforço deliberado e cuidadoso no sentido de evitar semelhante distorção do conhecimento sociológico, que não possui apenas "consequências conservadoras". O *nacionalismo* e o *desenvolvimentismo*, por exemplo, estão sendo manipulados nesse contexto, com propósitos aparentemente "liberais" e "reformistas".

A sociedade nacional poderá definir-se como "problema" em distintos níveis de consciência social ou de análise. As leituras escolhidas situam facetas em que a caracterização se faz no plano analítico. Tal escolha era inevitável, tendo-se em vista os fins didáticos desta coletânea e a limitação de espaço. Isso não impede que o professor introduza na aprendizagem o outro tipo de texto, se o julgar aconselhável (a bibliografia complementar sugere algumas leituras dessa natureza; além disso, as coletâneas de N. Werneck Sodré, O *que se deve ser para conhecer o Brasil*, e D. Menezes, *O Brasil no pensamento brasileiro*, já citadas,

---

[13] Um bom foco de referência para a análise e a crítica de tais tipos de interpretação poderia ser o livro em que relato a natureza do "mito da democracia racial" e em que descrevo os padrões raciais de contato racial (cf. F. Fernandes, *A integração do negro à sociedade de classes*).

poderiam ser particularmente úteis nesse sentido).[14] Não obstante, reconhecemos as limitações da reflexão analítica: ela raramente se volta para a transformação da realidade (por debilidade dos mecanismos de reação societária aos problemas sociais brasileiros) e muitas vezes se curva às pressões diretas ou indiretas do "pensamento conservador".

Entre as várias leituras que poderiam ser selecionadas, demos preferência àquelas que põem ênfase em aspectos dramáticos dos problemas sociais brasileiros. Para organizar o espectro, pois os temas nos levaram aos autores e assim formamos um restrito, mas provocativo caleidoscópio: J. Lambert localiza objetivamente as fontes e as consequências do crescimento demográfico acelerado;[15] C. Wagley faz ponderações sobe o significado do desenvolvimento comunitário que merecem ser postas num contexto mais geral, em que "reforma agrária" e "integração nacional" seriam as duas faces da mesma moeda; o padrão e os efeitos de um tipo de concentração urbana que não é provocada pela expansão estrutural da grande cidade, mas pelo colapso do setor rural, são descritos com referência a um caso típico por M. Lacerda de Melo; C. Furtado focaliza, penetrantemente, o crescimento econômico visto como problema social e político, em um país que mal entrou na fase industrial da revolução burguesa e depende da aceleração do desenvolvimento econômico para sua integração nacional; M. Mencarini Foracchi trata das deficiências que surgem nas relações entre as gerações e do drama do jovem em uma "sociedade nova" que não dispõe, contudo, de técnicas sociais para aproveitar construtivamente o talento e a contribuição positiva das

---

[14] Para a fase de 1889-1930, o professor poderia aproveitar, didaticamente, a obra recém-publicada de E. Carone (*A primeira República: texto e contexto*. São Paulo: Difusão Europeia do Livro, 1969). Quanto às implicações do "nacionalismo" e do "desenvolvimentismo", cf. esp.: M. Debrun, "Nationalisme et politiques du développement au Brésil" (separata de *Sociologie du Travail*, Paris, 1965); e C. Prado Jr., *A revolução brasileira* (São Paulo: Editora Brasiliense, 1966, esp. caps. I e II). Em um contexto mais amplo, cf. F. Bonilla, "Elites culturais na América Latina" (*Revista Brasileira de Ciências Sociais*, Belo Horizonte, v. IV, n. I, jun. 1966, p. 214-244)

[15] O professor poderá colocar as indicações desse autor em um contexto analítico mais amplo (cf. J. Lambert, *América Latina: estruturas sociais e instituições políticas*. Trad. L. Lourenço de Oliveira. São Paulo: Companhia Editorial Nacional, 1969, p. 13-74).

gerações ascendentes; por fim, o último texto, de L. A. Costa Pinto, enumera as principais causas e efeitos do solapamento do nacionalismo, numa sociedade em que ele só teria plena eficácia se se desencadeasse como um processo histórico-social revolucionário.

Em conjunto, essas leituras servem de complemento ao capítulo anterior, abrindo novas perspectivas para a discussão, em profundidade, do que acontece quando o "capitalismo", a "sociedade de classes" e a "democracia" produzem (e, ao mesmo tempo, possuem como *background*) uma "nação subdesenvolvida". O crescimento econômico impulsiona a diferenciação das classes sociais. Entretanto, não é bastante forte para fazer com que o regime de classes preencha suas funções normais, com intensidade e continuidade: ele não destrói as estruturas sociais que deveria absorver ou eliminar nem engendra as formas de estratificação e de mobilidade sociais que são essenciais para o seu próprio padrão de equilíbrio dinâmico. Como consequência, não chega a desagregar completamente as estruturas de poder variavelmente extra ou antinacionais; e a criar as estruturas de poder alternativas, suscetíveis de conferir à nação uma influência nuclear na democratização da renda, do prestígio social e das relações de poder entre as classes sociais. O efeito acumulativo dessas debilidades reflui, por sua vez, na direção inversa: a nação, estrutural e dinamicamente "entorpecida", torna-se impotente para coordenar, impor e fortalecer, institucionalmente, formas de socialização, técnicas de organização do poder e certos valores comuns fundados nos interesses da comunidade nacional como um todo. Em virtude dessa impotência, a expansão do capitalismo, como também do regime de classes e da democracia, converte-se num processo cataclísmico e selvagem, no qual tende a prevalecer o poder relativo das pessoas ou grupos envolvidos e qualquer mudança substantiva exige crises convulsivas, de média ou longa duração.

A complementação das leituras selecionadas, desde que se compreenda, em toda a sua amplitude, as origens e a natureza dos dilemas forjados e enfrentados pela sociedade nacional problema no Brasil, põe em questão uma ampla bibliografia. Das contribuições recentes, merecem ser aproveitados, entre os textos para trabalho didático intensivo: a análise do sentido e dos marcos estruturais da revolução brasileira, feita por C. Prado Jr. (*A revolução brasileira*, p. 123-157); o estudo de F. C. Weffort sobre a eclosão do populismo depois da década de 1930 ("Estado e massas no Brasil", *Revista Civilização Brasileira*, ano I, n. 7, maio 1966, p. 137-158); e as interpretações de O. Ianni sobre as relações entre as crises sociais e as políticas de desenvolvimento (*O colapso do populismo no Brasil*. Rio de Janeiro: Civilização Brasileira, 1968, p. 7-49).

Certas leituras podem ou não ser utilizadas como materiais didáticos, dependendo da orientação imprimida aos cursos pelos professores. São leituras que "explicam" o substrato material e moral de uma sociedade nacional problema. Atendo-nos apenas a quatro tópicos gerais: 1º) persistência de formas arcaicas de organização da economia e do poder (cf. esp. C. Prado Jr., "Contribuição para a análise da questão agrária no Brasil", *Revista Brasiliense*, São Paulo, n. 28, 1960, p. 165-238; L. A. Costa Pinto, "A estrutura da sociedade rural brasileira", em *Sociologia e desenvolvimento*, p. 243-282; M. Correia de Andrade, *A terra e o homem no Nordeste*. São Paulo: Editora Brasiliense, 1963; C. Furtado, "O problema do Nordeste", em *A pré-revolução brasileira*. Rio de Janeiro: Fundo de Cultura, 1962, p. 47-63; V. Nunes Leal, *Coronelismo, enxada e voto: o município e o regime representativo no Brasil*. Rio de Janeiro: Revista Forense, 1948, esp. p. 7-36 e 181-190; M. V. Vilaça e R. C. Albuquerque, *Coronel, coronéis*. Rio de Janeiro: Edições Tempo Brasileiro, 1965); 2º) as resistências à reconstrução educacional (cf. esp.; F. de Azevedo, *A educação e os seus problemas*. 3. ed. São Paulo: Edições Melhoramentos, 1953, p. 3-15; A. S. Teixeira, *A educação e a crise brasileira*. São Paulo: Companhia Editora Nacional, 1956, p. 3-180; F. Fernandes, *Ensaios de sociologia geral e aplicada*. São Paulo: Livraria Pioneira Editora, 1960, p. 192-219, e *Educação e sociedade no Brasil*. São Paulo: Dominus Editora; Editora da USP, 1966, p. 3-113; M. J. Garcia Werebe, *Grandezas e misérias do ensino no Brasil*. 3. ed. São Paulo: Difusão Europeia do Livro, 1968); 3º) os lapsos nos mecanismos de modernização e de crescimento econômico (cf. esp. I. Rangel, *A inflação brasileira*. Rio de Janeiro: Tempo Brasileiro, 1963, *passim*; M. da Conceição Tavares, "Substituição de importações e desenvolvimento econômico da América Latina". *Dados*, Rio de Janeiro, n. 1, 1966, p. 115-140; W. Baer, *Industrialization and Economic Development in Brazil*. Homewood, Illinois: Richard D. Irwin, 1965, caps. 1-3 e 7; P. Singer, *Desenvolvimento e crise*. São Paulo: Difusão

Europeia do Livro, 1968, caps. III e IV); 4º) a neutralização crônica do poder de pressão das massas assalariadas (cf. L. Martins Rodrigues, *Conflito industrial e sindicalismo no Brasil*, p. 103-211; A. Simão, *Sindicato e estado*, cap. 4; J. R. Brandão Lopes, *Crise do Brasil arcaico*, cap. IV; A. Joly Gouveia, *Professores de amanhã: um estudo de escolha ocupacional*. Rio de Janeiro: Centro Brasileiro de Pesquisas Educacionais, p. 36-72).

Acima desse plano, colocam-se problemas específicos, relacionados com as estruturas e os dinamismos políticos da sociedade nacional. A literatura disponível é demasiado rica e conhecida. Em vista de interesses especificamente didáticos e com o propósito de alargar o sistema de referência que emerge das leituras reunidas neste capítulo, recomendaríamos: 1) para a análise da nação como uma comunidade política anônima (N. Duarte, *A ordem privada e a organização política nacional*, p. 113-128); 2) sobre o nacionalismo brasileiro e as impulsões dinâmicas integrativas da revolução nacional brasileira (cf. esp. A. Torres, *O problema nacional brasileiro: introdução a um programa de organização nacional*. Rio de Janeiro, 1914, p. 123-150; H. Jaguaribe, *O nacionalismo na atualidade brasileira*. Rio de Janeiro: Instituto Superior de Estudos Brasileiros, 1958, caps. II-V; F. Fernandes, *Sociedade de classes e subdesenvolvimento*, p. 126-133); 3) quanto à consciência e o comportamento políticos das elites e suas repercussões na estrutura do Estado (cf. esp. A. Guerreiro Ramos, "Esforços de teorização da realidade brasileira, politicamente orientados, de 1870 a nossos dias", *Anais do I Congresso Brasileiro de Sociologia*, São Paulo, Sociedade Brasileira de Sociologia, 1955, p. 275-298; C. Mendes, "Sistema político e modelos de poder no Brasil". *Dados*, Rio de Janeiro, n. 1, 1966, p. 7-41; F. H. Cardoso, "Hegemonia burguesa e independência econômica: raízes estruturais da crise política brasileira"; G. A. Dillon Soares, "A nova industrialização e o sistema político brasileiro". *Dados*, Rio de Janeiro, n. 2-3, 1967, p. 32-50; P. Beiguelman, "O processo político partidário brasileiro de 1945 ao plebiscito", em *Pequenos estudos de ciência política*, p. 79-97; H. Jaguaribe, "Brasil: estabilidade social pelo colonial-fascismo?", em C. Furtado (Org.). *Brasil: tempos modernos*, p. 25-47; O. Ianni, "Estrutura da atividade estatal", em *Estado e capitalismo*, p. 171-212).

Relações de raça no Brasil: realidade e mito[1]

O Brasil vive, simultaneamente, em várias "idades históricosociais". Presente, passado e futuro entrecruzam-se e confundem-se de tal maneira que se pode passar de um estágio histórico a outro pelo expediente mais simples: o deslocamento no espaço. Ora, a cada estágio histórico corresponde uma situação humana. O observador ingênuo pensa estar num mundo culturalmente homogêneo. E, de fato, certos polarizadores impregnam as situações mais contrastantes de um substrato psicossocial e sociocultural comum. Mas, na realidade, cada situação humana organiza-se estrutural e dinamicamente, como um mundo material e moral com sua feição própria. Sem dúvida, as várias situações humanas possíveis põem à luz, no conjunto, os diferentes padrões de integração sociocultural da *sociedade brasileira*, ao longo de sua formação e de sua evolução no tempo e no espaço. Mas, cada uma delas, de *per si*, só pode ser compreendida e explicada através do seu próprio padrão de integração sociocultural e pelo modo como este se vincula com as tendências atuantes de modernização daquela sociedade.

Projetadas contra esse pano de fundo, as relações étnicas ou raciais e o significado da cor na vida humana apresentam-se sob diversas facetas. Escolhemos o exemplo que nos parece ser o mais indicado para uma caracterização sucinta do que se poderia entender como o *dilema racial brasileiro*. Trata-se da situação do negro e do mulato na cidade de São Paulo. Essa cidade não se singulariza pela alta proporção de negros, ou de mestiços de negros e brancos, na população global. Ao contrário, sob esse aspecto conta entre as

---

[1] Originalmente publicado em: FURTADO, Celso. (Org.). *Brasil: tempos modernos.* 2. ed. Rio de Janeiro, Paz e Terra, 1977, p. 111-137.

comunidades urbanas brasileiras em que essa proporção é relativamente baixa. Ela é significativa por outros motivos. De um lado, porque se inclui na última região do Brasil em que a escravidão desempenhou funções construtivas, como alavanca e ponto de partida de um longo ciclo de prosperidade econômica, que se iniciou com a produção e exportação de café. De outro lado, porque foi a primeira cidade brasileira que expôs o negro e o mulato às contingências típicas e inexoráveis de uma economia competitiva em expansão. Em consequência, ela permite analisar, com objetividade e em condições ideais, como e por que a velha ordem racial não desapareceu com o término legal do regime de castas, prolongando-se no presente e ramificando-se pelas estruturas sociais criadas graças à universalização do trabalho livre.

Desigualdade racial e estratificação social

O dilema racial brasileiro, na forma como se manifesta na cidade de São Paulo, lança suas raízes em fenômenos de estratificação social. Tendo-se em vista a estrutura social da comunidade como um todo, pode-se afirmar que, desde o último quartel do século XIX até hoje, as grandes transformações histórico-sociais não produziram os mesmos proventos para todos os setores da população. De fato, o conjunto de transformações que deu origem à "revolução burguesa", fomentando a universalização, a consolidação e a expansão da ordem social competitiva, apenas beneficiou, coletivamente, os segmentos brancos da população. Tudo se passou, historicamente, como se existissem dois mundos humanos contíguos, mas estanques e com destinos opostos. O *mundo dos brancos* foi profundamente alterado pelo surto econômico e pelo desenvolvimento social, ligados à produção e à exportação do café, no início, e à urbanização acelerada e à industrialização, em seguida. O *mundo dos negros* ficou praticamente à margem desses processos socioeconômicos, como se eles estivessem dentro dos muros da cidade, mas não participassem coletivamente da sua vida econômica, social e política. Portanto, a desagregação e a extinção do regime servil não significaram modificação das posições relativas dos estoques raciais em presença na estrutura social da comunidade. O sistema de castas foi abolido legalmente. Na prática, porém, a população negra e mulata continuou reduzida a uma condição social análoga à preexistente. Em vez de ser projetada, em massa, nas classes sociais em formação e em diferenciação, viu-se incorporada à "plebe", como se devesse converter-se numa camada social dependente e tivesse de compartilhar de uma "situação de casta" disfarçada. Daí resulta que a desigualdade racial se manteve inalterável, nos termos da ordem racial inerente à organização social desaparecida legalmente, e que o padrão assimétrico de relação racial tradicionalista (que conferia ao "branco" supremacia quase total e compelia o "negro" à obediência e à submissão) encontrou condições materiais e morais para se preservar em bloco.

Os fatores principais desse processo de demora sociocultural já são bem conhecidos. Numa visão retrospectiva e sintética, os aludidos fatores podem ser agrupados em quatro constelações histórico-sociais sucessivas (mas interdependentes): 1º) as tendências assumidas pela transformação global da comunidade; 2º) o caráter sociopático das motivações que orientam o ajustamento do "negro" à vida na cidade e a natureza anônima das formas de associação que puderam desenvolver; 3º) a inocuidade da reação direta do negro e do mulato contra "a marginalização da gente negra"; 4º) o aparecimento tardio e débil de correções propriamente estruturais do padrão herdado de desigualdade racial.

Na primeira constelação, devemos considerar três grupos de fatores histórico-sociais. Primeiro, a cidade de São Paulo não repete o padrão tradicional de desenvolvimento geográfico e socioeconômico de outras cidades brasileiras, que se expandiram sob a égide da exploração do trabalho escravo. A inclusão de São Paulo na órbita da economia colonial brasileira (baseada na exportação de produtos tropicais) ocorreu tardiamente. Só com a produção de café no "Oeste Paulista" e graças à intensificação progressiva da exportação desse produto ganhou a cidade condições para deixar de ser burgo rústico e para contar com fontes regulares de prosperidade econômica. Por isso, somente a partir do último quartel do século XIX ela sofre modificações que a convertem propriamente em cidade, ao estilo de outros agregados urbanos da época. Esse fator tem grande importância. Os centros urbanos provocavam certas necessidades especiais, que ampliavam a divisão do trabalho social. Neles surgiam ocupações que alargavam a área de atividade construtiva do escravo e outras abriam oportunidades aos libertos. Estes desfrutavam, nas regiões urbanas, de oportunidades econômicas que lhes permitiam integrar-se na estrutura ocupacional das cidades e que forçavam os brancos a terem interesse pelo seu adestramento e aproveitamento em tal área. Pode-se verificar como esse mecanismo se manifestava em cidades como São Salvador, Recife ou Rio de Janeiro, nas quais as populações negra e, principalmente, mestiça logravam a aquisição de um nicho relativamente vantajoso na organização ecológica e econômica daquelas comunidades. A inclusão tardia da cidade de São Paulo no núcleo da economia colonial brasileira representou uma desvantagem para a sua população negra e mestiça, tanto escrava quanto liberta. Isso porque o início da expansão econômica coincide com a concentração crescente de imigrantes de origem europeia e com a crise do próprio regime servil. Poucos negros e mulatos puderam aproveitar as oportunidades com que contariam em outras circunstâncias e que lhes permitiriam converter-se em artesãos, pequenos comerciantes, etc. No momento da Abolição (1888), estavam distribuídos nas ocupações menos desejáveis e compensadoras, pois as oportunidades melhores haviam sido monopolizadas e absorvidas pelos imigrantes. Segundo, o movimento abolicionista e todo o processo de desagregação do regime servil assumiram, como teria de acontecer fatalmente, o caráter de uma insurreição dos próprios brancos contra a ordem escravista e senhorial. Esta embaraçava o desenvolvimento socioeconômico das regiões prósperas do país e sufocava a expansão do capitalismo. Ainda que o abolicionismo adquirisse o teor de um movimento humanitário, sua mola revolucionária residia nos interesses e valores sociais prejudicados por causa da vigência da escravidão. Doutro lado os negros e os mulatos se inseriram nessa insurreição como "objeto" e mera "massa de manobra". Eles não puderam projetar nela os seus anseios ou necessidades mais diretas e, com raras exceções, ficaram relegados aos papéis secundários. Assim, o que se poderia chamar de uma "consciência abolicionista" era antes um patrimônio dos próprios brancos, que lideravam, organizavam e ao mesmo tempo continham a insurreição dentro de limites que convinham à "raça" dominante. Esse quadro geral produziu dois efeitos negativos ou limitativos. Quanto aos brancos, favoreceu um processo paradoxal: na fase aguda das transformações, a liderança do processo passou para as mãos dos círculos mais conservadores, empenhados em atender aos interesses sociais, econômicos e políticos dos grandes fazendeiros. Embora se negassem a conceder aos fazendeiros qualquer indenização pelas perdas financeiras, decorrentes da Abolição, ignoraram por completo a necessidade de pôr em prática medidas que assegurassem um mínimo de proteção ao escravo ou ao liberto e concentraram todo o esforço construtivo numa política que garantisse a rápida substituição da mão de obra escrava. Por essa razão, no fim do Império e no início da República, o principal traço da política governamental provinha do fomento da imigração por todos os meios viáveis. Quanto ao negro, com a Abolição perdeu os liames humanitários que o prendiam aos brancos radicais ou inconformistas e deixou de formar uma consciência social própria da situação. Como foi mais tutelado que agente do processo revolucionário, não tinha uma visão objetiva e autônoma dos seus interesses e possibilidades. Converteu a liberdade num fim em si e para si, sofrendo com a destituição uma autêntica espoliação – a última pela qual a escravidão ainda seria responsável. A "explosão de alegria" logo iria ter um travo de fel; mas a dignidade do "homem livre" parecia valer mais que qualquer outra coisa e, de imediato, o "negro" dedicou-se intensamente ao afã de usufruir um dom que, no passado, o excluíra da condição humana. Terceiro, a "revolução burguesa" praticamente baniu o "negro" da cena da história. Ela se desenvolveu em torno de duas figuras: o fazendeiro de café, que viu seus papéis sociais e econômicos se diferenciarem graças ao crescimento econômico provocado pelos "negócios do café" e à expansão urbana; e o imigrante, que se apropriava tenazmente de todas as oportunidades novas, ao mesmo tempo que eliminava o "negro" das poucas posições compensadoras que ele alcançara no artesanato e em alguns ramos do pequeno comércio. Por isso, o "negro" não ficou apenas à margem dessa revolução. Foi selecionado negativamente, precisando contentar-se com aquilo que, daí por diante, seria conhecido como "serviços de negro": trabalhos incertos ou brutos, tão penosos quanto mal remunerados. Em consequência, achou-se numa estranha situação. Enquanto a prosperidade bafejava todas as demais camadas da população, o "negro" sentiu-se em apuros até para manter ou conquistar as fontes estáveis de ganho mais humildes e relegadas.

Quanto à segunda constelação, devemos considerar cinco grupos de fatores significativos:

1º O negro não fora adestrado previamente, como *escravo* ou *liberto*, para os papéis socioeconômicos do trabalhador livre. Por isso, não possuía nem treino técnico, nem a mentalidade, nem a autodisciplina do assalariado. Ao se ver e se sentir *Livre*, queria ser literalmente tratado como *Homem*, ou seja, como "alguém que é senhor do seu nariz". Tais disposições redundaram em desajustamentos fatais para o negro e o mulato. De um lado, os empregadores brancos se irritaram sobremaneira com as atitudes e os comportamentos dos ex-escravos. Estes usaram predatoriamente a liberdade. Supunham que, se eram "livres", podiam trabalhar como, quando e onde preferissem. Tendiam a se afastar dos encargos do trabalho quando dispunham de recursos suficientes para se manter em ociosidade temporária; e, em particular, mostravam-se muito ciosos diante de admoestações, advertências ou reprimendas. Alegando que "eram livres" ou que o "tempo da escravidão já acabou", pretendiam uma autonomia que se chocava fundamentalmente com o regime de trabalho assalariado. Esses desentendimentos seriam, naturalmente, transitórios. Mas, como havia relativa abundância de mão de obra, em virtude do volume atingido pela imigração, os empregadores agiram de forma intolerante, demonstrando notável incompreensão diante do negro e do mulato. Parecia-lhes que estes evidenciavam "falta de responsabilidade" e que os negros seriam "imprestáveis" ou "intratáveis" fora do "jugo da escravidão". De outro lado, o próprio negro pôs a liberdade acima de tudo, como se ela fosse um valor intocável e absoluto. Por falta de socialização prévia, não sabia avaliar corretamente a natureza e os limites das obrigações decorrentes de contrato de trabalho. Este era visto como se perpetuasse a escravidão por outros meios e como se, ao vender sua força de trabalho, o trabalhador vendesse, simultaneamente, a sua pessoa. Daí resultou um desajustamento verdadeiramente estrutural, aprovado pelo fato de suas oportunidades de trabalho serem as piores e de existirem dois níveis de retribuição, com o que se degradava o salário do trabalhador negro.

2º A abundância de mão de obra com melhor qualificação, como produto da imigração intensiva, concorreu para modificar rapidamente a mentalidade dos empregadores e suas propensões, mesmo a respeito da seleção dos trabalhadores agrícolas. Antes, o negro era representado como o único agente de trabalho possível, pelo menos com relação aos serviços degradados pela escravidão. Havia, por isso, relativa tolerância diante de suas deficiências e real preocupação em corrigi-las, como fosse possível. Ao se evidenciar que ele podia ser substituído, inclusive com alguma facilidade nas regiões prósperas, e que seu substituto era "mais inteligente", "mais eficiente" e "mais laborioso" (ou "industrioso"), aquelas disposições desapareceram. Portanto, de uma hora para outra o negro viu-se condenado como agente de trabalho, passando da categoria de agente privilegiado para a de agente refugado, num momento em que ele próprio elevava suas exigências morais e se tornava intransigente. De maneira quase automática, foi confinado à periferia do sistema de produção, às ocupações indesejáveis, mal retribuídas e socialmente degradadas.

3º A escravidão despojou o negro de quase toda sua herança cultural e socializou-o tão somente para papéis sociais confinados, nos quais se realizava o desenvolvimento da personalidade do escravo e do liberto. Como consequência, a Abolição projetou-o na esfera dos "homens livres" sem que ele dispusesse de recursos psicossociais e institucionais para se ajustar à nova posição na sociedade. Não conhecia nem podia pôr em prática nenhuma das formas sociais de vida organizada de que desfrutavam, normalmente, os brancos (inclusive a família e os tipos de cooperação ou de solidariedade que ela condicionava socialmente). Para usufruir os direitos do *Homem Livre*, precisava despojar-se de sua segunda natureza, constituída enquanto e como escravo ou liberto, e absorver as técnicas sociais faziam parte do "mundo dos brancos". Fixando-se na cidade de São Paulo, onde a urbanização rápida e o crescimento industrial acelerado provocaram a expansão intensa da ordem social competitiva, essa lacuna de origem especificamente sociocultural iria erigir-se numa barreira intransponível. A incapacidade de lidar eficazmente (ou de qualquer modo) com as referidas técnicas sociais impediu o ajustamento às condições de vida imperantes na cidade, colocando o negro à margem da história, como se lhe fossem vedadas as oportunidades crescentes, sofregamente aproveitadas pelos imigrantes e pelo trabalhador branco de extração nacional.

4º Em seguida à Abolição, a população negra converteu-se numa população altamente móvel. Muitos componentes dessa população, mais ou menos ajustados à vida na cidade, deslocaram-se para o interior de São Paulo ou refluíram para outras regiões do país (o Nordeste e o Norte principalmente, de onde procediam). Ao mesmo tempo, levas sucessivas de negros e mulatos aninhavam-se como podiam nos porões e nos cortiços da capital. No conjunto, as perdas foram amplamente compensadas pelos ganhos, mas com nítida concentração de pessoas rústicas num ambiente que exigia certas qualidades intelectuais e morais, requeridas pelo trabalho assalariado e pela competição econômica. De *per si* desajustada, essa população tinha de viver de expedientes, de salários insuficientes e apinhada em alojamentos (que outra coisa não eram os porões e os cortiços em que habitavam) que comportavam os moradores. O único elemento dessa população que contava com emprego assalariado mais ou menos certo era a mulher, que podia dedicar-se aos serviços domésticos. De modo que se tornou, rapidamente, o sustento parcial ou total da casa, a roupa e a comida do marido ou do amásio e até o dinheiro com que estes enfrentavam as pequenas despesas. O ócio do homem, que de início era um produto da contingência e um protesto digno, transformou-se bem depressa, em proporções consideráveis, numa forma cavilosa e sociopática de exploração de um ser humano por outro. Além disso, três quartas partes da população negra e mestiça da cidade submergiram numa dolorosa era de miséria coletiva, de degradação moral e de vida social desorganizada. O abandono do menor, do doente ou do velho, a "mãe solteira", o alcoolismo, a vadiagem, a prostituição, a criminalidade ocasional ou sistemática repontaram como dimensões normais de um drama humano sem precedentes na história sócia do Brasil. Nessas condições, o negro não tinha elementos para cultivar ilusões, sobre o presente ou sobre o futuro. E ainda acumulava pontos negativos, pois o branco percebia e explicava etnocentricamente os aspectos dessa situação de que tomava conhecimento, através de cenas deprimentes ou do noticiário dos jornais, imputando ao próprio negro a "culpa" pelo que ocorria (como se o negro "não tivesse ambição", "não gostasse de trabalhar", "fosse bêbado inveterado", "tivesse propensão para o crime e a prostituição" e "não fosse capaz de dirigir sua vida sem a direção e o jugo do branco"). Contudo, o drama em si mesmo não comoveu os brancos nem foi submetido a controle social direto ou indireto; só serviu para degradar ainda mais a sua vítima no consenso geral.

5° O negro e o mulato não dispunham de técnicas sociais que lhes facultassem o controle eficiente de seus dilemas e a superação rápida dessa fase de vida social anônima. Por sua vez, as demais camadas da comunidade não revelaram nenhuma espécie de piedade ou solidariedade diante do drama material e moral do negro, enquanto a própria comunidade como um todo nada podia fazer, já que não dispunha de uma rede de serviços sociais suficientemente complexos para resolver problemas humanos tão graves. A miséria associou-se à anomia social, formando uma cadeia de ferro que prendia o negro, coletivamente, a um destino inexorável. À degradação material correspondia a desmoralização moral: o negro entregava-se a esse destino, sob profunda frustração e insuperável apatia. Logo se difundiu e implantou um estado de espírito derrotista, segundo o qual "o negro nasceu para sofrer", "vida de negro é assim mesmo", "não adianta fazer nada", etc. O único ponto em que o negro não cedia relacionava-se com a teimosa permanência na cidade. Como se fosse um pária da era moderna, aceitava passiva e conformadamente o peso da desgraça e os dias incertos que o futuro lhe reservasse.

Na terceira constelação, devemos considerar as causas e os efeitos dos movimentos sociais que se constituíram no meio negro de São Paulo. Nenhum agregado humano poderia suportar, de modo totalmente inerte, uma situação como a população negra e mulata enfrentou naquela cidade. Aos poucos, foram se esboçando e criando força algumas tímidas tentativas de crítica e autodefesa. Entre 1925 e 1930, essas tentativas tomaram corpo e produziram seus primeiros frutos maduros, expressos numa imprensa negra, empenhada em difundir formas de autoconsciência da situação racial brasileira e do "abandono do negro", e também em organizações dispostas a levar o "protesto da gente negra" ao terreno prático. Pela primeira vez na história social da cidade, negros e mulatos coligavam-se para defender os interesses econômicos, sociais e culturais da "raça", buscando formas de solidariedade e de atuação social organizada que redundassem em benefício da reeducação do negro, na elevação progressiva de sua participação no nível da renda, no estilo de vida e nas atividades políticas da coletividade e, por conseguinte, de sua capacidade em se converter em *cidadão* segundo os modelos impostos pela sociedade inclusiva. No entanto, os movimentos sociais só conseguiram atrair pequenas parcelas da população negra e mulata da capital. Malgrado seu alcance construtivo, o conformismo, a apatia e a dependência em relação aos brancos, os movimentos não serviram senão para criar um marco histórico e redefinir as atitudes ou os comportamentos de negros e mulatos. Desmascarando a ideologia racial dominante, eles elaboraram uma contraideologia racial que aumentou a área de percepção e de consciência da realidade racial brasileira por parte do negro. Doutro lado, acentuando certas tendências igualitárias fundamentais, levaram o negro a empunhar a bandeira da democracia racial, exigindo para si condições equitativas de participação do nível de renda, do estilo de vida e das prerrogativas sociais das outras camadas da comunidade. Como as reivindicações eclodiam de forma pacífica, não germinaram disposições de segregação racial e não alimentaram tensões ou conflitos de caráter racial. Nesse sentido, foram socialmente construtivas, difundindo novas imagens do negro, recalibrando sua maneira de resolver seus problemas, e tentando absorver as técnicas sociais ou aproveitar as oportunidades econômicas de que desfrutavam os brancos. Responderam literalmente às exigências da ordem social competitiva, afirmando-se como o único processo pelo qual a população negra da capital tentou ajustar-se, coletivamente, às exigências histórico-sociais do presente. Não obstante, tais movimentos, com os objetivos que eles colimavam, não repercutiram construtivamente entre os brancos. Estes se mantiveram indiferentes diante deles, erguendo um muro de indiferença e de incompreensão que anulou sua eficácia prática, impedindo que contribuíssem, de fato, para ajustar o sistema de relações raciais à ordem social competitiva. Além disso, os círculos mais influentes, imbuídos de atitudes e avaliações tradicionalistas, reinterpretaram os movimentos sociais surgidos no meio negro como um "perigo" e como uma "ameaça" (como se eles introduzissem o *problema racial* no país). Alguns defendiam o ponto de vista de que, se a "negralhada ficasse à vontade", depois "ninguém conseguiria conter essa gente". Por volta do Estado Novo (1937-1945), os movimentos foram proscritos legalmente, sendo fechada a Frente Negra Brasileira, principal organização aparecida no referido período. Esboçaram-se, com a extinção do Estado Novo, entre 1945 e 1948, algumas tentativas de reorganização daqueles movimentos. Mas todas falharam redondamente, pois os negros e mulatos em ascensão social passaram a dar preferência a uma estratégia estreitamente egoísta e individualista de "solução do problema do negro". No fundo, a inexistência de um mecanismo de solidariedade racial privou o meio negro da lealdade e da colaboração altruística das ralas elites que saíram de seus quadros humanos. Num plano mais geral, porém, isso significa que a contribuição que os movimentos sociais poderiam dar à modernização do sistema tradicional de relações raciais ficou comprometida e neutralizada. A adaptação daquele sistema à situação histórico-social imperante na cidade depende, agora, se não surgirem alterações, dos efeitos lentos e indiretos da absorção gradual do negro e do mulato à ordem social vigente.

Na quarta constelação, devemos considerar como a expansão da ordem social competitiva repercutiu, a curto termo, na graduação das oportunidades econômicas conferidas aos negros e mulatos. No período imediatamente posterior à Abolição, as oportunidades foram monopolizadas pelos brancos das antigas camadas dominantes e pelos imigrantes. Um levantamento estatístico realizado na cidade, em 1893, indica de modo bem claro essa tendência. Assim, sobre 170 capitalistas, 137 eram nacionais (80,5%) e 33 estrangeiros (19,4%). Sobre 740 proprietários, 509 eram nacionais (69%) e 231 estrangeiros (31%). Em certas profissões conspícuas, tradicionalmente controladas pelas altas elites locais, o estrangeiro só aparece esporadicamente. Isso acontecia, por exemplo, com a magistratura e a advocacia. Mas, em outras profissões, mais ligadas ao progresso técnico, os estrangeiros repontam em proporções significativas. É o que se pode inferir, por exemplo, de profissões como a de engenheiros (127 nacionais para

105 estrangeiros), de arquitetos (23 nacionais para 34 estrangeiros), de agrimensores (10 nacionais para 11 estrangeiros), de profissões[2] (274 nacionais para 129 estrangeiros), etc. Entre o chamado "pessoal das indústrias", o imigrante aparece praticamente como o agente privilegiado. Excetuando-se as ocupações agrícolas, nas quais o elemento nacional predominava (pois entrava com 1.673, ou 68%, contra 783 estrangeiros, ou 32%), nas demais áreas, urbanização equivalia, de fato, a europeização. Eis os exemplos mais relevantes: serviços domésticos, 5.878 nacionais (41,6%) para 8.226 estrangeiros (58,3%); atividades manufatureiras, 774 nacionais (21%) para 2.893 estrangeiros (79%); trabalhos de artesãos e artífices, 1.481 nacionais (14,4%) para 8.760 estrangeiros (85,5%); atividades de transportes e conexos, 1.998 nacionais (28,3%) para 6.776 estrangeiros (71,6%). Tendo-se em vista tais atividades, em média 71,2% das ocupações estavam sob controle dos estrangeiros. Como, por outras informações esparsas, fica-se sabendo que era mínima a participação do negro nesse quadro ocupacional, especialmente nos trabalhos qualificados e semiqualificados, tem-se por aí uma pista indireta muito significativa. O desenvolvimento econômico posterior da cidade corrigiu essa situação, mas de maneira quase insignificante. De fato, só posteriormente a 1935, com a intensificação das migrações internas, a "fome de braços" aumentou acentuadamente as oportunidades ocupacionais da população negra e mulata. A modificação foi, entretanto, mais quantitativa que qualitativa. Um maior número de pessoas daquela população passou a ter alguma facilidade na obtenção de fontes estáveis de ganho, embora tal coisa continue a se dar, predominantemente, na esfera dos serviços menos qualificados e mal pagos. Um levantamento que fizemos, em 1951, revela que o negro está encontrando, em nossos dias, o ponto de partida que poderia desfrutar no período da desagregação do regime servil, se não esbarrasse na competição do imigrante. Na amostra estudada, escolhida ao acaso entre homens e mulheres, descobrimos que 29% dos negros e mulatos distribuíam-se por ocupações artesanais; e 21% empregavam-se em serviços domésticos. Quanto

---

[2] Conforme o original. A fonte não foi localizada. (N.Org.)

a outras atividades, as seguintes indicações podem dar uma clara ideia da situação: em serviços públicos, como bedéis, serventes e escriturários, predominantemente, 9%; na indústria, boa parte como encarregados de serviços brutos ou semiqualificados, 8%; em serviços de escritório, poucos como datilógrafos, correspondentes ou contadores, 7%; no comércio, apenas alguns como balconistas ou chefes de seção, 4%, etc. Em suma, o quadro se alterou, mas muito pouco. O negro ainda se acha numa posição muito desvantajosa na pirâmide ocupacional e possui fracas possibilidades de corrigir essa situação no futuro próximo.

Não obstante o caráter pessimista das conclusões que tais dados possibilitam, em conjunto, as alterações decorrentes são de grande significação. A aquisição de fontes estáveis de ganho, não importa em que condição, ofereceu ao negro e ao mulato meios de integração na estrutura ocupacional e, em consequência, uma situação favorável à absorção gradativa das técnicas sociais anteriormente monopolizadas pelo branco. De outro lado, conquistaram simultaneamente um patamar para a classificação ocupacional e a competição com o branco, que abre alguns canais de mobilidade social vertical à população negra e mestiça. Não só os negros e os mulatos podem "pertencer ao sistema"; também já podem "lutar para subir", ou seja, para "melhorar a posição no sistema". Por ralas e débeis que sejam, as "elites de cor" ou as "classes médias de cor" aparecem como uma realidade nova e terão chances de aumentar continuamente, mantidas as atuais condições socioeconômicas.

As quatro constelações de fatores atuam na mesma direção e produzem efeitos sociodinâmicos da mesma natureza. Eles mantêm a desigualdade racial em níveis e segundo um padrão sociocultural estranho à ordem social competitiva e a uma sociedade multirracial democrática. Como se o passado se reproduzisse continuamente no presente, a concentração racial da renda, do prestígio social e do poder engendra um arcabouço social que nada (ou muito pouco) ostenta de competitivo, de igualitário e de democrático em suas linhas raciais. Os brancos desfrutam de uma hegemonia completa e total, como se a ordem social vigente fosse, literalmente, uma combinação híbrida do regime de castas e do regime de classes. No que diz respeito à integração do branco ao sistema de relações sociais, só o último regime possui vigência plena. Quando se trata do negro ou do mulato, porém, os dois regimes se combinam de formas variáveis, sempre fazendo com que influências arcaicas operem livremente, revitalizando de modo extenso e profundo uma ordem racial que já deveria ser uma relíquia histórica.

Preconceito e discriminação nas relações raciais

Esse pano de fundo pode passar por um "fenômeno natural". Ocorre, porém, que ele favorece a perpetuação e, sob certos aspectos, a revitalização do padrão tradicionalista e assimétrico de relações raciais. Esse padrão manteve-se, por assim dizer, intacto até 1930, aproximadamente, ou seja, meio século após a Abolição! E, ainda hoje, não se poderia dizer que tenha entrado em crise irreversível ou que esteja em vias de superação. Ele se preserva parcialmente, mas encontra reforços contínuos na extrema desigualdade da situação econômica e do destino social dos dois estoques "raciais" em presença. A alternativa do desaparecimento final desse padrão de relação racial só se concretizará historicamente a partir do momento em que a população negra e mestiça da cidade conseguir, em bloco, situações de classe equivalentes às que são desfrutadas pela população branca. O que significa o mesmo que admitir que isso sucederá quando a ordem social competitiva estiver despojada das inconsciências econômicas, sociais e culturais que se objetivam em torno das tendências de concentração racial da renda, do prestígio social e do poder.

Em termos gerais, o busílis do "dilema racial brasileiro" – tal como pode ser caracterizado sociologicamente, através de uma situação histórico-social de contato como a que predomina na cidade de São Paulo – reside mais no desequilíbrio existente entre a estratificação racial e a ordem social vigente que em influências etnocêntricas específicas e irredutíveis. No entanto, o padrão de relação racial tradicionalista continha influências sociodinâmicas etnocentristas. E elas não desapareceram. Continuam fortes e atenuantes graças ao arcabouço social que preserva uma concentração racial da renda, do prestígio social e do poder mais representativo de uma "sociedade de castas" que de uma "sociedade de classes".

Para os fins desta exposição, bastaria considerar alguns aspectos cruciais dessa complexa situação. O preconceito e a discriminação surgiram na sociedade brasileira como uma contingência inelutável da escravidão. Os mores católicos proscreviam a escravidão do homem pelo homem. Além disso, impunham ao senhor como obrigação fundamental o dever de levar sua fé e a salvação ao escravo, o que os igualaria perante Deus. Para se evadir de tais obrigações ou torná-las inócuas, apelou-se para um processo aberrante de racionalização sociocultural, que converteu a própria escravidão numa relação aparentemente piedosa e misericordiosa. O escravo seria um *bruto*, um ser entre as fronteiras do paganismo e da animalidade, cuja existência e sobrevivência resultavam de uma responsabilidade assumida generosamente pelo senhor. Por conseguinte, à condição de escravo seria inerente uma degradação total, que afetaria por completo sua natureza biológica e psicológica. Como criatura "subumana", aparecia como "inferior" e "dependente", impondo-se correlatamente a condição social de senhor como um encargo material e moral. Tais racionalizações, penosamente requeridas pelos mores religiosos, eram duramente reforçadas por instituições tomadas ao Direito Romano, que excluíam o escravo da condição de pessoa e conferiam ao senhor um poder quase ilimitado. Nessa conexão de sentido, o preconceito contra o negro e o seu descendente mestiço (pois a condição de coisa se transmitia pela mãe: *partus sequitur ventrem*) configurava-se, socialmente, como uma entidade moral. As marcas raciais possuíam, nesse contexto, um papel secundário, ou adjetivo, porque elas apenas serviam para indicar ostensivamente, como se fossem um ferrete, os portadores da condição degradante e infamante de escravo e, mais tarde, de liberto. No fundo, portanto, o preconceito, que se tornava racial por uma contingência das origens biológicas dos escravos, preenchia uma função racionalizadora. Cabia-lhe legitimar o que era socialmente ilegitimável. Graças a ele, o senhor podia lidar liberalmente com os mores de sua cultura e justificar-se moralmente perante a sua consciência religiosa e o consenso geral.

A discriminação, por sua vez, emergia e objetivava-se socialmente como requisito institucional da relação senhor-escravo e da ordem social correspondente. Como o fundamento da distinção entre o senhor e o escravo procedia de sua condição social (e, portanto, de sua posição recíproca), a discriminação se elaborou, primariamente, como um recurso para distanciar socialmente categorias raciais coexistentes e como um meio para ritualizar as relações ou o convívio entre o senhor e o escravo. Palavras, gestos, roupas, alojamento, alimentação, ocupações, recreação, ações, aspirações, direitos e deveres, tudo caiu no âmbito desse processo, que projetou a convivência e a coexistência numa separação extrema, rígida e irremediável de duas categorias sociais que eram, ao mesmo tempo, dois estoques raciais. Além disso, os escravos formavam a massa da população, uma maioria potencialmente perigosa e, se pudesse explodir, incontrolável. Eram, assim, percebidos e representados como "inimigos da ordem" pública e privada. Para mantê-los sob o jugo senhorial e na condição de escravos, acrescentava-se a violência como meio normal de repressão, de disciplina e de controle. Nesse amplo contexto, não só as dimensões humanas do escravo como "pessoa" foram ignoradas. Firmou-se o hábito inflexível de colocá-lo e de mantê-lo em seu lugar, de reforçá-lo violenta ou brandamente à obediência e à passividade. Em suma, diferenciaram-se dois mundos sociais distintos e opostos, entre dois estoques raciais que partilhavam de culturas diferentes e possuíam destinos sociais antagônicos. Esses pontos precisam ser retidos claramente, se se quiser entender a situação de contato racial imperante no Brasil. As fontes de distinção e de separação eram primariamente raciais. Mas convertiam-se em tal na medida em que atrás do *senhor* estava o "branco" e, por trás do *escravo*, ocultava-se o "negro" ou o "mestiço".

    É importantíssimo mencionar esses fatos. De um lado, porque esclarecem as origens sociais remotas do preconceito e da discriminação raciais no Brasil. De outro, porque delimitam as funções sociais que o preconceito e a discriminação raciais preenchiam na sociedade brasileira do passado. Um servia para legitimar comportamentos e instituições moralmente proscritos. Outro, para regular o convívio inter-racial, submetendo todas as suas manifestações, mesmo as mais íntimas, a um código ético verdadeiramente inflexível na preservação da distância econômica, social e cultural existente entre o senhor e o escravo. Isso sugere que, a partir de suas origens mais longínquas, o preconceito e a discriminação possuem duas facetas.

Uma, evidente, é estrutural e dinamicamente social. O senhor e o escravo relacionam-se e opõem-se como categorias sociais. Tanto o preconceito quanto a discriminação vinculam-se, fundamentalmente, com a estrutura e o funcionamento de uma sociedade de castas, na qual a estratificação racial respondia aos princípios de integração econômica e sociocultural da organização social. Outra, menos aparente e dissimulada, é de cunho racial. Os senhores eram extraídos do estoque racial branco e, em nome de seus interesses e valores sociais, exerciam uma dominação social que era, ao mesmo tempo, uma dominação racial. O mesmo acontecia com os escravos, selecionados no estoque racial negro ou entre mestiços, sem interesses sociais autônomos e sujeitos a uma dominação social que era, ao mesmo tempo, uma dominação racial.

A estratificação social pressupunha, pois, uma estratificação racial e a ocultava. Como uma era inerente à outra, podemos admitir a existência de um paralelismo fundamental entre "cor" e "posição social". No limite histórico externo, fornecido pela ordem social escravista e senhorial, os princípios raciais como que se diluíam e desapareciam por trás dos princípios sociais de integração da ordem social. Mas a análise pode desfazer essa aparência, evidenciando as duas facetas da correlação entre "estrutura social" e "estrutura racial" da sociedade. Doutro lado, em outras polarizações esse paralelismo deixa de ser tão completo e as coisas ficam evidentes por si mesmas. A importância da cidade de São Paulo, como caso crucial para estudo do tema, consiste em que ela permite observar as várias polarizações sucessivas desse paralelismo, desde a desagregação final do *antigo regime* e a função da sociedade de classes.

Pondo-se de lado a era da escravidão, que não nos interessa de imediato nesta análise, temos diante de nós três problemas marcantes. O primeiro diz respeito à fase de transição em que o padrão tradicionalista e assimétrico de relação racial subsiste inalterado. O segundo refere-se ao que acontece quando a ascensão social do negro provoca alguma espécie de ruptura no paralelismo entre "cor" e "posição social". O terceiro relaciona-se com a existência ou não de probabilidades de incorporação do referido paralelismo ao regime de classes sociais, o que redundaria na absorção da desigualdade racial pela ordem social competitiva em expansão.

O primeiro problema pode ser ilustrado com o que ocorreu em São Paulo entre 1888, data da Abolição, e 1930, aproximadamente. Nas condições apontadas acima, de exclusão quase completa da vida econômica ativa, de desorganização social e de apatia, as populações negra e mestiça praticamente permaneceram num status equivalente ao de libertos na ordem social escravista e senhorial. O padrão tradicionalista e assimétrico de relação racial foi transferido em sua quase totalidade para a nova situação histórico-social, como se a alteração do estatuto jurídico do negro e do mulato não se refletisse em suas prerrogativas sociais. Por sua vez, eles se acomodavam passivamente às atitudes e aos comportamentos preconceituosos discriminativos do branco, chegando, até, a se desorientar quando este agisse de forma diversa (digamos: "igualitária" ou "democrática"). Ao mesmo tempo, os brancos, principalmente das camadas altas ou em ascensão social, toleravam muito mal outro tipo de reação por parte do negro e do mulato. Revelavam notável incompreensão e extrema intransigência diante daqueles que "saíssem da linha", pretendendo tratar os brancos como se "fossem gente de sua laia". Portanto, não era só o padrão tradicionalista de relação racial que se mantinha em vigor. Toda a estrutura social que o suportava, a ideologia racial que lhe dava sentido e as funções sociais que ele preenchia preservavam-se com plena vitalidade no plano das acomodações raciais.

Esses fatos são deveras significativos do ponto de vista sociológico. Indicam duas coisas essenciais. Primeiro, que as inovações que afetam o padrão de integração da ordem social nem por isso repercutem, de modo direto, imediato e profundo, na ordenação das relações raciais. Onde persiste o mundo tradicionalista brasileiro é inevitável que sobreviva, mais ou menos forte, o paralelismo entre "cor" e "posição social", ainda que os agentes humanos envolvidos neguem essa realidade. Segundo, o preconceito e a discriminação raciais não emergem como subprodutos históricos da alteração legal do status social do negro e do mulato. Ao contrário, a persistência de ambos constitui um fenômeno de demora cultural: atitudes, comportamentos e valores do regime social anterior são transferidos e mantidos, na esfera das relações raciais, em situações histórico-sociais em que eles entram em choque aberto com os fundamentos econômicos, jurídicos e morais da ordem social vigente. É preciso que se note, neste passo, que as manifestações de preconceito e de discriminação raciais nada têm a ver com as ameaças porventura criadas pela concorrência ou pela competição do negro com o branco nem com o agravamento real ou potencial das tensões raciais. Elas são expressões puras e simples de mecanismos que mantiveram, literalmente, o passado no presente, preservando a desigualdade racial ao estilo da que imperava no regime de castas. Isso significa, naturalmente, que onde o tradicionalismo se perpetua incólume, na esfera das relações raciais – por mais que se propague ao contrário –, ele acarreta a sobrevivência tácita do paralelismo entre "cor" e "posição social".

O segundo problema merece maior atenção. Em dadas circunstâncias, o negro e o mulato podiam sair da própria pele na ordem social escravista e senhorial. Todavia, sob a condição de que se incorporassem ao núcleo legal da família branca ou que fossem aceitos como seus prepostos, apaniguados, protegidos, etc. Nesse caso, o indivíduo como que perdia, parcialmente, sua identidade racial, e como que adquiria, também parcialmente, a identidade social da família a que passava a dever sua lealdade. Não se pode afirmar, como pensam muitos, que semelhante alternativa acarretasse uma correção completa e definitiva da "cor" pela "posição social". Ao que parece, alargava-se, algumas vezes consideravelmente, o âmbito de aceitação e de atuação da "pessoa de cor" no meio branco. Contudo, para muitos efeitos, o indivíduo precisava saber guardar as aparências, mantendo-se "em seu lugar" quando fosse necessário e desenvolvendo uma verdadeira política de sedução sistemática dos ânimos daqueles brancos diante dos quais devia transigir incondicionalmente. Aí se equaciona um tipo de ascensão social que se poderia chamar de infiltração social propriamente dita. Através dele, abria-se uma válvula de mobilidade social vertical que, ao premiar o "mulato de talento" ou o "negro notável", produzia uma contínua e inexorável acefalização no seio da "população de cor". Tal mecanismo, não obstante, além de abranger números reduzidos de personalidades, em nada contribuía para alterar a situação racial ou para modificar a imagem do negro feita pelo branco. Os personagens, selecionados por seus dotes singulares, eram manipulados como "a exceção que confirma a regra". O que eles fizessem de excepcional não beneficiava a sua "raça", era tido como algo que traía a influência ou a herança psicobiológica e social do branco. Dizia-se, a respeito deles: "negro de alma branca", "negro só por fora", "é branco por dentro", "nem parece negro", etc. Simultaneamente se falhassem diante de alguma expectativa, frisava-se: "logo se vê, negro quando não suja na entrada suja na saída", "não se podia esperar outra coisa de um negro", "é negro mesmo", etc. Ora, o aparecimento de oportunidades estáveis de emprego e de ganho, bem como de certas possibilidades de ascensão social, abertas pela ordem social competitiva (especialmente nos últimos 20 anos), fizeram com que larga parte das chamadas "elites de cor" ou "classe médias de cor" se classificasse socialmente sem o bafejo do paternalismo do branco e sob a relativa independência dessa forma espúria de mobilidade social vertical.

Diante desse "novo negro", o branco vê-se numa posição confusa e residualmente ambivalente. O "novo negro" já é, em si mesmo, um tipo humano relativamente complicado: possui uma mentalidade mais secularizada e urbanizada, não teme a livre competição com o branco e pretende "vencer na vida" a todo custo. Rompe cordões materiais ou morais com seus "ambientes de origem", negando-se a conviver com os "negros pobres", a respeitar a solidariedade agreste, que torna o "negro rico" uma vítima indefesa dos amigos ou parentes "em necessidade", e a manter um nível de vida modesto. Refuga o "negro desleixado", que seria o fator da eterna degradação do negro pelo branco; e combate os movimentos sociais de cunho racial, assoalhando que o "problema não é esse" e que eles podem se tornar contraproducentes, ao despertar ilusões entre os próprios negros e ao fomentar a animosidade do branco. Absorve e exagera a mentalidade do branco, que toma como modelo de suas realizações, e põe em prática um puritanismo ingênuo, mas duro, que o eximiria de qualquer crítica e o purificaria de qualquer fonte extrapessoal de degradação moral. Cultiva a delicadeza e a afabilidade, como técnica de suavização de suas atitudes autoafirmativas, mas também como expressão de seu modo de ser, de pensar e de medir a grandeza humana. Por fim, é intransigente diante dos brancos que pretendem congelá-lo, aplicando-lhes o padrão tradicionalista de relação social, pois as anuências nessa esfera redundariam em perda dos proventos esperados – a conquista do "lugar a que faça jus". Visto em conjunto, ele se apresenta como o principal agente humano de modernização das relações raciais na cidade. Pois objetiva uma forma ativa e constante de repulsa às manifestações tradicionais do preconceito e da discriminação raciais.

Através desse tipo humano, evidenciam-se três dados essenciais. Primeiro, no momento em que o negro rompe com os estereótipos e com as conveniências dissimuladas, impondo-se socialmente por seus méritos pessoais, por sua riqueza e por seu prestígio, quebra-se inevitavelmente uma das polarizações que permitia disfarçar o paralelismo entre "cor" e "posição social". Então, as linhas de resistência à cor se manifestam com relativa clareza. O preconceito e a discriminação raciais sobem à tona sem máscara. Não só algumas das restrições que pareciam confusamente associadas à posição social precisam ser postas a nu em termos de cor, como, ainda, em situações competitivas o branco acaba tendo de apelar, de modo mais ou menos aberto, para atitudes ou comportamentos que se chocam com a tradição de decoro e envolvem o apelo ao etnocentrismo como recurso de autodefesa. Segundo, algo oposto também se evidencia com nitidez, embora de forma aparentemente menos extensa e intensa. Os brancos de propensão realmente tolerante e igualitária procuram amparar esse "novo negro", resguardando-o dos efeitos da pressão indireta e estimulando-o a prosseguir em suas ambições. Malgrado certo grau variável de ambivalência de atitudes e uma consciência deformada da realidade racial, tais brancos hostilizam o farisaísmo do preconceito e da discriminação raciais dissimulados, ao mesmo tempo que procuram, embora por vezes insatisfatoriamente, "dar a mão ao negro", e, pelo impacto de sua personalidade ou de seu sucesso, alguns círculos da população branca também se envolvem de maneira mais profunda na modernização dos padrões vigentes de relações raciais. Terceiro, o meio negro propriamente dito não reage uniformemente ao êxito do "novo negro". Amigos e parentes do mesmo nível social podem ficar entusiasmados e oferecer base emocional e moral, que serve como uma espécie de caixa de ressonância e de fonte de estímulos às pessoas em causa. No entanto, mesmo no próprio nível social surgem apreciações mais ou menos malévolas, que minimizam ou ridicularizam as pretensões e as realizações do herói. Nos demais círculos de suas relações no meio negro, principalmente abaixo do nível social adquirido, a reação dominante combina ressentimento com satisfação. O êxito acaba levando à ascensão social, e esta converte-se em ruptura. Por isso, os antigos amigos e parentes ficam ansiosos; numa estranha reação amorosa condenam aqueles a quem amam. Fora e acima das relações de caráter pessoal, porém, o êxito é enfatizado com entusiasmo. Prevalece a ideia de que aquilo que um negro pode fazer outro também pode. Forma-se, assim, um folclore do negro em ascensão, que serve de estímulo aos que aspiram a idênticos objetivos. Os próprios heróis desse folclore, contudo, afastam-se do "antigo ambiente", isolando-se do seu meio originário e procurando construir, laboriosamente, o prestígio do "negro direito", de "posição social" e que "é gente". Essa reação, mais ou menos típica, divorcia o principal elemento humano do meio negro das grandes "massas de cor", impelindo-o a ignorar a importância vital dos movimentos que poderiam redundar na aceleração da democratização das relações raciais.

O terceiro problema coloca-nos diante de um enigma. É impossível prever o que irá acontecer no futuro remoto, em matéria de relações raciais. Parece provável que as tendências dominantes levem, a longo prazo, à implantação de uma autêntica democracia racial. De imediato, porém, certas ocorrências fazem temer pelo desfecho dessas tendências. Pelo que vimos, o fato verdadeiramente profundo, que produziu algumas alterações significativas no contexto histórico-social das relações raciais, vem a ser o desenvolvimento socioeconômico espontâneo. Ora, ele foi evidentemente insuficiente, até hoje, para promover o reajustamento da ordem racial herdada do passado aos requisitos da sociedade de classes. A tal ponto isso é verdadeiro que em muitos círculos sociais e, simultaneamente, nos diversos grupos étnicos ou nacionais que o compõem existe nítida propensão a dar acolhida e a pôr em prática velhos procedimentos preconceituosos e discriminativos. Há quem tenha medo de perder prestígio social "aceitando o negro"; há também os que só aceitam o negro na órbita do convencional, afastando-se deles na área da verdadeira amizade e da comunhão afetiva; há, por fim, os que sustentam a todo custo certas representações arcaicas, repudiando qualquer possibilidade de se incluir o negro em posições que envolvem o exercício de liderança e de dominação. Deixando-se de lado a questão do intercasamento, que esbarra com resistências e avaliações quase incontornáveis na presente conjuntura, dados como esses sugerem o tipo de risco que sobe à tona. A concentração racial da renda, do prestígio social e do poder, as tendências muito débeis de correção dos efeitos negativos que ela inexoravelmente provoca e as propensões etnocêntricas e discriminativas poderão facilitar a absorção gradual do paralelismo entre "cor" e "posição social" pelo regime de classes. Parece indubitável que essa ameaça existe. O pior é que constitui uma realidade que só pode ser combatida de forma consciente e organizada.

E não parece que, mantidas as condições atuais, tal tipo de reação societária encontre viabilidade histórica. Para os segmentos brancos da sociedade, o que importa, vitalmente, não é o destino da democracia racial, mas a continuidade e o ritmo de expansão da ordem social competitiva. Mesmo o problema da democracia no nível político não se coloca como um dilema para esses círculos humanos. Os segmentos negros e mulatos da sociedade, por sua vez, não possuem elementos para desencadear e generalizar o estado de espírito exigido por uma defesa consciente, sistemática e organizada da democracia racial. Os seus setores pobres, por absoluta falta de meios apropriados; as chamadas "elites de cor", porque elas não percebem, ou, se percebem, não acham vantajoso comprometer-se diante de semelhantes objetivos, que afetam mais o futuro da comunidade que o presente delas. Por conseguinte, a democracia racial fica entregue ao próprio destino, sem ter campeões que a defendam como um valor absoluto. Se a formação e o desenvolvimento espontâneo das classes sociais enredarem a desigualdade inerente à ordem social competitiva, então ela estará fatalmente condenada. Continuará a ser um belo mito, como se dá na atualidade.

As condições expostas apanham apenas aspectos das manifestações e dos efeitos do preconceito e da discriminação nas relações raciais. Mas esses aspectos são suficientes para atestar o que pretendíamos: como e por que a ordem social competitiva não absorveu e eliminou, rápida e definitivamente, o padrão de relação racial herdado do passado senhorial e da escravidão. É que os homens e as sociedades que eles formam nem sempre se modernizam por inteiro. Às vezes, elementos e fatores arcaicos continuam a existir e a operar além de sua era histórica, exercendo influências negativas na evolução da personalidade, da cultura e da própria sociedade. Esse parece ser o caso de São Paulo, embora seja a cidade mais moderna e desenvolvida do Brasil. Na esfera das relações raciais, ela ainda está muito comprometida com o passado, indecisamente imersa num período de transição que se prolonga indefinidamente, como se os negros devessem aguardar, para se igualar aos brancos, o advento espontâneo de uma *Segunda Abolição*.[3]

Conclusões

Os resultados da presente análise são óbvios. Mostram-nos, de um lado, que existe um *dilema racial* brasileiro e que ele possui um caráter estrutural. Para enfrentá-lo e corrigi-lo, seria preciso mudar a estrutura da distribuição da renda, do prestígio social e do poder, estabelecendo-se um mínimo de equidade econômica, social e cultural entre "brancos", "negros" e "mulatos". Também revelam, de outro lado, que a emergência e o desenvolvimento de uma ordem social competitiva não constituem, em si mesmos, garantia de uma democratização homogênea da renda, do prestígio social e do poder. As oportunidades que os dois processos histórico-sociais criam são aproveitadas de forma desigual pelas diversas categorias sociais e raciais em presença. A experiência histórica analisada comprova que as categorias sociais mais bem localizadas na estrutura econômica, social e de poder tendem a monopolizar as vantagens reais e a capitalizar os proventos verdadeiramente compensadores da mudança social. Em consequência, a democratização inerente aos dois processos contém duas faces. Uma delas deixa patente que as grandes massas têm acesso

---

[3] Expressão tomada de manifestações de intelectuais negros racialmente inconformistas.

a certos benefícios gerais, que *melhoram* sua participação no nível médio de renda, de padrão de vida ou de uso do poder político. Outra deixa patente que pequenos grupos se inserem mais ou menos privilegiadamente nesse processo, mantendo ou alcançando níveis de participação de renda, do padrão de vida ou de uso do poder político que ultrapassam as proporções médias. Nesse sentido, nas fases de formação e de expansão inicial da ordem social competitiva, surgem tendências muito fortes de agravamento das desigualdades econômicas, sociais e políticas, em termos de *classe*, *raça* ou *região*. A persistência ou eliminação gradual dessas desigualdades passam a depender do modo como as demais categorias sociais reagem, coletivamente, às deformações que assim se introduzem no padrão de integração, de funcionamento e de evolução da ordem social competitiva.

Esses aspectos da realidade sugerem, queiramos ou não, um quadro realmente complexo, no qual se elevam dois problemas centrais. Um deles diz respeito aos tipos de homem que "fazem a história". De que camadas sociais são extraídos, o que representam em termos de interesses econômicos, sociais ou políticos e de identidades ideológicas, nacionais ou raciais? No caso em apreço, tais homens provinham de categorias sociais muito diversas – representantes das antigas elites ou seus descendentes, imigrantes ou seus descendentes, elementos selecionados em populações nacionais migrantes, etc. Todos tinham em comum a ânsia do enriquecimento, da conquista do êxito e do exercício do poder. Para eles, os valores ideais da ordem social competitiva não possuíam nenhuma sedução. Limitavam-se a manipulá-la como um meio para atingir aqueles fins de forma racional, rápida e segura. Portanto, "fizeram história", mas ignorando a coletividade e os seus problemas humanos. Expurgaram a equidade de seu horizonte cultural e, com isso, não tinham perspectivas para aquilatar o drama humano do negro (ou outros dramas igualmente pungentes e dignos da "ação histórica"). Desse ângulo, verifica-se, não só o negro deixou de contar no processo histórico, como se fosse banido da vida social comum. Descobre-se algo pior: a democracia, que fornece ao mesmo tempo o suporte jurídico-político da ordem social competitiva e sua única fonte de controle moral, deixou de inspirar exatamente àqueles que "faziam a história".

O outro problema refere-se à modernização (e, em particular, às suas repercussões no plano das acomodações raciais). É difícil que a modernização possa alcançar proporções equilibradas, igualmente extensas e profundas em todos os níveis da vida social organizada. Ela acompanha o poder relativo e a vitalidade dos grupos interessados em determinadas mudanças socioculturais e progride em função da capacidade que eles logram de concretizá-las historicamente. Por isso, a cidade de São Paulo conheceu uma rápida transformação de sua fisionomia urbana e de sua organização econômica, enquanto ficou variavelmente presa ao passado em outras esferas das relações humanas ou do desenvolvimento institucional. As relações raciais se incluíram neste último setor, apresentando um índice de estagnação surpreendente e perigoso. Para que semelhante situação se altere, é preciso que ocorra o mesmo que sucedeu em face de outras esferas da vida social que se modernizaram rapidamente: os grupos humanos diretamente afetados (ou interessados) devem tomar consciência social dessa situação e tentar modificá-la de forma organizada. Isso significa, em outras palavras, que é do próprio negro que deveria partir a resposta inicial ao desafio imposto pelo dilema racial brasileiro. Ele precisa mobilizar-se para defender alvos imediatos: uma participação mais equitativa nos proventos da ordem social competitiva; e para visar alvos mais remotos: a implantação de uma autêntica democracia racial na comunidade. Agindo socialmente nessa direção, despertaria os brancos, dos diferentes níveis sociais, para o alcance de uma causa da qual depende, de maneira notória, o funcionamento e o desenvolvimento balanceado da ordem social competitiva.

Dessa perspectiva, compreende-se melhor o quanto a modernização das relações raciais depende do grau da racionalidade e da capacidade de atuação social de certos grupos humanos. Bloqueado pela ideologia racial elaborada pelos brancos e seduzido pelo afã de "pertencer ao sistema" – isto é, de se identificar como possível ao próprio branco –, o negro permanece historicamente neutro, negando-se como fator humano de mudanças socioculturais que têm de gravitar, fatalmente, em torno de suas insatisfações e aspirações histórico-sociais. Assim aparece como a principal vítima da cadeia invisível, resultante da persistência do passado. Torna-se incapaz de interagir socialmente de maneira positiva, com as exigências do presente, e deixa de se afinar, na medida do possível, em defesa e na construção do seu futuro humano.

Referências

O leitor interessado encontrará, nas duas obras seguintes, fundamentação empírica e interpretativa para as considerações sociológicas expendidas neste trabalho, bem como referências bibliográficas sobre outras publicações, pertinentes ao assunto.

BASTIDE, Roger; FERNANDES, Florestan. *Brancos e negros em São Paulo*. 2. ed. São Paulo: Companhia Editora Nacional, 1959. (1. ed. 1955).

FERNANDES, Florestan. *A integração do negro à sociedade de classes*. São Paulo: Faculdade de Filosofia, Ciências e Letras da Universidade de São Paulo, 1964.

A revolução burguesa no Brasil em questão[1]

A experiência que tive na Universidade do Texas, em Austin, é única na minha vida como professor. Nunca um livro que escrevi fora submetido a um debate tão variado, interessante e criativo. E, mesmo, poucas vezes me vi subjugado por emoções tão profundas, quanto as que senti ao responder à professora Emília Viotti da Costa e ao ouvir as músicas que *documentaram* a intervenção do professor Gerard Béhague.

Não tomei nota das perguntas, tampouco das minhas respostas aos comentaristas e às contribuições do auditório, entre as quais se salientam as reflexões do professor Bernardo Berdichewsky sobre o fracasso do "populismo" (que não passou, na América Latina, de uma manipulação demagógica das massas populares). Também não considero o debate, em si mesmo, o que aconteceu de mais importante. Criou-se um processo intelectual, fundado na existência de uma comunicação crítica livre, o qual só é possível quando a universidade funciona como uma comunidade de professores e de estudantes, originando a fermentação do pensamento inventivo.

Nesse sentido, sou profundamente grato aos organizadores daquele seminário, aos debatedores e aos comentaristas do auditório, bom como à Universidade do Texas. Entre as muitas diferenças que existem

---

[1] Originalmente publicado em: Revista *Contexto*, São Paulo, n. 4, p. 141-148, nov. 1977. Em 26 de abril de 1976, foi realizado um debate sobre *A revolução burguesa no Brasil*, livro escrito pelo autor, na Universidade do Texas (Austin). Organizado pelos professores Carlos Guilherme Mota e Fred Ellison, esse debate envolvia três painéis e, ao todo, 10 debatedores oficiais. Cada crítico recebeu uma resposta particular direta. As reflexões contidas aqui representam uma reação global do autor ao referido debate, a serem publicadas como breve introdução à brochura na qual foram reunidos os 10 comentários críticos.

entre uma "prática ditatorial", como a que prevalece em meu país no momento, e uma "prática democrática", como a que se desenrolou em Austin, a principal está no fato de que um livro encarado com suspeita em um lugar pode ser discutido criadoramente em outro.

Todavia, o essencial das contribuições dos comentaristas está no texto de suas comunicações e intervenções. Não penso que seria útil retomar as discussões ao pé da letra, para reconstruí-las. Ao contrário, prefiro agradecer aos críticos, que fizeram um esforço para situar o seu pensamento em relação a uma interpretação provocativa da sociedade brasileira e de sua situação atual. De outro lado, alguns trabalhos sumarizam as ideias essenciais e situam o significado inovador do livro. Por essa razão, o comentário do professor Paulo A. Silveira foi incluído pelo professor Carlos Guilherme Mota como um texto de abertura dos debates. Prefiro, pois, propor aos leitores desta brochura o sentido global da minha reação ao que tentamos fazer.

Por que escrevi o livro?

A questão central é esta. Porque um professor de Sociologia, depois de 35 anos de experiência na pesquisa sociológica empírica e de 25 anos de trabalho em uma mesma instituição, a Universidade de São Paulo, já, portanto, no limiar da transição para o último estágio da idade madura, enfrenta um tema tão complexo, certamente "proibido", e através de um ensaio de interpretação livre, longe dos moldes acadêmicos e dos padrões tradicionais de trabalho universitário? Não é mistério para ninguém que sempre me situei como um membro ativo do setor radical da *intelligentsia* brasileira e que tenho militado, como isso pode ser possível em várias circunstâncias em uma sociedade como a brasileira, no movimento socialista. Ao mesmo tempo que me iniciava no estudo das ciências sociais, aprendia nos movimentos subterrâneos a lutar contra uma ditadura, naquele tempo a do Estado Novo, de Getúlio Vargas. Nunca me afastei dos ideais socialistas e procurei realizar uma carreira científica tão exigente quanto estava ao meu alcance preservando tais ideais. Portanto, minha carreira, como professor e como sociólogo, sempre foi marcada por essa dupla vinculação entre a ciência e o socialismo, o que me levou a viver a *responsabilidade do intelectual* em termos de extrema tensão crítica com as iniquidades da sociedade brasileira e a figurar na vanguarda dos que tentaram lutar por uma revolução democrática autêntica, dentro da ordem ou contra ela.

O golpe de Estado de 1964 obrigou-me a procurar uma explicação sociológica que suplantasse a visão tradicional e conciliadora da formação e do desenvolvimento da sociedade brasileira, forjada e mantida pelas elites intelectuais das classes dominantes (no passado e no presente). Para mim, não se tratava de isolar a sublevação militar de uma dominação de classes arraigadamente egoística, ultraconservadora e tão antidemocrática quanto antinacional. Mas de ver como a tirania burguesa acabou fundindo militares e civis em uma ditadura de classes aberta, que se está tornando típica da periferia do mundo capitalista e do uso dos Estados nacionais dependentes como instrumento de opressão nacional, de aceleração do desenvolvimento econômico e da criação da estabilidade política necessária para a incorporação dessas nações ao espaço econômico, sociocultural e político do sistema de poder mundial do "capitalismo pós-industrial".

Portanto, o livro conduzia a uma resposta intelectual a uma situação de extrema tensão política, denunciando simultaneamente os efeitos da dominação conservadora e contrarrevolucionária interna e da dominação externa, das nações capitalistas hegemônicas e de sua superpotência. Escrito com base em uma visão sociológica da realidade e através de uma linguagem sociológica rigorosa, ele devia corresponder às funções da literatura engajada, de desmascaramento social e de combate político. Não se tratava, apenas, de defender a "liberdade" e a "democracia". Porém, de pôr em evidência que a sociedade de classes engendrada pelo capitalismo na periferia é incompatível com a universalidade dos direitos humanos: ela desemboca em uma *democracia restrita* e em um Estado autocrático-burguês, pelos quais a transformação capitalista se completa apenas em benefício de uma reduzida minoria privilegiada e dos interesses estrangeiros com os quais ela se articula institucionalmente.

Em meu entender, essa situação histórica se insere em um panorama mais amplo e faz parte do conflito mundial entre capitalismo e socialismo. A *revolução democrática*, nos países pobres, subdesenvolvidos e dependentes, nem sempre pode ser mantida nos limites da ordem existente. As maiorias oprimidas e descontentes não são contidas pela cultura política imperante, válida para as minorias privilegiadas e instrumentais para a defesa de uma dominação de classes rígida e dos interesses econômicos, culturais ou políticos externos. Essas minorias monopolizaram por largo tempo privilégios antinacionais e, frequentemente, antissociais, desmoralizando o capitalismo, o Estado capitalista e os ideais democráticos puramente burgueses. A chamada "revolução de expectativas", que muitos supõem inerente ao desenvolvimento capitalista e à modernização que ele requer, não pode favorecer uma identificação com a referida cultura política, pois as maiorias emergentes não poderiam construir um mundo democrático sem destruí-la e sem colocar em seu lugar uma cultura política igualitária.

Em traços muito gerais e abstratos, esse era o sistema teórico de referência da interpretação global. A repressão posta em prática, de maneira brutal e ostensiva – e fora de qualquer consenso ou legitimidade civil e política –, exigia que se entendessem sociologicamente as estruturas e os dinamismos de uma sociedade de classes que não chegou a completar a sua revolução nacional, no nível da distribuição da riqueza, da participação dos direitos civis e do funcionamento das políticas, o que a tornou incapaz de promover a democratização do controle do Estado pela população (ou por sua maioria econômica e politicamente ativa). Nesse contexto, o Estado não podia ser, efetivamente, nem *nacional* nem *democrático*. Uma evolução nesse sentido significaria que os privilégios das minorias dominantes – urbanas, semiurbanas e rurais – se veriam ameaçados e, por sua vez, não poderiam continuar instrumentais para o sistema de poder do capitalismo mundial.

A recapturação de uma teoria

O uso da violência institucionalizada, da opressão sistemática e do terror organizado na revolução burguesa não constitui uma novidade. Ele aparece de forma endêmica ou transitória em todas as modalidades de revolução burguesa, reconhecidas como "clássicas". O que havia ocorrido é que os "círculos acadêmicos" abandonaram o uso do conceito de dominação burguesa, a teoria de classes e, especialmente, a aplicação da noção de revolução burguesa à etapa da transição para o capital industrial nas noções capitalistas da periferia. Passou-se a falar, indiscriminadamente, em "elites" e em "modernização", algumas vezes também em "transferência de tecnologia e de capital", ignorando-se que esses processos requerem certos mecanismos supranacionais, certos requisitos econômicos, sociais e políticos, os quais só podem aparecer no contexto de uma sociedade de classes e no clímax de uma industrialização maciça, que, por sua vez, exigem o monopólio do conflito de classes pela burguesia (associada ou não a outras categorias sociais). Mesmo investigadores da estatura teórica de um Barrington Moore Jr. colocaram um ponto final na história das revoluções burguesas, concentrando-se nos "casos clássicos" (Inglaterra, França e Estados Unidos). E até um dos maiores teóricos do marxismo moderno, Georg Lukács, estabelece requisitos para a "transformação capitalista" que excluiriam os fenômenos recentes da irrupção do capitalismo industrial e do Estado capitalista na periferia da teoria geral da revolução burguesa.

No entanto, uma burguesia impotente para conduzir autonomamente a "transformação capitalista" e, portanto, para conjugar uma revolução nacional com uma revolução democrática nem por isso deixa de ficar no centro do controle do poder econômico, social e político das respectivas sociedades de classes. E isso com tanto maior amplitude e ímpeto quanto mais fraca for a oposição organizada das classes operárias e das massas populares. Não importa se o ponto externo de apoio das classes burguesas venha de estamentos aristocráticos, como na Alemanha ou no Japão, ou das nações capitalistas hegemônicas, sua superpotência e do poder político estatal, como acontece na era atual, sob o novo padrão do imperialismo criado pelas corporações multinacionais. O que importa é que o poder relativo de estabilidade e de crescimento dessas classes encontra um suporte forte e durável, que as torna aptas a manipular o Estado como seu fulcro de autoafirmação e de dominação de classe. O caso russo representou um exemplo extremo de incapacidade total da burguesia em buscar e em encontrar um apoio externo eficiente, malgrado o esforço da *entente*. Na periferia do mundo capitalista da atualidade, as multinacionais, as nações capitalistas hegemônicas e sua superpotência, com uma rede internacional de instituições econômicas, políticas, militares e culturais, ofereceram a burguesias impotentes potencialidades novas, que lhes asseguram um forte poder de autodefesa e de autoprivilegiamento. Elas se tornaram aptas a modificar a estrutura e as funções do Estado capitalista e, em particular, a usá-lo de uma forma discricionária e tirânica, passando assim da era do "Estado democrático-burguês" para a era do "Estado autocrático-burguês". O que quer dizer que os tempos históricos da revolução democrático-nacional foram superados e substituídos pelos tempos históricos da aceleração do desenvolvimento econômico e do aprofundamento da incorporação aos mecanismos econômicos, culturais e políticos do sistema de poder mundial do capitalismo.

Na realidade, esse Estado precisa absorver *tecnologia avançada* e tem de efetuar uma dupla evolução: 1) militarizar-se e tecnocratizar-se, preservando suas conexões estruturais e dinâmicas com o capital privado "nacional" e "estrangeiro"; 2) impor-se com a inversão do *"Estado de direito"*, ou seja, como um Estado capitalista que só é "nacional", "democrático" e "representativo" para os interesses de classe, internos ou externos, com os quais ele se articula econômica, social e politicamente. Ele não é funcional para a defesa da nação como uma comunidade política e tampouco é funcional para a defesa da igualdade dos cidadãos perante a lei ou a ordem política estabelecida. Portanto, ele só é instrumental para a imposição de uma estabilidade política que se mantém pela força bruta e pela ameaça potencial e que, por usa vez, constitui o requisito político para a intensificação da acumulação capitalista e a aceleração do desenvolvimento econômico.

Tudo isso indica que a história contemporânea nos reservou uma surpresa. As nações tampões do fim da Primeira Guerra Mundial foram substituídas pelos Estados tampões do fim da Segunda Guerra Mundial. O cerco capitalista ao socialismo e à revolução socialista mudou de caráter. Não obstante, as burguesias dependentes puderam revitalizar-se, pelo menos temporariamente, e lograram uma oportunidade histórica para continuar – e, algumas vezes, para completar – a "transformação capitalista" dentro de um contexto reacionário, de contrarrevolução política prolongada e de institucionalização (aberta ou dissimulada) do uso do terror estatal. Por quanto tempo? Essa é uma questão que só os fatos da história em processo irão responder.

As críticas à posição do autor

Um livro aberto para uma problemática tão ampla era naturalmente suscetível de atrair diferentes tipos de crítica empírica e teórica. Não é minha intenção defender-me das críticas que recebi, escudando-me por trás de uma postura maniqueísta, para desqualificar os oponentes. Era inevitável que teria de cometer vários erros – seja por inconsistência de fundamentação empírica, seja de natureza interpretativa. Os críticos, ao apontarem as limitações de meu trabalho, foram geralmente benevolentes. Não só deixaram de lado as implicações e as consequências do *"bias"* ideológico, demonstrando uma evidente elegância acadêmica e sólido idealismo liberal-democrático. Lembraram-se, também, das dificuldades que a observação macrossociológica encontra em um país no qual ainda se progrediu muito pouco na esfera das investigações particulares – da realidade econômica e demográfica aos aspectos sociais, culturais e políticos da formação e desenvolvimento da sociedade brasileira. É um fato sabido: um ano de síntese envolve séculos de análise. Não poderia evitar muitas lacunas, mesmo que fosse mais bem dotado e possuísse uma capacidade invulgar de interpretação e de criação inventiva.

Sou, pois, naturalmente grato aos colegas que ficaram no plano do factível e avaliaram minha produção (ou minha posição) de uma perspectiva que relativizava as minhas falhas diretas ou indiretas. Todavia fiquei frustrado em dois pontos.

De um lado, ficou faltando uma abordagem das questões que a recapturação da teoria da revolução burguesa pode suscitar. Mesmo os marxistas ortodoxos e os neomarxistas enfrentam sérias controvérsias nessa área, pois uma aplicação demasiado simplista da teoria do imperialismo ou dilui o lado histórico do que é feito através das burguesias impotentes da periferia, ou ignora que os dinamismos básicos da "transformação capitalista" são repetitivos. Não podemos ignorar que problemas análogos aparecem na interpretação do centro imperial: até Wright-Mills, o mais brilhante analista do sistema capitalista de poder sob o complexo industrial-militar, teve de se omitir diante da herança deixada por um pensamento teórico que muitos acreditam superado ou irrecuperável.

De outro lado, sem subestimar a relevância dos pontos específicos e de interesse histórico para descrever a formação e a expansão da sociedade de classes no Brasil, o aspecto crítico e militante da minha análise foi posto à margem. O desmascaramento social e político, desde as origens das ciências sociais aos nossos dias, constitui uma tarefa crucial da pesquisa histórica, sociológica ou filosófica. A partir de dentro da instituição em que trabalha, o cientista social pode fazer muito pouco para alcançar a "crítica da sociedade". Ele tem de escolher uma linha de argumentação que possa ser aceita, entendida e compartilhada fora dos "muros acadêmicos". Além disso, precisa, em um nível ou em outro, estabelecer uma ruptura com a ordem estabelecida e com seus meios repressivos institucionalizados. Ora, aí surgiam os maiores desafios aos meus críticos e comentadores. Logrei, realmente, dar uma resposta coerente e significativa para as correntes "progressistas", "radicais" e "esquerdistas" que desafiam um governo ditatorial e pressionam na direção de uma revolução democrática? Na verdade, o sociólogo pode dar uma *contribuição prática* ou seu diagnóstico só concorre para esclarecer os espíritos e equacionar os marcos possíveis de uma contestação verbalizadora? Minha impressão é de que nos fechamos dentro de um círculo, deixando fora dele o elemento central da discussão: a condenação da tirania burguesa sem disfarces e do seu Estado autocrático.

Se essa impressão for correta, é óbvio que falhamos diante do dever de dar um balanço nos caminhos que se abrem para o futuro, os quais nos permitiriam indagar se uma sociedade democrática é possível no Brasil e por que meios ela poderá se instaurar. Como eventos históricos, as tiranias burguesas são passageiras e abrem caminho para uma democracia de participação ampliada, ou para uma democracia de participação total (dentro dos limites das desigualdades inerentes à sociedade capitalista), ou para uma democracia social e para o socialismo. Não fui tão longe na análise dos problemas políticos no livro. Isso seria pouco realista e inócuo. Apenas sugeri certas possibilidades, que estão na raiz da presente crise da civilização industrial. Porém, no debate, esse deveria ser o ápice da fermentação discursiva. Somente Gerard, por meio de uma engenhosa redução estética ao absurdo, levantou o véu dessas possibilidades. Mas de uma forma que concentrava a atenção e o foco do debate crítico nas incongruências de uma repressão irracional por sua cegueira e implacabilidade.

O menos que se pode dizer, assim, é que não afrontamos o "bom combate". Chega-se a um ponto em que os homens decidem que um estado de coisas é insustentável (como ocorreu nos Estados Unidos com o estatuto colonial ou com a persistência da escravidão). Atingindo esse ponto, os que se calam e os que falam menos do que devem se "comprometem com a situação". E esse núcleo mais complexo da discussão interessa universalmente aos intelectuais, *scholars* ou não, e aos homens comuns. Pelo que procuro desvendar, não é a *burguesia brasileira*, em si e por si mesma, que realiza uma oscilação histórica negadora da democracia como "estilo de vida"; o argumento é posto em termos mais amplos, de uma rotação em que estruturas nacionais de poder da burguesia e dinamismos internacionais de irradiação do capitalismo monopolista coincidem em forjar uma autocracia burguesa, que aparece mais claramente, no momento, nos "países capitalistas em avanço" da periferia.

Desse ângulo, a situação brasileira representa um caso típico. Qualquer cientista social – um Marx, um Durkheim, um Max Weber, um Veblen – tentaria indagar o que semelhante caso típico significa para a condição humana e o futuro da civilização. Se o capitalismo nos reserva esse destino na periferia, então é quase certo que ele acabará sofrendo, mais cedo ou mais tarde, uma reversão análoga no "centro imperial". O que daria plena razão a Herbert Marcuse e à sua visão terrificante do que nos aguarda sob a civilização industrial. Mesmo que se discorde de um diagnóstico tão sombrio (eu próprio penso que os impasses que justificam tal vaticínio são de média duração), permanece a questão específica angular. Se o capitalismo, para se consolidar na periferia, precisa criar um sistema mundial de poder que leva ao nascimento e ao fortalecimento de um Estado autocrático-burguês, a alternativa para "a história como liberdade", na periferia, só poderá vir do socialismo. Qualquer que seja a identificação ideológica do cientista social – e mesmo que ele se apresente como destituído de uma identificação ideológica, como um representante olímpico da "neutralidade ética" –, essa questão perturbadora levanta-se naturalmente, exigindo um debate criterioso profundo. Voltando as costas a esse debate, deixamos de indagar quais são os papéis intelectuais construtivos dos cientistas sociais neste momento de crise da civilização industrial e, em especial, nos desdobramentos em que essa crise converte a periferia do mundo capitalista no pior dos "mundos possíveis". Devemos silenciar — e deixar que as forças irracionais destruam o mundo em que vivemos, universalizando soluções tipo BEHEMOTH — ou devemos expor francamente os resultados de nossas reflexões críticas?

O certo é que a humanidade reconstruirá a civilização moderna tornando-a universalmente compatível com os ideais mais sólidos de igualdade social, de solidariedade humana e de justiça integral. Todavia, o cientista social deve situar-se dentro desse processo, dispondo-se a discutir o enlace do presente processo com o futuro em gestação. Nesse ponto, entretanto, falhamos por completo. Concentramo-nos demais no livro, no autor ou em certas questões concretas, perdendo de vista que não se deve ver a árvore isolada da floresta. Ou seja, fechamos o universo de discurso, como se o que acontece no Brasil não fosse relevante para o que acontece nos centros históricos decisivos de criação do poder e da história.

Revolução ou contrarrevolução?[1]

O regime vigente, instituído em 1964 através de um golpe de Estado e em nome de *ideais revolucionários*, constitui, de fato, uma contrarrevolução. Seu caráter contrarrevolucionário se evidencia, de modo específico, tanto em termos do seu significado interno quanto à luz da situação mundial.

No plano interno, ele surgiu como uma contrarrevolução, no sentido específico, porque não se tratava realmente de uma "autodefesa da democracia contra o comunismo internacional". Essa representação constituía um puro mascaramento ideológico e não passava de uma manifestação da *propaganda política* mais grotesca. O que se procurava impedir era a transição de uma *democracia restrita* para uma *democracia de participação ampliada*, que prometia não uma "democracia populista" ou uma "democracia de massas" (como muitos apregoam), mas que ameaçava o início da consolidação de um regime democrático-burguês no qual vários setores das classes trabalhadoras (e mesmo de massas populares mais ou menos marginalizadas, no campo e na cidade) contavam com crescente espaço político próprio. Pôr um paradeiro a esse processo e revertê-lo, eliminando tal espaço político de participação direta ou indireta das classes trabalhadoras e das massas populares, queria dizer não só "*brecar* a revolução dentro da ordem", mas também restabelecer um *status quo ante*, no qual as chamadas "franquias democráticas" apenas teriam eficácia para as classes possuidoras e suas elites políticas.

---

[1] Originalmente publicado em: *Contexto*, São Paulo, n. 5, p. 21-35, mar. 1978. Texto condensado de conferência pronunciada sob o título de "Classes sociais e Estado no Brasil", em Juiz de Fora, sob o patrocínio do D.A. do Instituto de Ciências Humanas e Letras e do D.A. do Instituto de Comunicações (1/9/1977); sob o título "Classes sociais e democracia", em Santo André, sob o patrocínio do D.A. Dois de Abril, da Faculdade de Filosofia Ciências e Letras de Santo André (7/10/1977); e sob o título "Revolução ou contrarrevolução?", em São Paulo, no Instituto Sedes Sapientiae (14/10/1977).

Quanto ao plano externo, o golpe de Estado fez parte de um ciclo mais amplo, que levou a *guerra fria* e a doutrina do *desenvolvimento com segurança* do centro para a periferia do mundo capitalista. O cerco capitalista acabou atingindo não só a autêntica ameaça de "subversão comunista da ordem"; ele alcançou e paralisou, em nome da "defesa" e da "interdependência do Ocidente", vários tipos de revoluções nacionais, submetendo a modernização, em geral, e as transições democráticas, em particular, a um controle político e policial-militar estrito, pelo qual as classes trabalhadoras e as massas populares foram banidas da cena histórica. É preciso que se note: o impulso externo não se limitou a apoiar e a dar vitalidade às manifestações da contrarrevolução "a partir de dentro". Ele levou para a periferia uma necessidade própria e urgente – por vezes exacerbada – de solapar e destruir a mudança política revolucionária que não pudesse ser contida no nível dos interesses conservadores e reacionários. O enlace das duas tendências surge, pois, como uma corrente profunda da contrarrevolução em escala mundial, e o Brasil entra nesse cenário como um dos países vitais para "a segurança do Hemisfério Ocidental". O que nos aconselha a não ver as coisas somente da "ótica interna" e das falsas esperanças, que pareciam garantidas desde as eleições de 1945, a Constituição de 1946 e os episódios que marcam o início da década de 1960.

O golpe do Estado, com essas duas vertentes, encerra toda uma etapa agitada, porém superficial, de expansão da "democracia burguesa" – a democracia burguesa possível no Brasil, um país de origem colonial, saído recentemente do regime de trabalho escravo e fortemente preso à dominação imperialista. Ele não retoma os fios do passado no plano político. Ao contrário, conduz a um novo estilo de ditadura de classe, que exige, por sua vez, um Estado ditatorial próprio, que designei como Estado autocrático-burguês (veja-se *A revolução burguesa no Brasil*. Rio de Janeiro: Zahar Editores, 1975, cap. 5, 6 e 7). Como já escrevi antes, ambos, a ditadura de classe e o Estado ditatorial, não punham um fim na história. A repressão e a opressão nunca tiveram esse poder de "paralisar" ou de "congelar" a história. Por sua natureza mesma, a autocracia burguesa não pode "durar para sempre": o capitalismo, no centro ou na periferia, impõe ritmos rápidos à transformação da sociedade. Tais ritmos acabam sendo mais rápidos (e dramáticos) na periferia, onde as contradições internas do regime de classes são agravadas pelas contradições inerentes à dominação imperialista, que impõe às burguesias associadas e aos Estados que formam as suas bastilhas uma dependência que os inibe na cena histórica e as entrava no plano estrutural. O que produz um efeito paradoxal: as mesmas condições que precipitam a contrarrevolução contêm os germes de sua fraqueza e derrocada. Independentemente da pressão direta das classes trabalhadoras e das massas populares (que não deixam de estar presentes na história: uma presença ameaçadora, voltada para a desagregação da autocracia burguesa e do Estado autocrático-burguês), e antes mesmo que essa pressão direta faça sentir os seus efeitos frontais, as contradições internas e externas *minam* a articulação e o poder de controle relativo das forças contrarrevolucionárias. Tudo isso quer dizer que o tempo da contenção pela violência é curto (podendo durar de uma a três décadas, no máximo, o que não é nada na história dos povos) e ele tem de ser usado com extrema rapidez, intensidade e racionalidade pelas forças contrarrevolucionárias. Ora, isso não aconteceu. Nem os países centrais e a superpotência nem os países capitalistas da periferia puderam explorar esse tempo de "forma especificamente preventiva". As contradições voltam à tona, agravadas, e evidenciam que o padrão recente de regime ditatorial (uma composição civil-militar, sob garantia das Forças Armadas e do poder de dissuasão das nações capitalistas hegemônicas e de sua superpotência) "falhou" – ele está deixando de ser, rapidamente, uma garantia de *estabilidade política*, e esta precisa ser alcançada por outros meios, ou surgirão novos pesadelos.

Aí se configura uma nova problemática, crucial para se analisar a impotência do cerco capitalista e da contrarrevolução em escala mundial. Examinando-se essa problemática de seu ângulo *menor*, a perspectiva que se abre pelo circuito interno das forças contrarrevolucionárias presas em sua própria armadilha, descobre-se que a dominação burguesa ainda é suficiente forte (a partir de dentro) e suficientemente flexível (pela articulação com o imperialismo) para decidir como se definirá a passagem da "situação revolucionária" (entenda-se: *contrarrevolucionária*) para a "abertura política" (o chamado "Estado de direito"; e o que é *Estado de direito*, sob o capitalismo?). Na medida em que a pressão direta das classes trabalhadoras e das massas populares não são o *fator* principal dessa transição, ela é determinada, regulada e contida pelos interesses das classes e frações de classes dominantes. Os parceiros do drama já não podem continuar a farsa. Não obstante, eles podem converter a farsa em comédia, e, quiçá, chegar aos seus próprios fins com o que entendem ser não uma "democracia relativa", mas uma "segurança relativa".

Esse é o busílis da situação atual. Eles deixam de ver – a partir de dentro e a partir de fora, embora de forma muito desigual, o que não podemos debater aqui – o regime ditatorial como uma garantia suficiente para a *estabilidade política*. Se não abrem mão da concentração de poder, que não são forçados a isso, procuram pelo menos adaptar a concentração de poder aos "meios usuais". O que repõe a via parlamentar no circuito do processo político. Não que pretendam *revitalizar* a via parlamentar. Pois sabem muito bem que qualquer "meio usual" significa o retorno da democracia de participação ampliada e, portanto, dos "riscos" da presença das classes trabalhadoras, das massas populares e de suas exigências políticas. O que querem é transferir para o Parlamento o ônus do desgaste e a busca gradual de uma alternativa: uma almejada democracia forte, que não faria outra coisa senão prolongar a ditadura de classes concentrada e a contrarrevolução de modo menos aberto e menos visível, "institucionalizando" e por aí *legitimando* a própria contrarrevolução. A linguagem política nem precisa ser decodificada. "Autodefesa do Estado", "democracia relativa", "salvaguardas políticas", etc., é tudo um rosário de claras intenções contrarrevolucionárias, às quais não se opôs frontalmente, até agora, nenhuma força social e política verdadeiramente neutralizadora. Em suma, a loucura dos donos do poder continua a mesma. Contudo, o cenário está mudando, e os que expuseram a nação ao leito de Procusto são, por sua vez, chamados a prestar contas do que fizeram e por que fizeram.

Seria conveniente concentrar a presente discussão, dando-se precedência a temas substantivos, claramente vinculados ao que parece vir como uma oscilação em crescendo da história. Como a contrarrevolução continua em plena atividade, ela deverá fornecer o eixo da discussão. O tema inicial, que se impõe naturalmente: em que consiste o desgaste da contrarrevolução e o que tal desgaste contém em seu bojo? Daí seria conveniente saltar para outro tema conexo: em que medida as forças sociais da contrarrevolução podem condicionar e estão condicionando a reciclagem do processo político? Por fim, se não quisermos ser vítimas duas vezes dessas forças, a primeira, na hora do *golpe*, agora, no momento da *reciclagem*, temos de iniciar uma indagação, que leva a uma confrontação: como anular o ímpeto dessas forças e criar espaço político para as forças que lhes são antagônicas, as quais buscam retomar e aprofundar as vias da revolução democrática?

O desgaste da contrarrevolução era inevitável. Primeiro, porque ela não gerou seu próprio "período de transição", isto é, ela não se mostrou capaz de resolver quaisquer dos *grandes problemas do Brasil* no lapso de tempo já transcorrido. Ao contrário, ao dissociar o tempo político da revolução nacional (que estava e está em processo, apesar de tudo) do tempo econômico do desenvolvimento capitalista (acelerado dentro de limites extremos, para atender ao padrão de acumulação de capital imposto pelo capital monopolista e à taxa de exploração da mais-valia decorrente), ela se tornou antissocial e antinacional. Antissocial, com referência à expropriação trabalho, à exportação do excedente econômico, à intensificação das desigualdades econômicas e, por consequência, ao agravamento das tensões sociais (embora tal agravamento não seja visível à superfície e seja mistificado pelas aparências de uma "prosperidade generalizada"); antinacional, com referência à súbita expulsão de grupos radicais, do movimento sindical e das vanguardas políticas das classes trabalhadoras para fora da *sociedade política*, o que deteriorou ou esmagou os fracos dinamismos políticos que ligavam entre si a nação e o Estado, bem como impediu a formação de dinamismos políticos novos, que pareciam em desprendimento da gradual consolidação da democracia de participação ampliada.

Em ambos os níveis temos uma maior polarização conflitiva (mesmo que apenas *potencial*, por enquanto) de interesses divergentes ou antagônicos de classes distintas. Ao privilegiamento exclusivo dos interesses privatistas, por via econômica ou através do Estado, corresponde o esvaziamento da capacidade construtiva da dominação burguesa de atender os interesses das classes trabalhadoras e das massas populares. Para essas camadas da população, o Estado autocrático-burguês não dá com uma mão o que tira com a outra. Ele tira com ambas e devolve tão pouco que não há como conciliar, dentro da ordem "criada pela revolução" (leia-se: contrarrevolução), nação e

Estado. As fraturas são tão profundas e se agravaram de modo tão rápido e constante que as classes burguesas perderam a possibilidade de "diálogo político" dentro dessa ordem e através daquele Estado com as classes trabalhadoras e com as massas populares. Desse ângulo, o desgaste é a um tempo estrutural e histórico. Só pode ser superado mediante uma recomposição que elimine, tão depressa quanto possível, todas as iniquidades geradas, direta ou indiretamente, pelo regime vigente (o que significa que não há saída de meio-termo, mediante concessões e subterfúgios: ou se elimina o regime ditatorial, com todas as suas "conquistas", ou o divórcio entre nação e Estado conduzirá, irreversível e irremediavelmente, a uma guerra civil).

Segundo, por sua natureza, a contrarrevolução constituía um expediente político-militar. Na verdade, a contrarrevolução foi possível porque as classes possuidoras, através de seus setores dirigentes e de suas elites econômicas, políticas, culturais, militares, judiciárias e policiais (e em certo sentido também religiosas), revelaram-se capazes de unificar socialmente o seu espaço político, engendrando o equivalente político de uma *união sagrada* dos interesses comuns das classes possuidoras. Por aí, conflitos setoriais ou foram relegados ou foram abafados: passou ao primeiro plano a defesa da "propriedade privada", da "iniciativa privada", da ordem jurídica e política que garante a ambas, etc., o que possibilitou a articulação de interesses burgueses díspares (internos e externos) e ofereceu uma base de classe bastante sólida para o uso da guerra civil com vistas ao bloqueio da revolução democrática.

Se a guerra civil teve o seu *uso a quente* limitado, enquanto o seu uso a frio foi tão extenso, isso se deve às peculiaridades do regime de classes sociais existente no Brasil. Se a pressão de baixo para cima fosse mais forte e estivesse mais identificada com os fins da revolução democrática (dentro da ordem ou contra a ordem), a guerra civil teria assumido outras proporções e provocado outras consequências. De qualquer forma, ela bloqueou a passagem, em processo, de uma democracia restrita para uma democracia de participação ampliada. E o que foi mais decisivo, para as classes possuidoras: sem que essas classes possuíssem uma suficiente articulação estrutural e dinâmica em sentido horizontal (e em escala nacional), ela permitiu a imposição de uma tirania das classes possuidoras que se reconhecia como tal, ainda que justificasse "revolucionariamente" a ditadura da minoria através de mistificações como a "defesa da ordem", a "proteção do regime democrático", o "resguardo da civilização ocidental e da fé cristã", etc.

Para muitos cientistas políticos convencionais ou formalistas, processos dessa complexidade alcançam baixa perceptividade, pois só em "culturas cívicas" avançadas as massas possuiriam horizonte cultural para perceber (e desaprovar) tal realidade. Não obstante, aconteceu o contrário. De um lado, como a "revolução" (isto é, a contrarrevolução) "se legitimou a si e por si própria", toda a transformação não teve qualquer sutileza. O autoprivilegiamento e a autoproteção das classes possuidoras, por meio da violência organizada, não deixou nenhuma dúvida mesmo nos "espíritos mais incultos". O senso comum do "cidadão de segunda ordem" bastava para revelar em toda a plenitude o significado político do que se passou. De outro lado, a militarização e a tecnocratização das estruturas e funções do Estado também foram altamente visíveis, deixando patente que o agravamento de desequilíbrios e de iniquidades preexistentes se devia à contrarrevolução. Isso não só lançou o povo (ou a "opinião pública") contra o regime ditatorial; alienou dele muitos apoios que poderiam ser mantidos em termos de privilégios pré-capitalistas, de "defesa da ordem" ou de consolidação da hegemonia do capital monopolista.

Aqui houve, na verdade, uma "distribuição desigual" dos *encargos sujos*: comparativamente, os militares e os tecnocratas *sujaram as mãos* em troca de compensações discutíveis. A visibilidade negativa como que se concentrou neles, numa hábil manobra dos setores privados mais fortes e poderosos. Mas isso não é o essencial e não apanha as retaliações e as tensões decisivas. A contrarrevolução nascia e se protegia do medo, pânico das classes possuidoras. Passado esse momento, não havia como preservar e fortalecer uma solidariedade de classes de base tão heterogênea e frágil. As debilidades crônicas das classes possuidoras avançaram por dentro do terreno político e histórico da contrarrevolução, enfraquecendo-a de modo constante, crescente, inexorável. Isso não impede que os seus setores hegemônicos pressionem no sentido de uma *normalização* "gradual" e "segura". Todavia, isso significa que até esses setores, superado o período de pânico, buscam fora e acima dos "interesses comuns" das classes possuidoras a solução de seus dilemas (e dos dilemas da dominação de classe e do poder político-estatal da burguesia). O que põe o problema central do "desgaste da revolução" (ou seja, da contrarrevolução) como um problema especificamente burguês. Como a contrarrevolução não podia gerar uma saída para o problema da exacerbação da dominação burguesa e para o problema do elemento político intrínseco ao Estado capitalista ditatorial, a médio prazo ela tinha de se vitimar a si própria. O cavalo de Troia não estava fora, mas dentro dos muros da cidade burguesa.

Terceiro, em toda parte, onde se praticou a dissociação dos dois tempos mencionados acima, a estabilidade política imposta *manu militari* não tinha por fim servir à nação ou, mesmo, servir por igual a todos os setores das classes possuidoras. Ao revés, o que se equacionou, em todos os continentes da periferia do mundo capitalista, foi como impelir a modernização acelerada, com sua típica "revolução por incorporação", de modo a resguardar: 1º) o controle dessa periferia pelas nações capitalistas hegemônicas e por sua superpotência; 2º) a estabilidade política exigida pelas multinacionais (ou grandes corporações) para operar em escala mundial e para crescer nas nações capitalistas dependentes "estratégicas"; 3º) os setores hegemônicos das classes possuidoras nessas nações, como e enquanto uma comunidade "nacional" de negócios, como empresários associados ao imperialismo ou como os "quadros" administrativos e políticos do Estado. Em regra, as maiores nações capitalistas da periferia conheceram um enlace que apanha todas essas determinações (o que se pode comprovar, por exemplo, através do México e do Brasil). Nesse nível, a contrarrevolução só era ou poderia ser instrumental para fins pragmáticos de curto prazo (às vezes, que se consumiam *in actu*).

Enquanto na média das classes possuidoras, especialmente no grosso de seus estratos mais conservadores e reacionários, propendiam a ver a *causa sagrada* como um processo de contrarrevolução permanente, no plano das forças mais dinâmicas da contrarrevolução o processo tinha um caráter de intervenção cirúrgica. Acresce que as condições externas da própria contrarrevolução não podiam ser predeterminadas. Elas dependiam de fatores de conjuntura e da revolução da economia capitalista mundial. Para aquelas forças mais dinâmicas, mesmo, convinha que a modernização fosse a um tempo "segura", mas "rápida". Elas conheciam a natureza do "milagre econômico" induzido de fora, através de condições externas altamente instáveis e incontroláveis. Pela experiência reiterada, aprenderam que podem "gerar" e "aquecer" tal *milagre* por lapsos curtos de tempo. Em seguida, o desenvolvimento capitalista fica entregue à própria sorte e tem de obedecer aos ritmos e às limitações das nações receptoras.

Tudo isso mostra uma realidade complexa. O "milagre econômico", como fenômeno típico e tópico, nunca "vem para ficar". Ele se amortece de maneira tão inesperada como surge (às vezes ainda mais depressa) e deixa um campo propício a decepções e recriminações. O desgaste da contrarrevolução procede tanto da oscilação normal apontada quanto dos efeitos que ela produz. Ao se deprimir, o "milagre" deixa uma vasta esteira de descontentes no seio mesmo das classes possuidoras. Não há como abafar certos ressentimentos, que lançam raiz na partilha desigual dos privilégios e do botim. O que quer dizer que a contrarrevolução se volta contra os contrarrevolucionários, inicialmente no nível econômico, em seguida no nível político. Na medida em que se passa de um nível a outro – o que pode exigir uma década, um quarto de século ou mais, conforme a validade socioeconômica e política da nação capitalista receptora –, o desgaste da contrarrevolução passa a ser incontornável. As próprias classes possuidoras abastecem os quadros de seu apodrecimento e decomposição.

Quarto, a aliança de classes possuidoras dotadas de força desigual (e também, portanto, privilegiadas de forma desigual pela contrarrevolução) desemboca na criação de um Estado autocrático-burguês de várias faces. Como já discuti algures, há a face democrática, que se vincula à existência e à eficácia de uma democracia restrita, indispensável ao funcionamento da ordem contratual inerente ao capitalismo e à sua forma de trabalho; há a face autoritária, que se vincula à atuação do Estado, que precisa absorver várias funções especiais de acumulação e de proteção do lucro, bem como intervir diretamente na constituição da infraestrutura da economia de monopólio na fixação das "regras do jogo", e na saturação de certos "vazios econômicos"; há a face fascista, vinculada à coexistência de uma ordem constitucional e legal ritualizada e de uma *ordem institucional* efetiva, pela qual o despotismo de classe deixa de ser uma "emergência" e passa a ser uma *necessidade fundamental do equilíbrio político*.

Ora, essa multiplicidade de faces diz alguma coisa. A sociedade de classes que cria esse tipo de Estado burguês injeta nele um elemento político que o torna *intrinsecamente instável*. Ele reflete contradições que não podem ser conciliadas no plano econômico e social – e que, por isso mesmo, são absorvidas pelo Estado, convertendo-o em um Frankenstein. O que oscila na sociedade em direções contrárias e contraditórias irá oscilar no Estado da mesma maneira, só que de forma ampliada. Ao absorver e rearticular forças de peso e caráter desigual, sem conseguir simplificá-las e eliminar seus signos contrários, o Estado fica à mercê não da potencialidade dos "interesses comuns" das classes dominantes, mas da debilidade de seus "interesses divergentes". Os protagonistas mais poderosos (como as multinacionais, a burguesia financeira, a grande indústria, a grande empresa "pública" ou "mista") ou de posição estratégica-chave (os grandes tecnocratas civis ou militares e os *grandes eleitores* do regime) tendem a prevalecer e a lutar naturalmente pela redução do espaço político, bem como da voz dos protagonistas mais fracos (o comércio agrário ou agroindustrial, industrial de pequeno ou médio porte, etc.), a pequena burguesia, as classes médias "tradicionais", o pequeno e médio comércio em geral, para não falar das classes trabalhadoras e das massas populares, excluídas da condição de protagonistas no processo político "institucionalizado".

Por trás de um aparente monolitismo, temos um Estado autocrático-burguês debilitado por conflitos setoriais, intramuros, os quais não podem ser *compostos* ou *anulados* (o que exigiria custos econômicos e políticos que tornariam o próprio regime inviável). Se se apanha esse ângulo – que é, sem dúvida, o menos visível, mas o mais relevante –, descobre-se que a base estatal do poder contrarrevolucionário é ultravulnerável. O Estado autocrático-burguês surge como um gigante de pés de barro. O desgaste é *tão natural* (como realidade histórica criada) quanto a sua implantação. Ao começar, ele não pode ser detido: sua tendência é que avance gradualmente até um pico, a partir do qual o desmoronamento se configura como um processo ultrarrápido, como se esse Estado não passasse de um castelo de cartas.

Esse ponto é fundamental. A fraqueza da sociedade civil, composta quanto a seus estratos mais poderosos e atuantes por uma minoria de privilegiados e ultraprivilegiados, em comparação com o volume da população e o tamanho da nação, faz com que à sua força súbita (que explica o êxito da contrarrevolução) também corresponda uma fraqueza sintomática e invencível (que explica o fracasso da contrarrevolução). A base econômica do Estado autocrático-burguês é estreita demais; fica presa a uma restrita sociedade civil, fechada na defesa de seus privilégios e incapaz, por isso mesmo, seja de atender aos interesses da nação como um todo, seja de resguardar a sua própria capacidade de "união sagrada". É claro que o impasse das três faces pode (ou poderia) ser quebrado em várias direções (muitas delas compatíveis entre si). Todavia, o peso dos interesses (e também do poder) das classes mais fortes e poderosas, internas e externas, acaba por esvaziar a autonomia relativa do Estado contrarrevolucionário.

Todo Estado de exceção ou ditatorial gera uma autonomia específica do elemento político, que é central para a realização dos fins que ele encarna. No caso dos regimes que nasceram da irradiação do capitalismo monopolista na periferia, a superposição das três fases vitimizou o Estado contrarrevolucionário, que não tem como harmonizar as estruturas e os dinamismos políticos envolvidos entre si e *para sempre* (ou por um longo período de tempo). Na medida em que a repressão e a opressão *institucionais* operam de modo maciço e intensivo, ele é capaz de preservar o equilíbrio estático requerido por sua ordem *institucional*. Porém, aos poucos até isso acaba sendo solapado pelas próprias *forças da ordem* (no caso, "forças contrarrevolucionárias"), já que elas não podem conciliar sua ansiedade por vantagens relativas crescentes com os imperativos do reforçamento da autonomia do Estado autocrático-burguês.

Em outras palavras, esse Estado, independentemente de "pressões de baixo para cima" (é claro que o aparecimento dessas pressões precipita o desmoronamento), perde a probabilidade de fazer o enlace dinâmico entre a órbita da ação estatal, a sociedade civil e a sociedade política. Só é curioso como os detentores das "rédeas do poder" ignoram esse fenômeno e se comportam *como* se nada se alterasse ou pudesse se alterar. Pode-se delinear como se avançou nessa direção através de várias formas de contestação ou de oposição, que brotam dos referidos interesses (passamos, no Brasil, da "oposição consentida", reservada ritualmente ao "partido de oposição", para manifestações especificamente orientadas contra o Estado autocrático-burguês e proibidas por ele: esse é o significado do "protesto estudantil", com os estudantes desgarrando-se cada vez mais dos controles "domésticos" indiretos; do *protesto intelectual*, com advogados, jornalistas, padres, professores, atores, compositores, etc. dissociando-se da "pressão conservadora", que antes paralisara seus "órgãos de classe"; da *inquietação* de certos setores empresariais cada vez menos propensos às vias *institucionais* de comunicação direta com o governo, etc.).

As pressões de baixo para cima continuam reprimidas e só se manifestam esporadicamente (greves em locais de trabalho; quebra-quebras; "reposição salarial", etc.). Todo o espaço político continua a ser monopolizado e ocupado pelos vários setores de classe da burguesia. Todavia, isso importa pouco. Pois é dele que procede o desgaste da contrarrevolução e do regime ditatorial: os que criaram o monstro agora pretendem devorá-lo. É dos interesses burgueses, das cidadelas da dominação burguesa que partem os ataques iniciais à "contrarrevolução redentora". O que deixa patente que o calcanhar de Aquiles do Estado autocrático-burguês está no próprio capitalismo monopolista. Contudo, isso também quer dizer que as "aberturas possíveis" vêm daí! Em 13 anos, as classes possuidoras não se transformaram tanto a ponto de se converter em sua antítese histórica.

Como poderia o paladino da contrarrevolução converter-se em 13 anos em um burguês liberal-radical ou uma burguesia tímida e pró-imperialista se metamorfosear em uma "burguesia conquistadora" ou revolucionária? O elo direto com o capitalismo monopolista estabelece qual é a equação política: a oscilação leva do Estado autocrático-burguês ao "Estado de direito", mas este não pode nem deve ser a negação daquele. Ao contrário, nessa passagem deve-se chegar ao Estado capitalista "normal" para o Brasil e "ideal" para nossa época, um Estado instrumental para a existência e o fortalecimento de uma *democracia forte*. Essa é toda a órbita da oscilação, o que mostra que a mudança substantiva está aquém da mudança semântica.

Semelhante conclusão conduz o debate para as questões suscitadas pelo segundo tema. Na época de confronto mortal com o socialismo, o capitalismo só oferece *alternativas "pobres"*. Se isso parece verdadeiro para as nações capitalistas centrais, é ainda mais para as nações capitalistas da periferia. Esmagadas entre o pavor das revoluções socialistas (a rebelião das massas contra a ordem) e a avalanche destruidora de uma dominação imperialista sem limites (que *internacionaliza* o próprio espaço da dominação burguesa na periferia até as várias estruturas e funções do seu Estado autocrático-burguês), as burguesias dessas nações ignoram a via real da autonomia pela revolução democrática.

Trata-se de uma situação na qual se espelha o drama mais profundo da civilização capitalista. Ela sobrevive pela reprodução da ordem existente. Avança através de uma tecnologia que empresta grande flexibilidade ao capitalismo no plano da força bruta, do consumo de massa e da poluição generalizada (da natureza ao ser humano e à cultura: nada escapa). Portanto, há um resíduo contrarrevolucionário imanente à *civilização capitalista ameaçada*, resíduo que cresce e se multiplica na periferia, onde a relação numérica entre os "malditos da terra" e os "entes privilegiados" atinge desiquilíbrio insuperável. O que quer dizer que o capitalismo selvagem da periferia contém a sua razão política intrínseca: salta do *tradicionalismo* para uma *modernização ultrarrevolucionária*. O mandonismo se converte com a "modernidade" em autoritarismo sem máscara, o que transforma o caráter do despotismo burguês, que se desprende da dominação racional com relação a fins e a valores para se configurar como uma dominação abertamente autocrática, como se a sociedade civil se militarizasse segundo uma ética elitista profissional. Tal resíduo generalizado quebra as fronteiras entre todos os tecnocratas, qualquer que seja a sua localização no espaço econômico e social.

Temos de projetar esse resíduo na realidade histórica, forjada pelo golpe de Estado de 1964 e pelo regime a que ele deu origem. No contexto dos últimos 13 anos, tal componente do capitalismo recente aparece nas cristas de uma exacerbação total. Atingimos a industrialização maciça não apenas sob a égide do imperialismo e do intervencionismo estatal. Fizemo-lo sob a tutela de um mandonismo intolerante e carrancista, que se metamorfoseava em "racionalidade burguesa", empenhada não na defesa da ordem existente pela revolução democrática, mas na sua imposição pela força e pela violência organizada (isto é, pela contrarrevolução, eufemisticamente aclamada como "revolução institucional").

O que merece o primeiro plano da análise nesse quadro? Não só o processo que desemboca nessa forma típica e tópica da *revolução burguesa em atraso*; mas, também, o fato de que as forças contrarrevolucionárias de uma sociedade de classes explosiva ganharam o centro do palco, o domínio sobre a nação e o controle direto do Estado. Em suma, uma burguesia cegamente conservadora conta com um Estado autocrático-burguês como uma terceira mão armada, repressiva e opressora. Por maior que seja o desgaste das fórmulas burguesas e do Estado autocrático-burguês, uma realidade emerge inexoravelmente: não se pode passar *através* dessa forma de dominação de classes, convertida em meio sagrado de defesa e fortalecimento do capitalismo. Ou se passa por cima dela, ou não se passa. A conclusão é óbvia. A contrarrevolução não cederá terreno. Ela está preparada para camuflar, mistificar, impor. A perversão da razão capitalista foi tão longe que se torna natural que ela confunda "institucionalização do regime" com "abertura política", "democracia relativa" e, mesmo, "democracia plena". O fantástico Estado de direito é ressuscitado. Ele não conta com um Bismarck nem com uma pobreza prussiana. Porém, a própria burguesia absorve todos os papéis possíveis: ela risca o talhe da sociedade política e, portanto, produz a *democracia* de que necessita.

A fase da reciclagem do regime desenha-se, claramente, como um prolongamento da "revolução industrial" por outros meios. Ou isso, ou nada! Daí toda a fraseologia sobre *democracia forte*, *Estado de direito* com meios de autodefesa, etc., que não significa outra coisa senão que as forças contrarrevolucionárias pretendem conduzir a reciclagem de acordo com seus desígnios e com seus interesses. Elas amedrontaram de tal forma os seus inimigos e anularam, por enquanto, tão completamente as classes trabalhadoras e as massas populares que chegaram a destruir o potencial revolucionário no coração dos adversários. Estes não têm a coragem de falar em revolução democrática, em contestação ou em contrarrevanche. Os dois extremos da revolução democrática aparecem, objetivamente, na "democracia burguesa" e na "democracia proletária". A palavra "democracia" tornou-se, assim, um risco potencial (quando deixa de ser uma pura farsa). Tal estado de temor e de rendição antes da luta assinala bem o terreno em que pisamos. A contrarrevolução veio para ficar (é assim que se pode traduzir o dito corrente dos seus paladinos: "a revolução veio pra ficar"). Tanto os que "dirigem" ou "lideram" o regime quanto os seus "servidores" ou seus "quadros" e *os que se servem dele* ou a sua "massa" empenham-se concreta, denodada e ardilosamente em resguardá-lo da destruição.

Qual seria, porém, a diferença de grau entre o regime atual e uma *democracia forte*, um Estado de direito com *salvaguardas*, etc.? Deixaríamos, por acaso, de sofrer o arbítrio e a opressão das mesmas forças contrarrevolucionárias que estão no poder? Uma transformação desse naipe seria conveniente à reação, que continuaria a agir livre e impunemente e, por sorte, sem qualquer visibilidade negativa! O Estado de direito, temperado pelos atos institucionais "constitucionalizados", conferiria legitimidade à sua permanência indefinida. Não se trata de lembrar apenas que a emenda seria pior que o soneto. Um regime prolongaria o outro e o pantanal continuaria a engrossar, com o povo fora da história e a nação entregue indefesa, como se acha hoje, a mercê de um condomínio de poderosos.

Por fim, eis-nos chegados ao último tema. Eliminadas as fantasias de uma "democracia burguesa", não existem esperanças? É preciso não ignorar que, sob o capitalismo monopolista, a sociedade de classes não é menos antagônica por ser mais repressiva e opressiva. A visão de que os conflitos desapareceram ou são selecionados negativamente no capitalismo recente – apesar do respeito que merecem alguns dos campeões dessa ideia, como é o caso de Marcuse – ignora que uma socialização deformadora e controles externos paralisadores acabarão se defrontando com os efeitos reativos de muitas tensões e outras tantas esperanças frustradas. Quando se fala de sociedade de classes, fala-se também de *uma* história. Nada é eterno na sociedade de classes, nem mesmo o seu alicerce e suporte material, o capitalismo. Passando do centro para a periferia, verifica-se com maior objetividade esse fato crucial.

A autocracia burguesa surgiu primeiro na periferia; e é na periferia que já se pode traçar as linhas de seu desgaste e, a médio prazo, o seu próximo desmoronamento. As fricções e as tensões surgem no seio mesmo das classes possuidoras (não é um paradoxo formidável?) e geram, dentro delas, um sentimento antiburguês que antes não era compartilhado pelos rebentos da burguesia. Existem não só uma impaciência e uma vergonha – mais visíveis e, por vezes, radicais nos estratos católicos e nas gerações jovens da burguesia –, como também uma rejeição. Trata-se, por enquanto, de algo latente ou de uma irradiação minúscula, embora em crescendo rápido. Mas, se mesmo o catolicismo latino-americano – até agora tão entorpecido pelo tradicionalismo – e os jovens "privilegiados" das classes médias engrossam as fileiras do "desencanto" ou da "condenação ativa", há nessa evidência uma forte prova de que o que parece a exceção hoje muito em breve será a regra.

Voltamos à linguagem de Engels. As leis nas ciências sociais são *históricas*. Elas explicam a formação e a duração das estruturas sociais: como elas se criam, por quanto tempo poderão se preservar e se reproduzir, por que terão de desaparecer. Só contamos com aproximações para retomar tal diagnóstico. Contudo, são aproximações razoáveis, que nos permitem inferir que a porção da humanidade que vive sob a égide do capitalismo não está condenada e, muito menos, não está condenada para sempre. Tomando-se essa posição diante da interpretação da realidade, é possível distinguir as limitações que não nascem da história, mas da história que se torna possível sob o capitalismo monopolista.

Portanto, o "inexorável" e o "inexorável perpétuo" só existem na cabeça dos que não penetram na análise da estrutura íntima do capitalismo monopolista. Ele também é, em suas determinações causais, uma realidade histórica e uma entidade passageira. Desde que não se abra mão da negação e de uma perspectiva crítica, ele pode ser enfrentado como qualquer outra formação social do passado, por mais brutais, inibidoras ou aterrorizadoras que sejam as "forças *legais* ou *ilegais* de conservação da ordem". A questão que se coloca é a do risco que se esteja disposto a aceitar e a correr. Se a "oposição dentro da ordem" já assume o caráter de uma "subversão intolerável", a *oposição contra a ordem* torna-se uma heresia mortal. No entanto, a primeira condição para a eficácia dos antagonismos de classe é a reflexão antagônica e, por consequência, a ação antagônica no plano prático. Sem que essas duas condições entrelaçadas se deem, não existe nem nunca poderá existir nenhum espaço político além do que é produzido e reproduzido pelas "forças de conservação da ordem".

Tudo isso indica o que se deve fazer. Devemos começar por uma operação semântica (de essência puramente política): tirar o conceito de democracia do limbo em que se ele acha e ao qual foi lançado pelas forças contrarrevolucionárias. Para isso, é essencial liberar a mente dos entraves de um totalitarismo de classe que proíbe qualquer proposição igualitária do que deve ser a *revolução democrática*, quando não se luta pelo capitalismo, mas contra ele, pelo imperialismo mas contra ele. É por aqui que se coloca a chamada *questão da democracia*. Mesmo nos países em que cultura cívica, participação e mobilização se conjugam à representação, ao consenso e ao parlamentarismo, a revolução democrática é esterilizada por uma liberdade esvaziada e poluída pela desigualdade social. O quadro na periferia do mundo capitalista é muito pior – haveria necessidade de lembrar *por quê*? Não basta ranger os dentes e engolir em seguida a saliva envenenada. É preciso começar por um novo patamar político, claro e imperioso. Não se deve conceder às forças contrarrevolucionárias um poder que elas não possuem (e nunca poderiam possuir). Elas não podem anular a nossa imaginação criadora, a nossa vontade política e a nossa capacidade de enfrentá-las em termos de contestação e de repúdio. Esse é o limite que separa a ideia abstrata de democracia dos movimentos de massas pela revolução democrática.

Os que se pensam muito isolados e batidos perderam a perspectiva histórica. Por que 13 anos não apagaram a compulsão de liberdade, de igualdade e de exasperação que fazem parte da estrutura básica da personalidade do "homem do povo"? Por que uma oposição consentida, tímida e frágil recebe o apoio espontâneo das classes trabalhadoras e das massas destituídas ou marginalizadas?

Em um país como o Brasil, a revolução democrática só poderá contar com um ponto de partida muito pobre e muito fraco. O desafio, porém, não vem daí. Ele está na necessidade de engendrar um espaço político que possa ser ocupado pela maioria, na quase totalidade composta pelos trabalhadores, pelos destituídos, pelos marginalizados. Como fazer isso sob o império de uma sociedade de classes tão tenazmente oposta mesmo à emergente (e inevitável) transição para uma democracia de participação ampliada, que se sabe fadada à manipulação dos controles conservadores e à repressão violenta por parte dos setores mais reacionários e *ultras* da burguesia? *Não cedendo terreno!*

Há que deixar claro por onde passa e aonde leva a contrarrevolução, o que ela significa e por que temos de lançá-la na lata de lixo da história. Do mesmo modo, há que deixar claro o que é e aonde leva a revolução democrática. Como poderemos palmilhar o caminho que nos permitirá encetar essa nota redentora? Desse ângulo, a propalada "teoria do quanto pior melhor" não é uma concepção política viável, construtiva e revolucionária. Ao contrário, ela é intrinsecamente derrotista e imobilista: na situação em que nos encontramos, ou começamos a lutar pelos meios possíveis, com vistas a consolidar ganhos crescentes, ou facilitaremos a continuidade e a supremacia da contrarrevolução. Para se fazer isso, não é necessário sucumbir às vacilações e às concessões. O que se apresenta como extremamente urgente é acabar com o pensamento infantil de que se poderia "politizar as massas" sem começar a luta; e para começar a luta é fatal que teremos de partir do ponto zero, com um espaço político igual a zero. Esse poderá ser um débil começo, mas é o começo de uma revolução democrática pela qual se poderá disputar o espaço político atualmente ocupado e monopolizado pelas forças da reação e da contrarrevolução.

Só depois disso se poderá ir mais longe, liberar novas forças alternativas, reformistas e ou revolucionárias, tirar as classes trabalhadoras e as massas populares do emparedamento histórico em que se acham. Dentro desse esboço, em que o tático e o estratégico estão combinados: a questão da democracia começa por ser *um desafio à desobediência civil sistemática e generalizada*. De fato, não basta "pensar contra". Impõe-se *lutar contra*. Não se pode fazer isso sem se recorrer, de modo maciço e repetido, à desobediência civil sem tréguas. Até hoje, não há exemplo de regimes ditatoriais amparados em forças minoritárias, mas bastante fortes para deter o controle da economia, da sociedade e do Estado, que tenha cedido lugar de forma espontânea e sem luta. Para eliminar as forças da contrarrevolução, é preciso desobedecer sistematicamente às suas imposições, não temer a sua violência, não se submeter em nada em qualquer fim político essencial. E isso deve ser feito no nível do comportamento do indivíduo e no nível do comportamento de grupos ou de classes em escala nacional. À contrarrevolução autocrática é preciso opor a revolução democrática. Desde que esta comece, ela se espalhará e multiplicará suas formas, gerando no presente a negação da ditadura de minorias poderosas e sua substituição por uma *democracia organizada pela e para a maioria*, pois não poderá haver democracia em outras condições.

O centenário da antiabolição[1]

O Movimento Negro do PT pretende participar ativamente dos "festejos" do Centenário da Abolição. Mas irá participar de forma crítica e desmistificadora.

O que significa abolir? Extinguir, acabar ou revogar. Doutrinariamente, a abolição deveria corresponder à consagração do abolicionismo, à redenção do agente do trabalho escravo. No entanto, ocorrem simultaneamente dois movimentos convergentes de caráter abolicionista. Um que era expressão do liberalismo e do humanitarismo radicais dos brancos, com frequência nascidos na casa grande ou aliados dos interesses senhoriais, e que queriam libertar o Brasil da nódoa e do atraso da escravidão. Outro que vinha da senzala e exprimia a luta do escravo para passar da condição de escravo para a condição de homem livre.

O primeiro movimento era pacífico e, em essência, libertava a sociedade dos entraves ao desenvolvimento capitalista, que resultavam da imobilização do capital e da inibição dos dinamismos do capitalismo comercial e industrial, que provinham da persistência do modo de produção escravista e do trabalho escravo. O segundo associava-se à violência, à fuga, ao aparecimento de quilombos e à fermentação de conflitos sociais nas fazendas, nas zonas de plantações e mesmo nas cidades. Joaquim Nabuco e José do Patrocínio representavam o primeiro tipo de movimento. Negros escravos e libertos anônimos eram os paladinos do segundo movimento, que ganha corpo aos poucos e, na última década do século XIX, leva a desorganização às fazendas e as inquietações sociais aos lares dos grandes proprietários.

---

[1] Originalmente publicado em: *Boletim Nacional do PT*, n. 35, p. 8-9, maio 1988. Republicado por revista *Perseu*, n. 9, p. 210-214, maio 2013. Nesse contexto, Florestan Fernandes era deputado federal eleito pelo PT. (N.E.)

Excepcionalmente, algum branco do estamento senhorial colaborava com essa modalidade de agitação abolicionista insurgente, como Antônio Bento e determinados caifazes.[2] Os brancos que davam maior apoio a essas lutas antiescravistas eram pobres, artesãos, operários ou pequenos comerciantes, segundo informações do próprio Antônio Bento, o mentor da *redenção do negro* (não da mera emancipação do escravo).

Tristes episódios

O 13 de Maio foi um ato de romantismo político (do ponto de vista da casa imperial) e jogou contra o trono a fúria dos últimos senhores de escravos. De fato, a escravidão esgotara-se como modo de produção e os novos centros de expansão da lavoura encerravam o ciclo da substituição maciça do trabalho escravo pelo trabalho livre. Os célebres contratos com os escravos, com cláusulas temporárias para a sua libertação definitiva, constituíam um ardil, por meio do qual os proprietários extorquiam dos escravos mais cinco, três ou dois anos de trabalho. No fim, era um artifício para prender o escravo até a realização das colheitas.

Os episódios que marcam essa época histórica e dão o sentido das ações dos senhores são os mais vergonhosos e vis que se poderiam imaginar: eles desmascaram a natureza espoliativa da relação senhor-escravo até o último instante – prevaleceu o instinto predador e o espírito de lucros grosseiros, que dominaram o horizonte cultural senhorial. Retendo os escravos por "mais algum tempo" tornava-se possível atingir fins imediatos, ligados à produção, à colheita, à exportação; e conseguia-se tempo para buscar o substituto do escravo no mercado, em que se comprava ("contratava-se") o imigrante com a sua família ou o morador nativo com sua família. O "trabalho livre" emergia como equivalente do trabalho escravo, e o trabalhador livre, como uma espécie de escravo temporário, não declarado.

---

[2] Antônio Bento de Souza e Castro (1843-1898), abolicionista da província de São Paulo. Liderou os "caifazes", grupo de abolicionistas que apoiava a fuga de escravos. (N.E.)

Festa às meias

Essa situação era o produto de uma evolução natural do regime de produção escravista e da impossibilidade de se tirar de dentro dele, como do regime de produção artesanal na Europa, o trabalhador qualificado e o pequeno ou médio empresário. Enquanto perdurou o medo de que a supressão do tráfico conduzisse o Brasil a um beco sem saída, os senhores e os teóricos do escravismo desenharam utopias sobre a preparação e a educação do escravo para o trabalho livre.

Quando se descobriu que essa era uma alternativa hipotética, e que existiam outras possibilidades mais baratas e menos complexas de transição, abandonaram-se tais ideias e largou-se o negro à sua sina. Por isso, o 13 de Maio foi uma festa às meias. Tirava dos ombros do senhor o "fardo da raça branca" e engendrava-se o que fazendeiros paulistas batizaram como "o homem livre na pátria livre". Só que o "homem livre", por algum tempo, continuaria a ser recrutado nos estratos dominantes da "raça branca" (até que os trabalhadores criaram o trabalho livre, como categoria histórica), e o negro estava condenado a um destino trágico. O senhor não recebeu do Estado a indenização pelo juízo provocado pela perda da propriedade sobre o escravo. Mas obteve mais do que isso, indiretamente, por meio do financiamento de uma política oficial de imigração e de proteção à exportação, que resolvia seus problemas de mão de obra e de comercialização do café.

Em seguida, com a República, o fazendeiro tornava-se beneficiário de uma oligarquia perfeita, que unia seu poder local ao poder estatal, unificando seus interesses econômicos, sociais e políticos, em termos de uma política econômica fundada em sua situação de classe.

Desse ângulo, o 13 de Maio brilhou como um sol que protegia unilateralmente os senhores, os seus objetivos e os desdobramentos destes a médio e a longo prazo. O negro e o liberto perderam em toda a linha. Na competição com os imigrantes, foram desalojados pelas preferências dos proprietários pelo "homem livre", visto como mais apto e produtivo. Selecionados negativamente nas áreas em desenvolvimento econômico acelerado, viram-se também expostos a uma dura escolha. Os salários vis, que lhes oferecia, enquadravam-se numa política geral de salários baixos. O ex-escravo e o ex-liberto viram-se na contingência de repudiar as ofertas de trabalho, pois enxergavam nelas a continuidade da escravidão por outros meios. Tiveram de se retrair, retomando os caminhos que os levavam de volta às regiões de origem, submergindo na economia de subsistência, ou recorriam ao parasitismo sobre a mulher negra, ou tinham de se submeter aos "trabalhos sujos", literalmente, "trabalhos de negro". O círculo se completara.

Egressos despreparados para o trabalho livre da crise final da economia escravista, não encontravam, dentro do sistema de trabalho livre emergente, oportunidades de acesso e de integração. Portanto, o 13 de Maio dobra a última página de uma tragédia. O negro era expulso de uma economia, de uma sociedade e de uma cultura, cujas vigas ele forjara, e enceta por conta própria o penoso processo de transitar de escravo a cidadão.

Este seria um processo de longa duração, pouco rápido em toda a parte e fragilíssimo no Brasil como um todo. O 13 de Maio não descerrava para o negro "novas oportunidades". Extinguia as velhas ocupações sem engendrar outras novas. Então começa a pugna feroz do negro para "se tornar gente", para conquistar com suas mãos a autoemancipação coletiva.

O passo inicial consistia em penetrar no mundo da classe, se tornar assalariado e, por aí, assimilar a cultura do proletário e do morador da cidade. É nas cidades que os negros iriam multiplicar suas desgraças, mas, ao mesmo tempo, forjar uma consciência social de rebelião coletiva.

Raça e classe

Aparecem pequenos clubes, alguns jornais, escritores negros ou mulatos leais à raça. O passo seguinte envolveu a formação de movimentos sociais de autoanálise, de autocrítica e de demolição devastadora da hipocrisia do branco. O "negro emparedado" desmistifica-se e desmascara a ordem legal existente, demonstrando que ela se fechava para o negro, por causa do preconceito e da discriminação raciais.

Os movimentos sociais não encontram receptividade entre os brancos, que não os compreendem e os encaram como "racistas", invertendo defensivamente a equação libertária do negro. Este exige cidadania completa, em todos os sentidos. No trabalho, no lar, no meio ambiente global. Torna-se o paladino da liberdade maior, da liberdade com igualdade, que somente os brancos revolucionários, vinculados ao socialismo e ao comunismo, deveriam entender (mas não entenderam: os movimentos sociais do meio negro atingem o apogeu na década de 1930; os partidos socialistas e comunistas apenas depois da década de 1960 começam a aprender que a classe não explicava tudo e que, com referência ao negro, era necessário combinar raça e classe para descrever e explicar as contradições da sociedade brasileira. Os sociólogos, porém, fizeram essa descoberta no início de 1950, sem ser devidamente ouvidos, mesmo pelos negros).

Importa ressaltar duas coisas. Primeiro, é que o 13 de Maio subsiste como uma data falsa, uma "data do milagre", que teria redimido o escravo de um momento para o outro. Segundo, que foram os negros, pelos movimentos sociais e segundo suas próprias palavras, que montaram peça a peça a "nova Abolição", a abolição da qual e pela qual eles se impunham como gente, como seres livres e iguais a todos os outros, partindo da raça para injetar seu ideal libertário e igualitário na classe social e na sociedade nacional.

O movimento negro sente-se, pois, como responsável por uma vertente do pensamento social revolucionário dentro do PT. Ao romper com o convencionalismo da interpretação oficial do 13 de Maio, tenta convidar o PT a ser coerente com sua condição de partido que advoga o socialismo proletário. O trabalho lança suas raízes, no Brasil, no trabalho escravo. Por sua vez, a acumulação capitalista interna, como processo histórico específico, ganha impulso, depois da Independência, graças ao excedente econômico gerado pelo trabalho escravo.

Isso quer dizer que o "mundo moderno" iria aparecer, aqui, de uma acumulação originária de capital sustentada sobre a espoliação do negro pelo branco. E, indo mais longe, a proletarização teve suas origens e seus limites não no "mundo que o português criou", porém, no "mundo que o escravo produziu". Essas origens e esses limites contêm a marca colonial e neocolonial; contudo, também são profundamente determinados pelo modo escravista de produção, por seu agente humano e pela elaboração do trabalho assalariado como substituto e equivalente do trabalho escravo.

Os trabalhadores brancos, estrangeiros e nacionais, incumbiram-se da tarefa essencial de passar a limpo a noção de trabalho livre como categoria histórica. Agora, ela precisa abranger o negro, em todos os seus pressupostos ou determinações. Socialismo proletário, entre nós, implica raça e classe indissoluvelmente associadas de modo recíproco e dialético.

Mesmo no contexto da sociedade de classes vigente – capitalista e burguesa – deve-se contrapor a democracia vinculada à classe à democracia que resulta de uma amalgamação de raça e classe. Foi fácil, por exemplo, ao italiano ou ao alemão atravessar a linha de classe. O mesmo não acontece com o negro. Este precisa atravessar duas linhas de resistência, de integração e de dissolução: a da classe e a da raça. O proletário negro propõe ao PT o limite mais amplo da liberdade com igualdade, no seio da democracia burguesa ou numa futura sociedade socialista.

"Nova Abolição"

Daí ser imperioso o desmascaramento da História – a começar pelo 13 de Maio e pela realidade concreta de uma República que só é democrática para os de cima. A emancipação coletiva dos de baixo, no estágio atual, exige que o PT se volte para o passado e descubra qual era a essência do 13 de Maio. Como outras manifestações históricas similares, essa data foi uma revolução social dos brancos, pelos brancos e para os brancos dos estratos sociais dominantes.

Ela dividiu os de baixo e compeliu os negros a rolarem até os últimos degraus da exclusão, do desespero ou do trabalho que todos repeliam. Isso obrigou os negros a se lançarem à conquista do seu 13 de Maio, a uma nova Abolição, que passou ignorada, mas os colocou na condição de agentes históricos retardatários. Eles abriram para si as portas da sociedade de classes, penetraram no mercado pelas vias mais duras e começaram a se classificar, através de um processo histórico lento, prolongado e oscilante, como trabalhadores livres no sentido pleno do conceito.

Hoje, seu movimento social conflui em várias direções, inclusive na do PT, e sua bandeira de rebelião social é outra. Eles formam, há um tempo, a vanguarda radical das forças sociais da revolução proletária e o fermento político de um socialismo revolucionário que se opõe contra os dois antigos regimes superpostos à existência da classe e da raça, como meios de exploração econômica, de dominação social e de subalternização cultural.

A "segunda Abolição" ainda não se completou. Todavia, o seu percurso é claro. Ele termina e atinge seu clímax em um movimento social que constrói dentro do PT seus vínculos mais fortes com o ideal proletário de edificação de uma *sociedade nova*, sem dominação de raça e sem dominação de classe.

Os enigmas do círculo vicioso[1]

Caio Prado Júnior dedicou-se à investigação e à explicação da economia brasileira ao longo de vários anos. Os principais marcos de sua contribuição são duas obras clássicas: *Formação do Brasil contemporâneo: colônia* e *História econômica do Brasil*. *Evolução política do Brasil* pode ser agregado às duas, porque apanha o Estado nacional como conexão do sistema capitalista mundial, e *Revolução brasileira*, por sua natureza, as desdobra e amplia. Ao formular a especificidade da situação latino-americana e, em particular, do Brasil dentro dela, no plano da revolução internacional, a análise do substrato econômico ganha, naturalmente, uma saliência marcante. A esse conjunto é preciso acrescentar os ensaios sobre a estrutura fundiária, pioneiros em sua documentação e perspectivas. Como marxista, não realizava as tarefas do economista. Estabelecia uma síntese, que na esfera acadêmica seria entendida como uma fusão entre história, economia, geografia e sociologia. Ao mesmo tempo, nessa qualidade, tinha em mente que a história culmina na explicação do presente e que existe uma relação recíproca entre teoria e prática, conhecimento e transformação da realidade.

Este livro foi escrito, originariamente, para ser apresentado como tese de livre-docência à Faculdade de Filosofia, Ciências e Letras da USP. Seu título e subtítulo são igualmente reveladores: *História e desenvolvimento: a contribuição da historiografia para a teoria e prática do desenvolvimento brasileiro*. Ele, de fato, é uma retomada das obras anteriores. Resume os resultados das investigações e as descobertas mais significativas que foram feitas, em mais de três décadas de trabalho exaustivo e criador. E contém respostas às doutrinas procedentes do

---

[1] Prefácio de: PRADO JÚNIOR, Caio. *História e desenvolvimento*. 2. ed. São Paulo: Brasiliense, 1988. p. 5-12.

centro imperial, que aqui tiveram certa repercussão, graças a um livro W. W. Rostow, e à crescente valorização da teoria neoclássica de lord John Maynard Keynes como instrumental de políticas econômicas anticíclicas, que germinaram nos países centrais e, por sua influência, na periferia. É uma pena que Caio não tenha aproveitado os estudos de Paul A. Baran e outros autores marxistas, na compreensão crítica do desenvolvimento e na elaboração de uma economia política do desenvolvimento. Contudo, a sua reação era construtiva. Induziu-o a combater usos e abusos do modelo ideal, como equivalente do concreto (coisa que nunca passou pela cabeça dos cientistas sociais alemães, que utilizaram os tipos ideais na investigação histórico-sociológica); e animou-o a ver na historiografia o recurso para explicar causalmente, mas com base empírica sólida, a natureza e os limites do desenvolvimento que o colonialismo e o imperialismo forjaram para as "nações emergentes". Isso abriu este livro para uma reflexão sobre capital mercantil, que une as primeiras e as últimas conclusões de Caio sobre o assunto. De forma clara e concisa, localiza o capital mercantil em vários contextos históricos da evolução brasileira, salienta o que havia de mais importante e decisivo em suas interpretações da sociedade colonial e extrapola a importância do capital mercantil em duas épocas mais recentes, que não comportam as ilações elaboradas, embora sugiram antinomias e problemas que exigem novas indagações e explicações. Seja como for, o livro comprova o seu porte intelectual e mostra que a ditadura constrangeu a Faculdade de Filosofia, Ciências e Letras a perder a presença direta e ativa de uma mente fecunda e de um grande historiador.

Não vejo sentido em me estender sobre as impressões que o livro provocou em mim. Qual seria o sentido de um prefácio à obra de um autor consagrado e influente, que cruzou com a vida intelectual e política de milhares de leitores, muitos estudantes, professores e especialistas? Trata-se de uma autoexposição, sem retoques e floreios, como era o estilo de Caio Prado Júnior, um homem corajoso, íntegro e direto. Ele não se impôs uma revisão crítica. Por quê? Porque estava convicto da veracidade de suas descobertas e do seu retrato da evolução histórica do Brasil e de outras sociedades periféricas e marginais (para empregar os seus conceitos), as quais não repetiram nem poderiam repetir o desenvolvimento econômico autossustentado da Europa industrial e dos Estados Unidos. Escapou às ilusões dos que representaram o nosso país como se ele pudesse reproduzir o passado, o presente e o futuro dos centros imperiais e concentrou-se no fundamental: dizer *por que isso era historicamente impossível*. Por isso, encimei o prefácio com a referência aos enigmas do círculo vicioso. As determinações fundantes da economia escravista procediam de dinamismos do antigo regime colonial e do *indirect rule*, que se instaura depois da vinda da família real, da elevação do Brasil a sede do reinado e da proclamação da Independência. Essas determinações se objetivavam concretamente na natureza e nas funções do capital mercantil na economia escravista, primeiro colonial, em seguida imperial. Desafortunadamente, Caio não questiona a fundo as formas de expropriação do senhor, praticada através do mercantilismo e, um pouco modificadas, sob o neocolonialismo, tendo à frente a Inglaterra. Mas ele demonstra como o capital mercantil irá constituir um horizonte econômico no qual o agente privilegiado, no plano nacional, ficará preso ao ardil de um enriquecimento que envolvia duas servidões: uma ao escravo; outra à metrópole de fato. O livro não lhe deixou espaço para se expandir em outras direções, como, por exemplo, a importância da escravidão sobre a elevação e o desdobramento da acumulação de capital depois da Independência. No entanto, ele se detém várias vezes e de diversos ângulos sobre os "homens de negócios" que se constituíram sob a égide de um capital mercantil colonial, neocolonial e, mais tarde, sob a situação de dependência. Um homem de negócios que não possuía a imaginação inventiva e a ousadia empresarial dos seus pares ou equivalentes europeus e norte-americanos. E que, por conseguinte, gravita, até hoje, nos calcanhares do centro imperial, sacrificando a uma segurança econômica imaginária a mentalidade capitalista ou o "espírito burguês" autênticos. Esses atributos psicodinâmicos podiam surgir ocasionalmente (em um Mauá, por exemplo), mas como exceção que confirma a regra.

 O capital mercantil é posto, assim, no núcleo dos dinamismos que explicariam, historicamente, a castração do seu dono ou proprietário por seus parceiros mais fortes, em momentos históricos distintos. Essa descrição ressurge em vários passos do livro e é retocada nas sucessivas molduras históricas, que variavam mais na aparência que em sua essência. Penso que essa insistência é responsável pelo valor do livro, mas, também, por seus defeitos ou limitações. O valor aparece nas partes que dizem respeito às evoluções que vão até o aparecimento do café e o tipo de homem de negócios em que se convertem os fazendeiros (ou outros agentes econômicos, deixados na penumbra ou negligenciados). Contudo, já a partir do esgotamento da curta fase de transição neocolonial, que no Brasil definha em mais ou menos meio século, nas regiões econômicas em expansão, modernização e diferenciação, ocorre uma metamorfose que engata o capital mercantil (acumulado no interior ou procedente de fora, sob a forma de empréstimos e de inversões bancárias) ao capital industrial. O capitalismo competitivo sofre sérias distorções e deformações. Porém, adquire, em poucas décadas, um vigor crescente, expandindo-se depois continuamente, sob os efeitos da I Guerra Mundial e da substituição de importações. Aí, fica patente que Caio se prende demais ao conceitual, à lógica dos conceitos que são essenciais em seu esquema descritivo e interpretativo. Por isso, focaliza de modo insuficiente as próprias transformações do homem de negócios, de sua mentalidade e seu comportamento econômicos, bem como as relações do capital mercantil com o capital industrial, e, após a II Grande Guerra e a ditadura militar, com o capital financeiro típico do capitalismo monopolista e da espécie de imperialismo que ele engendra, em nossos dias. Há deslocamentos na economia. O capital mercantil não desaparece. Mas perde sua função hegemônica e determinante. O círculo vicioso persiste, mas não por sua conta. A investigação histórica deverá ir mais longe e aprofundar-se para explicá-lo.

A argúcia de Caio, apesar disso, permite-lhe fazer duas constatações que precisam ser postas em relevo. Primeiro, menciona a forma e o conteúdo de um horizonte econômico que aferra o empresário a uma iniciativa privada de bitola estreita, verdadeiramente retardatária e inibidora. A acumulação do capital avança muito mais como um fim do que como um meio. Esse processo provém da essência do capital mercantil. Mas caberia notar que não é exclusivo dele e mantém-se em plena atividade depois que ele perdeu sua função hegemônica e determinante. Portanto, o que subsiste, como dado permanente, é o elemento especulativo, a tendência a lançar os riscos da iniciativa privada e da ação empresarial para fora de suas fronteiras (ou seja, socializando as perdas e/ou privatizando os lucros e as vantagens relativas obtidos, através da sua superexploração de trabalho, da inflação e da intermediação estatal). Segundo, sublinha o teor arcaico no comportamento econômico do homem de negócios e do empresário, em situações históricas diversas. Caio retém os vínculos mais ostensivos procedentes do impacto do capital mercantil. Em parte, é indiscutível que ele possui razão. No entanto, o componente decisivo é outro: consiste no nexo estabelecido com a forma histórica da dominação externa e com as alterações do cenário mundial, que obrigaram as nações capitalistas centrais e sua superpotência a praticarem uma contrarrevolução defensiva em escala mundial, que se alicerça sobre a internacionalização do modo de produção capitalista, do mercado moderno e de operações financeiras complexas. O que importa, nesse caso, é que Caio botou o dedo na ferida. Ele enfatiza a permanência de um nexo colonial que muitos investigadores consideram extinto. Na verdade, a internacionalização do modo de produção capitalista requer esses componentes, porque as multinacionais, com sua tecnologia, instituições, ideologia e sistema de poder, implantam-se nos países hospedeiros e neles restabelecem a dominação direta, a partir de dentro e insensível à soberania da "nação emergente". No conjunto, a forma de dominação é ultracomplexa, diferenciada e flexível, abrangendo múltiplos nexos de controle à distância. Eles ocultam a recuperação e a reciclagem do elemento arcaico, no qual repousam a capitulação do parceiro empresarial mais fraco e a chamada "rendição silenciosa" da nação satelizada.

É óbvio que a publicação deste livro se impunha. Ele não podia permanecer inacessível aos estudiosos e ao grande público. A sua edição permite retomar, em cheio, o contato com um pensamento crítico pioneiro, vigoroso e atual. Ao mesmo tempo, oferece-nos a oportunidade de prestar homenagem ao primeiro historiador que fecundou as ciências sociais com o marxismo. Ele reaparece com todo o brilho, como expressão legítima da Faculdade de Filosofia, Ciências e Letras e das grandes aspirações que ela suscitou de uma revolução científica, que foi abafada e transferida para diante, e da qual se tornou um mestre, sem ter sido um professor de carreira.

Nem federação nem democracia[1]

A revisão crítica da "história oficial" mais urgente é a da República. Timbramos por dela ter uma realidade e uma representação pelo avesso, as quais passam por ser o concreto. Não se trata apenas de um "vezo das elites". Elas, sem dúvida, deram um belo retrato de si próprias: quando se mostraram amargas, preferiram recorrer às consequências psicológicas e culturais, à "fusão das três raças tristes". Camuflaram o seu desenraizamento por trás de um verniz sombrio e de uma metafísica do real. Sérgio Buarque de Holanda e Caio Prado Júnior iniciaram a "história objetiva" e vários historiadores ilustres e mais jovens a aprofundaram e abriram várias trilhas. Contudo, os mitos permanecem de pé. A necessidade da descolonização não foi percebida como um desafio científico ou diluiu-se na compensação psicológica proporcionada pela identidade intelectual europeia, que permitia forjar clichês novos, empilhando-os sobre outros preexistentes.

Por que essa evolução? É difícil explicá-la. Há razões palpáveis – a escravidão, por exemplo, favorecia a tomada de uma posição crítica sobre a sociedade colonial e a imperial. A República arrastou consigo e dependeu profundamente de uma vasta herança, que amalgava traços negativos e padrões culturais repulsivos, mas contou com a imagem do "trabalho livre", a expansão das cidades, o crescimento das indústrias, a rebelião das classes intermediárias (com o tenentismo como foco central), a secularização cultural (com o modernismo como polo de referência), a criação das universidades (com a USP como expressão sacramental) e as "revoluções políticas" de lastro renovador, radicais-populares e radicais-burguesas, que se esvaíram deixando o país seguir seu curso tortuoso, o qual chega aos dias atuais. Essa fachada imputou

---

[1] Originalmente publicado em: revista *São Paulo em Perspectiva*, v. 4, n. 1, p. 24-27, jan.-mar. 1990.

à República uma aparência, que iria do tosco ao civilizado... A tarefa primordial do historiador desvaneceu-se ou foi praticada como quem cuida do seu furúnculo, o que faz do desmascaramento crítico uma obra ciclópica, depois de tantos compromissos e meias verdades... Eis onde nos encontramos!

O grande dilema republicano consiste em que nem a Colônia nem o Império deixaram os requisitos econômicos, sociais, culturais, políticos e psicológicos de uma República burguesa federativa. A mentalidade senhorial se aninhou no íntimo do "espírito capitalista", lançasse ele raízes em atividades econômicas agropecuárias e agrocomerciais, mercantis, bancárias, industriais ou de especulação com aluguéis e empréstimos a juros. A lavra do ouro, importante na seleção de um empreendimento lucrativo para o uso da mão de obra escrava, deslocada para o Sudeste, incentivou a transformação do escravo em fator de acumulação acelerada do capital *dentro* do país. Isso acarretou, no contexto de várias tentativas, a escolha do café e a expansão burguesa de um estilo de vida anteriormente "aristocrático" (em termos subjetivos, de *mores* e de orientações da cultura). Ao mesmo tempo, a expansão do setor novo da economia, iniciada sob o impulso da transferência da corte e da *indirect rule*, fizera com que a expansão urbana quebrasse o provincianismo comercial e forçasse a diferenciação da produção, de consumo das elites mas, principalmente, de consumo dos setores pobres e inclusive dos escravos. Nada disso destroçou o patrimonialismo residual das plantações e as bases patriarcais de organização da família e da vida, tanto no campo quanto nas cidades, nos estratos sociais dominantes. Ao inverso do que sucedera nos Estados Unidos, o grau de universalização da autocracia do senhor, do marido, do pai, do homem de prol atingia toda a "gente válida", de norte a sul, de leste a oeste (quer a prosápia tivesse fundamento ou não). Portanto, os interesses dos de cima não trabalhavam no sentido de construir uma democracia federativa. A federação contava como fonte de maior autonomia local, provincial ou, por efeitos indiretos, diante do poder central. Porém, o federalismo não aparecia como uma filosofia política sedutora e necessária (com a exceção mais prática que teórica do Rio Grande do Sul). E a democracia não era fonte de preocupação que envolvesse ações políticas de organização do poder e, paralelamente, de autodefesa coletiva das elites diante de prováveis ameaças do "voto popular" (como nos Estados Unidos). As camadas sociais dominantes concentravam o poder solidamente em suas mãos. A República seria, a seus olhos, uma monarquia sem imperador – uma democracia de senhores, das elites, para as elites dos mais ricos e poderosos, em suma, uma *democracia restrita*.

A República foi designada como "oligárquica", mas não era nem mais nem menos oligárquica que o Império, com o seu poder aparentemente centralizado e o "homem sábio" que estava à sua testa. Os idealistas e os republicanos utópicos (como Silva Jardim) logo atinaram com os desvios ocorridos. Serviram a uma revolução política em uma sociedade que carecia de uma revolução social. A crítica social, de Tavares Bastos a Joaquim Nabuco e aos propagandistas mais famosos do republicanismo, propunha reformas radicais no modo de produção, na propriedade da terra, no momento de usar a terra e no regime de trabalho. Todos percebiam que a substituição do trabalho escravo pelo trabalho livre não iria somente derrubar a dinastia, pois começaria por transformar o escravo, o liberto, o homem pobre livre e o imigrante de meio servo da gleba e de meio assalariado em "trabalhadores livres". Por isso, os líderes dos fazendeiros tomaram a si a temível fórmula do "Trabalho livre na Pátria livre" e logo negaram a liberdade intrínseca ao trabalho assalariado. Os trabalhadores tiveram de construir a categoria histórica "trabalho livre" contra a maré, contra os patrões e um Estado que consideravam a greve "questão de polícia" e viam no contrato com os de baixo um papel sem valor (ao contrário da palavra empenhada ou do fio de barba nas relações entre iguais). Na iminência da derrocada da ordem (do modo de produção escravista, do regime estamental, da monarquia), transitaram habilmente para a mais sórdida "conciliação" pactada no tope, fazendo um acordo com os republicanos que possibilitou reduzir a revolução prevista a uma revolução política, entre os de cima e para os de cima.

O republicanismo foi sepultado ao nascer. A democracia, funcional para as classes dominantes, mantinha-se aquela que prevalecera antes, extra e antirrepublicana. Ou seja, com as alterações havidas ao longo do século XIX, a democracia dos senhores de escravo. Em condições inteiramente inadequadas para uma democracia restrita, com as alterações ocorridas na sociedade civil, no modo de produção e no corpo de leis ou na Carta constitucional que delimitava a forma, os conteúdos e o funcionamento do Estado, permanecia em toda a sua força a autocracia senhorial, agora exercitada por cidadãos da República, que tinham peso e voz na sociedade civil e na condução dos negócios do governo. A conciliação não poderia ser mais bárbara e cruel. Ela condenava a República a ser castrada por aqueles que deveriam servi-la e não se tornar um apêndice da iniciativa privada (o contraponto republicano da ordem privada). Foi das famílias tradicionais em decadência ou dos rebentos dessas famílias destinados à carreira mais modesta, a militar, que se esboçou a continuidade da crítica social e da oposição à praga do "perrepismo". De outro lado, seria da "escória social", vista como uma composição dos "inimigos públicos da ordem", especialmente dos operários e artesãos ou pequenos comerciantes, que espoucaria a oposição frontal, que tomou corpo subterraneamente para explodir como o prenúncio de que os de baixo não queriam nem o federalismo nem a "República democrática" engendrados pelo pacto entre fazendeiros e republicanos de ocasião. Estava na natureza das coisas que o primeiro grupo de dissidentes buscava restaurar o nível social e o prestígio. Os "tenentes" demonstraram, logo (embora com algumas exceções), o que os movia e o que queriam do poder. A segunda categoria de inconformistas, por sua heterogeneidade e diversidade de origens sociais, oscilou em torno de várias ideologias. No entanto, todos, sem exceção, tiveram de gravitar na órbita dos interesses e dos conflitos das classes dominantes, exprimindo através delas e das opções que elas abriam (ou fechavam) os seus anseios de regeneração da ordem social existente.

Não obstante as variações estaduais e regionais das formas históricas de manifestação objetiva das tensões históricas, foi a Aliança Liberal que consubstanciou os ideais de revolução especificamente política emanada do cume dos cidadãos rebeldes e seu movimento cívico de derrubada da "oligarquia". Seu movimento de rebelião vomitou o povo nas ruas – por toda parte, massas insatisfeitas corriam atrás das tropas e de seus líderes, gritando "Queremos Getúlio!", como se, assim, contribuíssem para desencadear o nosso equivalente histórico de "liberdade, igualdade e fraternidade". Os de cima tinham outras ideias e aspirações. Getúlio usou os inconformismos como cauda política do movimento burguês. Mas realizou, a partir de cima, uma manobra que no México exigira uma revolução social. Introduziu a legislação trabalhista e a organização dos trabalhadores. Mas atrelou os sindicatos ao Estado e criou um exército de sindicalistas pelegos, que contava como a base social do imenso e duradouro edifício de paz burguesa, montado com recursos financeiros e humanos tirados dos trabalhadores. Ao mesmo tempo, instituiu organizações de salvaguarda da solidariedade e prestação de serviços dos trabalhadores submetidas ao controle social e à manipulação econômica e política dos patrões. Para completar essa obra, ignorou a situação dos miseráveis da terra, enquanto estabelecia laços orgânicos entre oligarquias rurais e plutocracias urbanas. Através do PSD e do PTB, em luta encarniçada contra o Partido Comunista ou contando com seu apoio tático, engendrou um jogo político que fortaleceu a conciliação de classe e consolidou a condição de cauda política da burguesia dos operários e das massas populares.

Essa era a lógica da situação política. Amadurecendo, a burguesia não se voltou para a discussão dos fundamentos filosóficos e políticos da ordem existente. Ignorou as deformações práticas e institucionais do federalismo e, após curtíssima experiência (1930-1934 e 1934-1937), substituiu a autocracia dissimulada pela ditadura ostensiva. Como o federalismo, a democracia sequer foi examinada como "mal necessário", como pressuposto ou premissa das reformas e revoluções dentro da ordem, essenciais para o desenvolvimento capitalista. Ela foi encarada como um mal em si, uma fonte de antagonismos sociais que cumpria reduzir ao valor zero, mantendo-se como ritual simbólico, ou eliminar, preservando na prática a *democracia restrita*, instrumental para a conciliação e a reforma que convinham aos estratos com faculdade de decisão das classes burguesas. Não se produziu nenhum clássico político que analisasse e sistematizasse os pontos de vista das facções das classes dominantes. Todavia, foram escritos vários livros de envergadura sobre o "poder autoritário" ou o "Estado autoritário". A queda do Estado Novo não restabeleceu a situação anterior. Nesse ínterim, as classes trabalhadoras cresceram numericamente e em vigor político. A democracia respondia às exigências cívicas de todas as classes, embora de maneiras diferentes. Ainda assim, a formação de condições para a emergência de uma "democracia de participação ampliada" foi razão suficiente para um golpe de Estado e a imposição de uma ditadura de inspiração militar e de suporte civil (dos reacionários e conservadores, mas também dos "patriotas" ambivalentes entre os de cima).

Esse é o limite no qual este balanço se atreve a chegar. Poder-se-ia perguntar: por que os de baixo não realizaram as tarefas históricas que cabiam às velhas e às novas oligarquias? Uma resposta mecanicista afirmaria: porque essas não eram *suas* tarefas de fato. Tal resposta é um equívoco. A questão tinha uma cara concreta diversa: os de baixo estavam empenhados em uma árdua batalha para engendrar, numa sociedade civil bárbara, embora burguesa e imitadora servil da Europa e dos Estados Unidos, as condições da existência de uma civilização, com a validade do contrato, a liberdade de organização e de greve, a dignidade do que não tem peso e voz na sociedade civil, etc. Isso quer dizer que, enquanto os líderes carismáticos e as classes cultas contentavam-se com a velha lei do porrete, os de baixo lançavam todo o seu poder de luta social para que se instaurasse uma sociedade civil civilizada. É uma ironia da história. O analfabeto e o marginalizado se engolfavam no combate, que não era iluminista, de esclarecimento de mentes e corações. Na sua vasta maioria, não sabiam o que era o federalismo, mas sentiam que ou conquistavam uma República democrática, demolindo a autocracia burguesa e seu modelo de organização republicana, ou seriam mantidos em um submundo, no qual a humanidade do ser humano e a liberdade com igualdade jamais teriam lugar nesta parte dos trópicos. Portanto, não se apresentavam como os campeões de "Ordem e Progresso" (ou como um eco distante do "Homem livre na Pátria livre"). Enquanto erguiam lentamente sua concepção do trabalho livre como categoria histórica, erigiam uma nova sociedade burguesa, na qual acabariam adquirindo peso social e voz política.

Anarquistas, socialistas e comunistas supriam-nos com novas ideias e concepções. Mas estas não se voltavam para o passado distante e as oportunidades que uma burguesia tosca da periferia, com toda sua literatura europeia e norte-americana, perdera. Propunham às classes trabalhadoras e aos oprimidos as técnicas sociais para reduzir sua exploração, livrar-se do despotismo burguês na fábrica, na sociedade civil e no Estado, construir uma sociedade nova. O eixo de sua luta repousava em sua autodefesa coletiva e na possibilidade de responder ofensivamente à sua negação como pessoa e como classe. Mesmo no limite da década de 1950 essa rotação das classes trabalhadoras é muito clara. Avançar, sempre! Render-se, nunca! Por isso, seu alvo não estava na preservação de um Estado de hegemonia e de opressão absolutas, transferido dos anos mais duros do escravismo, em que se impunha tirar o mais depressa possível o último alento produtivo do escravo, sob a proteção de uma infâmia: os contratos de trabalho com cláusulas de fixação da data de liberdade. Empolgavam-se pelo ideal de elaboração de uma nova sociedade, que desembocasse na democracia da maioria e no socialismo. Não havia, pois, alternação de rotas, passagem de tarefas históricas de uma classe a outra. As oportunidades históricas que a burguesia perdeu durante todo um século agora são o seu fantasma. Elas podem ser descritas como se tivessem sido atendidas. Isso não move uma palha. Só serve para exibir o exterior de um lindo castelo, oco por dentro e podre dos alicerces ao telhado. Não contém nem alimenta sonhos e promessas. É a imagem estática de uma sociedade que só poderia sobreviver sufocando até as reformas burguesas e a "revolução dentro da ordem". Do outro lado, pulsa a história viva, que rejeita o presente e o passado, porque os seres humanos não nasceram para viver em cativeiro, mesmo que a gaiola ou os grilhões sejam feitos de ouro e diamantes.

Obra de Caio Prado nasce da rebeldia moral[1]

O maior enigma posto por Caio Prado Júnior, como pessoa, cidadão e pensador, é sua ruptura radical com a ordem social existente. Tomo a palavra no seu sentido etimológico, salientado por Marx ao afirmar que ser radical é ir à raiz das coisas. Lamento o tempo perdido. Nunca lhe perguntei nada sobre sua ruptura total com sua classe; e os escritos iluminam esse período vital, de 1924 a 1928 e de 1930 a 1931.[2] O que se passou na evolução da consciência social crítica, que o guiou por transformações tão aceleradas e profundas?

Havia efervescência intelectual e política na cidade de São Paulo. Os fatos são conhecidos. E São Paulo, como a única cidade tipicamente burguesa do Brasil, tocava a mente dos seres sensíveis, conduzia os operários à inquietação, a uma atitude de quase repugnância diante de um quadro doloroso de miséria, exploração e opressão. Ele não foi único na rebeldia. Oswald de Andrade, Pagu e outros modernistas ergueram a bandeira da antropofagia e do inconformismo político como uma condenação sarcástica e simbólica às omissões imperantes. Todavia, ninguém saído das elites revela idêntica tenacidade, congruência e disposição de ir até o fim, às raízes das coisas.

---

[1] Originalmente publicado em: *Folha de S.Paulo*, 7 set. 1991.
[2] Em 1924, Caio Prado Júnior ingressa no curso de direito da Faculdade de Direito do Largo São Francisco, na capital paulista. Forma-se em 1928 e, no mesmo ano, filia-se ao Partido Democrático (PD), partido da oligarquia paulista dissidente. Trata-se da primeira ruptura indicada por Florestan. Posteriormente, Caio Prado Júnior participa ativamente da revolução de 1930, mas, já no ano seguinte, decepcionado com o governo Getúlio Vargas, filia-se ao Partido Comunista Brasileiro (PCB), selando com isso sua filiação ao marxismo. O segundo período indicado por Florestan Fernandes e aqui publicado foi corrigido em relação ao texto original, no qual se lê: "de 1924 a 1928 e de 1924 a 1931". (N.Org.)

O modernismo só explica uma tendência à renovação, às vezes temperada (ou destemperada) com oscilantes manifestações de iconoclastia. Caio Prado Júnior ostenta uma aceleração contínua, que percorre uma passagem rápida do radicalismo democrático-burguês para a oposição intransigente proletário-comunista. Mantendo-se na mesma posição de classe, inverteu as baterias e seu combate e tornou-se um militante, um político de proa (em 1935 já era vice-presidente da Aliança Nacional Libertadora), e, reiterando a troca de identidade, em 1947 tornou-se deputado por São Paulo (aliás, um deputado inovador e exemplar).

É óbvio que a ruptura política respondia às frustrações provocadas pelo destino do Partido Democrático e pela traição dos "revolucionários" de 1930 aos ideais de subversão da ordem. Porém havia outra ruptura paralela, de natureza moral: não a substituição de *mores*, mas a ressocialização da pessoa dentro de *mores* antagônicos. A passagem envolvia um renascimento para a vida, do qual brotou e cresceu um comunista confiante na opção na qual jogara tudo, desde a lealdade de classe até a relação intelectual com o mundo e o comportamento político.

Os cinco anos de faculdade de Direito também não explicam uma evolução que converte o radicalismo intelectual em transgressão. A instituição-chave na seleção e preparação dos guardiões civis da ordem sempre alimenta o aparecimento de um pugilo de filhos pródigos, que submergem na contestação aos costumes, ao conservadorismo cultural e ao reacionarismo político; e depois renascem como Fênix, para resguardar a austeridade dos costumes e a lei como a *ultima ratio* da defesa da ordem. O certo é que Caio Prado Júnior não poderia escapar desse lapso de liberdade tolerada. E convém reconhecer que, enquanto ela dura, essa liberdade é seminal. Ela sulca a imaginação, forjando uma insurgência compensatória de curta duração. Contudo, ela é criadora e deixa cicatrizes. Estimula muitas leituras e excursões proibidas ou demolidoras: ainda agora os bacharéis contam entre os universitários que mais leem, dentro de um campo de irradiação muito vasto.

Portanto, suponho que o modernismo e a atividade estudantil tiveram o seu peso. Mas este não parece decisivo. Diria que contaram como reforço psicológico à predisposição arraigadamente orientada para o inconformismo moral (aliás, o ano 1920, passado no Chelmsford Hall, na Inglaterra, possui o mesmo significado, pelo avesso: como demonstração do que é uma sociedade civil civilizada).

Se a proposição do enigma está correta, a resposta procede de uma ruptura moral interior. Nós, no interior do marxismo, sentimos alguma dificuldade em aceitar uma explicação fundada exclusiva ou predominantemente em uma ruptura moral. Parece que resvalamos para uma centralidade idealista, que coloca no mesmo nível diversas rupturas convergentes (ideológicas, sociais, políticas, etc.). Todavia, há um momento de crise da personalidade no qual o desabamento de estruturas mentais se conjuga à busca de outros conteúdos, com uma reorganização completa de suas bases perspectivas e cognitivas. As tentativas de uma revolução dentro de linhas radicais (a participação do PD e as expectativas relacionadas com a "evolução liberal") precipitaram o processo psicológico e político em outra direção, mais congruente, desvendada pelo Partido Comunista do Brasil.

Esse é o significado de uma ruptura plena, pois ela não se confia a certos fins circunscritos; desencadeia-se e prossegue... O paradigma é fornecido por Grandhi (mas pode ser inferido de alterações similares, experimentadas por revolucionários marxistas, como Lênin ou Trosky, situados nos limites de sua posição de classe de origem). A vantagem dessa interpretação está em que ela permite entender as razões da consistência de Caio Prado Júnior, quando confrontado pelo partido (na desobediência ao pragmatismo da disciplina e da hierarquia e, mesmo, no conflito com as concepções nucleares extramarxistas de essência e dos rumos da revolução socialista).

Portanto, não existe uma ligação "mecânica" entre as decepções e a reorientação política, o entusiasmo militante inicial e a publicação em 1933 (aos 26 anos de idade) do seu livro mais vibrante e, ao mesmo tempo, o que reclama explicitamente o seu caráter marxista: *Evolução política do Brasil e outros estudos: ensaio de interpretação materialista da história do Brasil.*

O subtítulo continha uma confissão para "escandalizar", um testemunho de que a ruptura avançara tão longe que não evocava uma "ovelha negra" convencional, mas um pensador revolucionário, com quem a sociedade burguesa teria de se haver. Uma "explosão juvenil", que precisa ser compreendida no contexto histórico, em termos da concepção de si próprio e da história sustentada vivamente pelo autor. O livro resvala por lapsos lógicos, descritivos e interpretativos, que mereceriam reparos de marxistas experimentados. Mas quem poderia ser, dentro de nosso cosmos cultural, mais marxista?

Ainda carregamos limitações que somente uma dura e longa experiência no manejo do materialismo histórico convidaria a ultrapassar. As contradições não são situações a fundo e não lançam luz sobre o "inferno" da vida nos trópicos e nas determinações recíprocas que vinculavam a opressão senhorial à dinâmica da opressão escravista, de escravos e "homens livres pobres". O "Estado escravista" continuou de pé, dentro da ótica dos que o viam como um Estado constitucional, parlamentar e democrático.

No entanto, *Evolução política do Brasil* é um rebento maduro e correspondia, como obra marxista, aos intentos de Caio Prado Júnior. No patamar incipiente e mais puro de sua ruptura, ele desenha a versão do Brasil que animaria suas investigações ulteriores e dá suas respostas aos membros da classe social dominante e ao PCB, no qual ingressara. Àqueles, para que descobrissem que construíram e reproduziram, cotidianamente, a cadeia dentro da qual prenderam e degradaram a sua consciência social, a condição humana e a ausência de saídas históricas dentro de falsos padrões de democracia. Ao último, para se afirmar em toda a plenitude como um intelectual revolucionário livre, pronto para avançar na conquista da revolução social e na emancipação dos excluídos, porém dotado de uma faculdade própria de se submeter à disciplina e às orientações partidárias. Compartilhava de sua estratégia: reformar primeiro; e destruir mais tarde aquele gigantesco presídio, designado como Estado "moderno". Não obstante, não se prestaria a servir de peão a qualquer conciliacionismo ou oportunismo "táticos". O livro põe em evidência, principalmente no ensaio primordial, qual é o sentido que carrega e os desdobramentos que exige do autor para que a construção de uma nova sociedade possibilitasse a criação de um Estado realmente democrático e aberto aos aperfeiçoamentos vindos de baixo.

A obra seguinte, aparecida nove anos depois (*Formação do Brasil contemporâneo: colônia*), adere a outro horizonte intelectual e político. Mais depurado, como marxista e historiador, propõe-se uma ambição ciclópica: uma devassa em quatro volumes da formação e evolução do

Brasil, do regime colonial escravocrata à contemporaneidade. Como historiador, Caio Prado Júnior preocupava-se em cobrir as lacunas da história descritiva da maioria dos cultores da matéria, e em corrigir as armadilhas das obras de síntese histórica, algumas de alta qualidade, que prevaleciam naquele instante. Como marxista, pretendia forjar uma obra-mestra, que servisse de fundamento para que as correntes socialistas e democráticas (especialmente o PCB) pudessem formular uma representação sólida das debilidades, do trajeto e dos objetivos específicos da revolução brasileira.

Saiu apenas o primeiro volume, que evidencia uma solidez na reconstrução empírica e uma firmeza nos delineamentos teóricos a que não chega o livro anterior. Então, tivera tempo de absorver rebentos da transplantação cultural, mediada pela Faculdade de Filosofia, Ciências e Letras, os quais aproveitou inteligentemente, em particular nas áreas da Geografia e da História. Foi pena que não fizesse o mesmo com referência à Sociologia, pois é aí que refletem as consequências negativas das omissões ou vacilações mais graves. O talento para combinar várias disciplinas, entretanto, enriquece o questionamento histórico e torna a contribuição mais compreensiva e esclarecedora.

A sociedade colonial e o modo de produção escravista encontram, finalmente, o intérprete que iria considerá-las como uma totalidade *in statu nascendi* e no seu vir a ser. Ela não seduziu só os leitores eruditos e obrigatórios. Impregnou a imaginação histórica de Caio Prado Júnior, convertendo-o em inventor e propagador de uma visão própria da história do Brasil. Essa visão estava contida no primeiro livro. Todavia, é na segunda obra que ela se expande como a fonte de suas grandes descobertas e a objetivação de seus amplos limites.

No conjunto aproxima-se mais da história "positiva" que em outras de suas realizações. O que não impede que elucide, por vezes de modo definitivo, a problemática específica do nosso mundo colonial. A começar pelo sentido da colonização e do desmascaramento dos interesses da metrópole, dos senhores e da grande exploração mercantil, até o embrutecimento do escravo como coisa e dos mestiços e brancos "pobres" como excluídos e ralé. Por isso, aí se acham os andaimes de seus estudos sobre a questão agrária e o capitalismo mercantil, assuntos que o atrairiam sem cessar, embora não possam ser devidamente explorados aqui.

O espaço também não comporta uma discussão, sumária que seja, de sua *História econômica do Brasil* (1945), que o compeliu a observar o vasto painel de longa duração como foco de referência de problemas concretos. Se se impuseram algumas correções, estas não tiveram, contudo, porte para impor uma revisão significativa da concepção global.

O seu livro de maior repercussão foi divulgado em 1966 – *A revolução brasileira* – e possui uma importância política excepcional. Contém um desafio ousado à ditadura. Mas constitui uma reflexão desafiadora e um repúdio ao mecanicismo "marxista" forjado depois de ascensão de Stalin ao poder e da influência manietadora da Terceira Internacional.

Nessa obra, Caio Prado Júnior procede a uma crítica severa dos desvios de rota da revolução socialista, programados e impostos como uma deformação do marxismo; o uso invertido e ditatorial do centralismo democrático; a simplificação grosseira da teoria e das práticas marxistas da luta de classes e da revolução em escala mundial. Os países dependentes, coloniais e neocoloniais tinham sido metidos em um mesmo saco e em uma mesma camisa de força, que pressupunham que a revolução pudesse ser "unívoca", monolítica, dirigida segundo uma fórmula única, a partir das diretrizes da Terceira Internacional e da União Soviética.

Desse ângulo, o livro retoma o marxismo como processo, que nasce e cresce por dentro das classes trabalhadoras e na busca de sua autoemancipação coletiva, através da construção de uma sociedade nova.

O núcleo de referência vem a ser o Brasil do momento da ditadura militar e do auge da Guerra Fria. O que impele Cairo Prado Júnior a retomar os temas de suas investigações, dissertando sobre os marcos coloniais da dominação econômica, cultural e política da burguesia, a debilidade dessa burguesia em termos de sua situação histórica, associada e dependente, e os parâmetros da conquista da cidadania e da democracia como requisitos da reforma agrária e de outras transformações sociais. Ele fica exposto a várias críticas teóricas e práticas, inclusive a da via reformista, gradualista e por etapas da implantação do socialismo. Não obstante, recupera o entendimento de Marx e Engels a respeito da revolução permanente, segundo o qual ela é produto da luta de classes, não de utopias melhoristas ou humanitárias.

Nessa ocasião, Caio Prado Júnior atingiu o clímax de sua grandeza como marxista, cientista social e agente histórico. Marchando contra a corrente, realizou uma síntese da evolução do Brasil e uma revisão em profundidade de questões concretas, intrínsecas a certos dilemas políticos, como a reforma agrária. Buscou o alargamento do marxismo para adequá-lo às condições históricas variáveis de periferia, da América Latina e do Brasil. E demonstrou como o intelectual, desempenhando seus papéis e sem transcendê-los pela eficácia de partidos, pode alcançar o cume de militância exigente e criativa.

Não carecemos de estar de acordo com ele em tudo para realçar o seu perfil marxista. Basta que enxerguemos a sua coragem de enfrentar sozinho os riscos de errar e a repressão política brutal, para admirá-lo ainda mais dentro e acima de sua produção como historiador, geógrafo, economista, cultor da lógica e da teoria da ciência, homem de ação e político representativo.